LES THIBAULT

II

ŒUVRES DE ROGER MARTIN DU GARD

nrf

ŒUVRES ROMANESQUES

DEVENIR! (1908).
JEAN BAROIS (1913).
CONFIDENCE AFRICAINE (1931).
VIEILLE FRANCE (1933).
LES THIBAULT (1922-1939).

Nouvelle édition en 7 volumes :

I. Le Cahier gris. — Le Pénitencier.
II. La belle Saison. — La Consultation.
III. La Sorellina. — La Mort du Père.
IV. L'Été 1914 *(début)*.
V. L'Été 1914 *(suite)*.
VI. L'Été 1914 *(fin)*.
VII. Épilogue.

ŒUVRES THÉATRALES

LE TESTAMENT DU PÈRE LELEU, *farce paysanne* (1920).
LA GONFLE, *farce paysanne* (1928).
UN TACITURNE, *drame* (1932).

ESSAIS

NOTES SUR ANDRÉ GIDE (1913-1951).

AUTRES ÉDITIONS

Collection « A la Gerbe » in-8° :

JEAN BAROIS (2 *vol.*).
LES THIBAULT (9 *vol.*).

Édition illustrée :

LES THIBAULT (2 *vol.*).
(*Illustrations de* Jacques Thévenet).

Bibliothèque de la Pléiade :

ŒUVRES COMPLÈTES (2 *vol.*)

ROGER MARTIN DU GARD

LES THIBAULT

II

LA BELLE SAISON
LA CONSULTATION

GALLIMARD

TROISIÈME PARTIE

I

Les deux frères longeaient la grille du Luxembourg. La demie de cinq heures venait de sonner à l'horloge du Sénat.

— « Tu t'énerves », dit Antoine, que, depuis un instant, le pas accéléré de Jacques fatiguait. « Quelle chaleur! Ça va finir par de l'orage. »

Jacques ralentit l'allure et souleva son chapeau qui lui serrait les tempes.

— « M'énerver? Non, pas du tout. Au contraire. Tu ne me crois pas? Je suis même étonné de mon calme. Voici deux nuits que je dors d'un sommeil de plomb. Au point que, le matin, j'en suis fourbu. Très calme, je t'assure. Et tu aurais dû t'épargner cette course : tu as tant d'autres choses à faire! D'autant mieux que Daniel y sera. Oui, crois-tu? Il est revenu de Cabourg exprès, ce matin. Il vient de téléphoner pour savoir l'heure de l'affichage. Ah, pour ces choses-là, il est d'une gentillesse... Battaincourt aussi doit venir. Tu vois que je ne serai pas seul. » Il tira sa montre : « Enfin, dans une demi-heure... »

« Ce qu'il est nerveux », pensait Antoine. « Et moi aussi, un peu. Pourtant, puisque Favery affirme qu'il est sur la liste. » Il écartait, comme il avait toujours fait pour lui, toute hypothèse d'échec. Il jeta vers son cadet un coup d'œil paternel, et fredonna, la bouche close : « *Dans mon cœur... Dans mon cœur...* Ah, je ne peux plus me débarrasser de cette mélodie que la petite Olga chantonnait ce matin. C'est de Duparc, je crois. Pourvu qu'elle n'oublie pas de rappeler à Belin la ponction du sept. *Dans mon cœur na-na-na...* »

« Et si je suis reçu », se demandait Jacques, « est-ce que j'en serai vraiment, vraiment heureux? Pas autant qu'eux », se dit-il, songeant à Antoine et à son père.

— « Tu sais », fit-il, mû par un souvenir, « la dernière fois que j'ai été dîner à Maisons-Laffitte? Je venais de finir les oraux, j'avais les nerfs en pelote. Alors, à table, voilà père qui me lance, avec son air, tu sais : " Et qu'est-ce que *nous* ferons de toi, si tu n'es pas reçu? " »

Il s'interrompit : un autre souvenir se jetait à la traverse. Il songea : « Comme je suis nerveux, ce soir. » Il sourit et prit son frère par le bras :

— « Non, Antoine, ce n'est pas ça qui est extraordinaire. C'est le lendemain. Le lendemain de ce soir-là... Il faut absolument que je te raconte... Père m'avait chargé, puisque j'étais libre, d'aller pour lui à l'enterrement de M. Crespin. Tu te rappelles? C'est là qu'il s'est passé une chose tout à fait incompréhensible. Je me trouvais en avance; il pleuvait; je suis entré dans l'église. Il faut dire que j'étais très agacé de perdre ma matinée; mais, quand même, tu vas voir, ça n'explique pas... Donc, j'entre, et je me place dans un rang vide. Voilà qu'un abbé vient se mettre près de moi. Remarque qu'un grand nombre de chaises restaient libres; et pourtant cet abbé vient se coller juste à côté de moi. Tout jeune, un séminariste sûrement, bien rasé, sentant le propre, l'eau dentifrice; mais des gants noirs exaspérants; et surtout un parapluie, un gros parapluie à manche noir qui puait le chien mouillé. Ne ris pas, Antoine, tu vas voir. Je ne pouvais plus penser à autre chose qu'à ce prêtre. Il suivait l'office en remuant les lèvres, le nez dans son bouquin. Bon. Bon. Mais à l'élévation, au lieu de se servir du prie-Dieu qui était devant lui, — j'aurais encore compris ça, — non, le voilà qui s'agenouille par terre, et qui se prosterne sur les dalles. Moi, au contraire, j'étais resté debout. Alors, en se relevant, il m'a aperçu, il a rencontré mon regard, et, ma foi, il a peut-être trouvé quelque chose d'agressif dans mon attitude? J'ai surpris sur son visage une désapprobation pincée, avec un glissement des prunelles sous les paupières, — quelque chose de faussement digne, quelque chose d'exaspérant! Tellement que... — Qu'est-ce qui m'a pris? Je n'y comprends encore rien. — J'ai tiré de ma poche une carte de visite, j'ai griffonné dessus la chose, en travers, et je lui ai tendu la carte. » (Ce n'était pas vrai; Jacques avait seulement imaginé, à ce moment-là, qu'il pourrait faire ce geste. Pourquoi mentait-il?) « Il a levé le nez : il hésitait; j'ai dû... oui... j'ai dû lui mettre la carte dans la main! Il a jeté les yeux, il m'a regardé avec ahurissement, et puis il a glissé son chapeau sous son bras, il a pris doucement son riflard, et il a décampé... oui... comme s'il avait eu pour voisin un énergumène... Et moi aussi, ma foi, je n'ai pu y tenir, j'étouffais de colère. Je suis parti sans attendre le défilé. »

— « Mais... qu'est-ce que tu avais écrit sur la carte? »

— « Ah, oui, la carte! C'est idiot. Je n'ose presque pas le dire. J'avais écrit : MOI, JE NE CROIS PAS! Point d'exclamation! Souligné! Sur une carte de visite! Est-ce bête! JE NE CROIS PAS! » Ses yeux s'arrondirent, et se fixèrent. « D'abord, est-ce qu'on peut jamais affirmer ça? » Il se tut un instant, pour suivre des yeux un jeune homme en deuil, de mise impeccable, qui traversait le carrefour Médicis. « C'est stupide », reprit-il, la voix troublée comme s'il se contraignait à un aveu pénible. « Sais-tu à quoi je viens de penser, toute une minute? Je me disais que, si tu venais à mourir, toi, Antoine, je voudrais porter un complet noir ajusté, comme celui de ce type qui s'en va, là-bas. J'ai même, un instant, souhaité ta mort, — impatiemment... Tu ne crois pas que je finirai dans un cabanon? »

Antoine haussa les épaules.

— « C'est peut-être dommage », reprit Jacques. « J'essayerais de m'analyser jusqu'au dernier degré de la folie. Ecoute. J'ai pensé à écrire l'histoire d'un homme très intelligent, qui serait devenu fou. Tous ses actes seraient insensés : et cependant il n'agirait qu'après de scrupuleuses réflexions, et il se conduirait, selon lui, avec une logique rigoureuse. Comprends-tu? Je me placerais au centre même de son intelligence, et je... »

Antoine se taisait. Encore une attitude qu'il avait choisie, et qui lui était devenue familière. Mais ses silences étaient si attentifs, que la pensée d'autrui, loin d'en être paralysée, y trouvait excitation.

— « Ah, si seulement j'avais le temps de travailler, d'essayer des choses », soupira Jacques. « Toujours ces examens. Et vingt ans déjà, c'est effrayant! »

« Et ce nouveau clou qui pousse malgré la teinture d'iode », songea-t-il, portant la main à sa nuque, où le frottement du col irritait la pointe d'un furoncle.

— « Dis, Antoine », reprit-il, « à vingt ans, tu n'étais plus un enfant, toi? Je me rappelle bien. Mais, moi je ne change pas. Au fond, je me sens aujourd'hui le même qu'il y a dix ans. Tu ne trouves pas? »

— « Non. »

« C'est vrai ce qu'il dit là », pensait Antoine : « cette conscience de la continuité, ou plutôt cette continuité de la conscience... Le vieux monsieur qui dit : " Moi, j'adorais saute-mouton. " Les mêmes pieds, les mêmes mains, le même bonhomme. Ainsi, moi, la nuit de ma peur, à Cotterets, cette colique; et je n'osais pas sortir de ma chambre : c'était lui, exactement lui, le docteur Thibault... notre chef de clinique... Un type de valeur... », ajouta-t-il avec satisfaction, comme s'il entendait un de ses internes parler de lui.

— « Je t'agace? » demanda Jacques. Il retira son chapeau et s'essuya le front.

— « Pourquoi? »

— « Je vois bien : tu me réponds à peine, tu m'écoutes comme un malade qui a la fièvre. »

— « Pas du tout. »

« Si les bains d'oreille ne suffisent pas à faire baisser la température... », songea Antoine, évoquant le visage souffreteux d'un petit qu'on avait amené ce matin à l'hôpital. « *Dans mon cœur... Dans mon cœur na-na-na-na...* »

— « Tu t'es mis dans la tête que j'étais nerveux », continua Jacques. « Je te répète que tu te trompes. Tiens, je vais t'avouer quelque chose, Antoine : il y a des moments où... Oui! où je souhaite presque de ne pas être reçu! »

— « Pourquoi ça? »

— « Pour échapper! »

— « Echapper? A quoi? »

— « A tout! A l'engrenage! A toi, à eux, à vous tous! »

Au lieu de dire : « Tu déraisonnes », — ce qu'il pensait, — Antoine se tourna vers son frère et le considéra d'un œil scrutateur.

— « Couper les ponts », continua Jacques. « Partir! Oh, oui, partir, partir seul, n'importe où! Et là-bas, je serais tranquille, je travaillerais. » Il savait qu'il ne partirait pas : il s'abandonnait avec d'autant plus de fougue à son rêve. Il s'était tu. Mais il reprit presque aussitôt, avec un sourire pénible :

— « Et, de là-bas, oui, peut-être, mais de là-bas seulement, je pourrais leur pardonner. »

Antoine s'arrêta :

— « Tu y penses donc encore? »

— « A quoi? »

— « Tu dis : leur pardonner. A qui? Pardonner quoi? Le pénitencier? »

Jacques lui jeta un mauvais regard, haussa les épaules et reprit sa marche. Il s'agissait bien de son séjour à Crouy! Mais à quoi bon s'expliquer? Antoine ne pouvait pas comprendre.

D'ailleurs, à quoi correspondait cette idée de pardon? Jacques lui-même ne le savait pas au juste, bien qu'il se heurtât sans cesse à cette alternative : pardonner, ou bien, au contraire, exalter son ressentiment; accepter, s'agréger, être un rouage parmi d'autres rouages; ou bien, au contraire, stimuler les forces de destruction qui s'agitaient en lui, se jeter, de toute sa rancune, contre... — il n'aurait su dire quoi — contre l'existence toute faite, la morale, la famille, la société! Rancune ancienne, qui datait de son enfance; sentiment confus d'avoir été un être méconnu, auquel étaient dus certains égards, et auquel, sans répit, tout le genre humain avait manqué. Oui, à coup sûr, s'il avait jamais pu s'évader, il l'aurait trouvé enfin, cet équilibre intérieur qu'il accusait les autres de lui rendre impossible!

— « Et là-bas, je travaillerais », répéta-t-il.

— « Où, là-bas? »

— « Ah, tu vois, tu me demandes où! Tu ne peux pas comprendre, Antoine! Toi, tu t'es senti toujours en accord avec le reste. Tu as toujours aimé la route que tu suivais. »

Il pensa tout à coup à son aîné comme il s'était rarement permis de le faire. Il le vit satisfait et appliqué. Energie, soit; mais intelligence? Une intelligence de zoologiste! Tellement positive, cette intelligence, qu'elle avait trouvé, dans les études scientifiques, sa pleine dilatation! Une intelligence qui s'était construit une philosophie sur la seule notion d'activité, et qui s'en contentait! Et, — ce qui était plus grave encore, — une intelligence qui dépouillait toujours les choses de leur valeur secrète, de tout ce qui était, en somme, le véritable sens, la beauté de l'univers!

— « Moi, je ne suis pas comme toi », affirma-t-il, avec passion. Et il s'écarta un peu de son frère pour marcher seul, en silence, au bord du trottoir.

« Moi, j'étouffe ici », se disait-il. « Tout ce qu'ils me font faire est haïssable, est mortel! Mes professeurs! Mes camarades! Leurs engouements, leurs livres de prédilection! Les auteurs contemporains! Ah, si seulement quelqu'un au monde pouvait soupçonner ce que je suis, moi, — ce que je veux faire! Non, personne n'en a l'idée, pas même Daniel. » Sa violence était tombée. Il n'écoutait pas ce que lui répondait Antoine. « Oublier tout ce qui a déjà été écrit », songeait-il. « Sortir des rails! Regarder en soi, et dire tout! Personne encore n'a eu l'audace de dire tout. Quelqu'un, enfin : moi! »

La température rendait pénible la montée de la rue Soufflot. Ils ralentirent l'allure. Antoine continuait à parler, Jacques à se taire. Celui-ci le remarqua, et sourit intérieurement : « Au fond, je n'ai jamais pu discuter avec Antoine. Ou bien je lui tiens tête, et je rage; ou bien je reste coi devant les arguments qu'il aligne en bon ordre, et je me tais. Comme en ce moment. Avec une certaine duplicité. Car je sais bien qu'Antoine prend ces silences pour un acquiescement. Et ce n'est pas vrai. Loin de là! Je me cramponne à mes idées. Ça m'est égal qu'elles soient confuses pour les autres. Je suis certain de leur valeur. Il ne s'agirait que de savoir la démontrer, cette valeur. Le jour où je voudrai m'en donner la peine! Des arguments, on en trouve toujours. Antoine, lui, il va, il va. Jamais il ne se demande s'il y a autre chose de fondé dans ce que je pense. Tout de même, ce que je me sens seul! » Et, une fois encore, s'aviva le désir de partir. « Tout quitter, d'un coup : ce serait merveilleux. *Chambres quittées! Merveilles des départs!* » Il sourit de nouveau, et, tournant vers Antoine un regard malicieux, il récita :

— « *Familles, je vous hais! Foyers clos, portes refermées...* »

— « De qui est-ce? »

— « *Nathanaël, tu regarderas tout en passant, et tu ne t'arrêteras nulle part...* »

— « De qui? »

— « Ah », fit Jacques, cessant de sourire et accélérant soudain le pas, « c'est d'un livre qui est cause de tout! Un livre où Daniel a trouvé toutes les excuses... — bien pis : la glorification — de... de ses cynismes! Un livre qu'il sait par cœur, maintenant, et que moi, je... — Non », ajouta-t-il d'une voix qui tremblait, « non, je ne peux pas dire que je le déteste, mais vois-tu, Antoine, c'est un livre qui brûle les mains pendant qu'on le lit, et avec lequel je n'ai jamais voulu me trouver en tête à tête, tant je crois qu'il est redoutable! » Il reprit, avec une complaisance involontaire : « *Chambres quittées! Merveilles des départs!* » Puis il se tut. Et changeant tout à coup de ton, il ajouta, d'une voix rauque, rapide : « Je dis ça : partir! Mais il est trop tard. Je ne peux plus partir vraiment. »

Antoine répliqua :

— « Tu dis toujours " partir ", comme on dit : " s'expatrier! " Evidemment, ça c'est un peu compliqué. Mais voyager, pourquoi non? Si tu es reçu, père trouvera tout naturel que tu ailles faire un voyage pendant l'été. »

Jacques secoua la tête :

— « Trop tard. »

Qu'entendait-il par là?

— « Tu ne vas pourtant pas passer tes deux mois de vacances à Maisons-Laffitte, entre père et Mademoiselle? »

— « Si. »

Il fit un geste évasif; puis, comme ils avaient traversé la place du Panthéon et s'engageaient dans la rue d'Ulm, il désigna du doigt les groupes qui stationnaient devant l'Ecole Normale. Son visage s'assombrit.

« Quelle bizarre nature », se dit Antoine. Remarque qu'il faisait souvent; avec indulgence; avec une inconsciente fierté. Bien qu'il eût horreur de l'inattendu et que Jacques le déroutât sans cesse, il faisait toujours effort pour comprendre son frère. Autour des propos décousus que celui-ci laissait échapper, l'esprit actif d'Antoine se livrait à une incessante gymnastique intellectuelle, qui l'amusait d'ailleurs, et qui, pensait-il, lui permettait d'approfondir le caractère de son cadet. En réalité, dès qu'Antoine croyait être parvenu à une constatation psychologique culminante, une nouvelle déclaration de Jacques venait généralement renverser l'échafaudage de ses réflexions : il fallait repartir à neuf, et, le plus souvent, vers des conclusions opposées. Si bien que, pour Antoine, tout entretien avec son frère consistait en une improvisation de jugements successifs et contradictoires, dont le dernier, toujours, lui semblait définitif.

Ils arrivaient devant la façade revêche de l'Ecole. Antoine se tourna vers Jacques et l'enveloppa d'un coup d'œil pénétrant : « Quand on va au fond des choses », se dit-il, « on s'aperçoit que ce petit a pour la vie de famille bien plus de goût qu'il ne le soupçonne lui-même. »

La porte était ouverte, et la cour pleine de gens.

A l'entrée du vestibule, Daniel de Fontanin causait avec un jeune homme blond.

« Si c'est Daniel qui nous aperçoit le premier, je suis reçu », pensa Jacques. Mais Fontanin et Battaincourt se retournèrent ensemble à l'appel d'Antoine.

— « Pas trop nerveux? » questionna Daniel.

— « Pas nerveux du tout. »

« S'il prononce le nom de Jenny, je suis reçu », se dit Jacques.

— « Rien de pire que ce quart d'heure avant l'affichage », déclara Antoine.

— « Croyez-vous? » objecta Daniel en souriant. Par gaminerie, il s'appliquait souvent à contredire Antoine, qu'il appelait « docteur », et dont le sérieux prématuré l'égayait. « Il y a toujours un peu de volupté dans l'attente. »

Antoine haussa les épaules.

— « Tu l'entends? » demanda-t-il à son frère. « Pour moi », reprit-il, « j'ai déjà subi quatorze ou quinze " attentes " de ce genre, et je n'ai jamais pu m'y habituer. D'ailleurs, j'ai remarqué que ceux qui font, à ces moments-là, figure de stoïciens, ce sont presque toujours les médiocres, les faibles. »

— « Tout le monde ne sait pas savourer l'impatience », reprit Daniel, dont l'œil, taquin lorsqu'il regardait le docteur, devenait caressant dès qu'il se tournait vers Jacques.

Antoine suivait son idée :

— « Je vous parle sérieusement », dit-il : « les forts étouffent dans l'incertitude. Le courage, le vrai, ça n'est pas d'attendre avec calme l'événement; c'est de courir au-devant, pour le connaître le plus tôt possible, et l'accepter. N'est-ce pas, Jacques? »

— « Non, je suis plutôt de l'avis de Daniel », répondit Jacques, qui n'avait rien entendu. Et, comme Daniel continuait à causer avec Antoine, il insinua, sentant qu'il trichait : « Ta mère et ta sœur sont toujours à Maisons-Laffitte? »

Daniel n'entendit pas; et Jacques, s'obstinant à penser : « Je suis recalé », découvrit combien inébranlable était sa confiance en son succès. « Père va être content. » Il souriait par avance; il offrit ce sourire à Battaincourt :

— « Je vous remercie d'être venu, Simon. »

L'autre le contemplait gentiment, incapable de dissimuler cette admiration chaleureuse qu'il avait vouée à l'ami de Daniel, et que Jacques n'acceptait pas toujours sans impatience, parce qu'il lui était impossible d'y répondre par une amitié au même titre.

A ce moment, le brouhaha de la cour cessa net. Derrière la vitre d'une fenêtre du rez-de-chaussée, un rectangle de papier blanc venait de surgir. Jacques sentit confusément qu'un flot houleux l'arrachait au pavé, le portait vers le feuillet fatidique.

Ses oreilles bourdonnèrent. Antoine parlait :

— « Reçu! Troisième. »

La voix résonna un moment dans son oreille; elle était chaude, vivante; mais il ne saisit le sens des mots qu'en tournant la tête, timidement, et en apercevant le visage radieux de son frère. Alors, d'une main molle, il déplaça son chapeau; la sueur ruisselait sur son front. Déjà Daniel et Battaincourt, contournant la foule, revenaient vers lui. Daniel le regardait, et Jacques, l'œil fixe, regardait venir Daniel, dont la lèvre supérieure, soulevée, découvrait les dents, sans qu'il y eût dans ses traits la moindre intention de sourire.

Un murmure s'éleva, emplit la cour. La vie reprenait. Jacques respira profondément; le sang circula de nouveau dans ses membres. Tout à coup, il eut la vision d'un piège, d'une trappe, et pensa : « Je suis pris. » D'autres pensées affluaient. Il revécut quelques secondes de son examen oral de grec, l'instant exact où il avait commis sa faute : il revoyait le vert du tapis et le doigt du professeur, écrasé sur *les Choéphores*, avec son ongle bombé comme un copeau de corne.

— « Qui est premier? »

Il n'écouta pas le nom que prononça Battaincourt. « C'est moi qui serais le premier, si j'avais compris l'*asile*, le *sanctuaire... Gardiens du sanctuaire domestique...* » Et, plusieurs fois de suite, il s'acharna à reconstituer la chaîne des idées qui l'avaient mené à ce contresens impardonnable.

— « Allons, docteur, ayez l'air satisfait », dit Daniel

en frappant sur l'épaule d'Antoine, qui sourit enfin. Le plaisir, chez Antoine, s'accompagnait presque toujours d'une contrainte, parce que la gravité de son attitude refusait toute issue aux expansions joyeuses. Daniel, au contraire, laissait libre cours à sa joie. Avec un plaisir qu'on eût presque dit sensuel, il dévisageait ses amis, ses voisins, et particulièrement les femmes venues là, mères ou sœurs, dont la tendresse à ce moment éclatait sans pudeur dans la moindre intonation, le moindre geste.

Antoine consulta sa montre et se tourna vers Jacques :

— « Eh bien? As-tu quelque chose d'autre à faire ici? »

Jacques tressaillit :

— « Moi? Non », fit-il, l'air navré : il venait de s'apercevoir que, sans y penser, — au moment de l'affichage, sans doute, — il avait de nouveau fait saigner à sa lèvre un bouton qui, depuis huit jours, le défigurait.

— « Alors, filons », dit Antoine. « J'ai encore une visite à faire avant le dîner. »

Comme ils sortaient de la cour, ils virent Favery, qui accourait aux nouvelles. Il triompha :

— « Vous voyez! On m'avait bien dit que la composition française était remarquable. »

Sorti de Normale depuis un an, il avait obtenu une suppléance provisoire à Saint-Louis, afin d'éviter la province; et il donnait des répétitions à ses heures de liberté, le jour, de façon à pouvoir mener la vie de Paris, la nuit. Il méprisait le professorat, rêvait de journalisme, et tendait en secret vers la politique.

Jacques se rappela que Favery connaissait assez bien l'examinateur de grec; une fois encore, il revit le tapis vert, le doigt, et se sentit rougir de honte. Il n'avait pas encore pensé qu'il était reçu; il n'éprouvait aucune impression de délivrance, mais seulement une sensation de lassitude, coupée de brusques colères dès qu'il se souvenait de son contresens ou de son bouton.

Daniel et Battaincourt le tenaient gaiement par le bras, et l'entraînaient d'un pas dansant vers le Panthéon. Antoine suivait avec Favery.

— « Mon réveil sonne à six heures et demie, dans

une soucoupe en équilibre sur un verre », expliquait Favery, parlant haut et riant avec complaisance. « Je grogne, j'ouvre un œil, j'allume; puis je mets l'aiguille sur sept heures, et je me rendors, serrant la bombe sur ma poitrine. Bientôt un tremblement de terre ébranle la maison, le quartier. Je rage, mais je n'obéis pas. Je me donne jusqu'à cinq, puis jusqu'à dix, puis jusqu'à quinze; et, comme le quart est déjà passé de deux minutes, je me donne jusqu'à vingt, parce qu'il faut bien attendre un chiffre rond. Enfin je me tire du lit. Tout est prêt sur trois chaises, comme le harnachement des sapeurs-pompiers. A sept heures vingt-huit, je suis dans la rue. Je n'ai encore jamais eu le temps de déjeuner ni de me laver, bien entendu. J'ai quatre minutes pour gagner mon métro. A huit heures tapant, je monte en chaire, et le gavage commence. Vous voyez à quelle heure il finit. Il faut bien que j'aille prendre mon tub, que je m'habille, que je dîne, que je voie des amis. Quand voulez-vous que je travaille? »

Antoine écoutait distraitement; il cherchait, des yeux, une voiture.

— « Jacques », fit-il, « tu dînes avec moi? »

— « Jacques dîne avec nous », riposta Daniel.

— « Non, non », cria Jacques, « ce soir, je dîne avec Antoine. » Il songea agacé : « Vont-ils me laisser tranquille, à la fin? D'abord, il faut que je remette de l'iode sur mon bouton. »

— « Dînons tous ensemble », proposa Favery.

— « Où? »

— « N'importe. Chez Packmell? »

Jacques protesta :

— « Non. Pas ce soir. Je suis fatigué. »

— « Tu nous ennuies », murmura Daniel, glissant son bras sous celui de Jacques. « Docteur, venez nous retrouver chez Packmell. »

Antoine avait arrêté un taxi. Il se retourna, et on le vit hésiter une seconde :

— « Qu'est-ce que c'est, Packmell? »

— « Pas du tout ce que vous supposez », affirma Favery à tout hasard.

Antoine questionnait Daniel des yeux.

— « Packmell? » fit celui-ci. « Difficile à définir, n'est-ce pas, mon petit Batt'? Rien des traditionnelles boîtes de nuit. Presque une pension de famille. Un bar, oui, si on veut, de cinq à huit. Mais, à huit heures, les baigneurs s'en vont, il ne reste plus que les indigènes : on rapproche les tables, et on dîne, sur une grande nappe bien sage, autour de la mère Packmell. Un bon orchestre. De jolies filles. Que vous faut-il de plus? Alors, est-ce convenu? Rendez-vous chez Packmell? »

Antoine sortait rarement le soir : ses journées étaient dures, et il avait besoin de ses soirées pour préparer son concours des hôpitaux; mais il se sentait, ce jour-là, peu de goût pour l'hématologie : demain, dimanche; lundi, travail. De temps à autre, il s'accordait ainsi la nuit du samedi pour des fringales préméditées. Packmell le tentait. De jolies filles...

— « Si vous y tenez », fit-il, du ton le plus détaché qu'il put. « Mais où est-ce? »

— « Rue Monsigny. On vous attendra jusqu'à huit heures et demie. »

— « J'y serai bien avant », cria Antoine, en faisant claquer la portière.

Jacques ne s'insurgea pas; l'acceptation de son frère modifiait ses dispositions; et puis, il éprouvait toujours un secret plaisir à céder aux caprices de Daniel.

— « On descend à pied? » demanda Battaincourt.

— « Moi, je saute dans le métro », dit Favery, palpant son menton. « Le temps de me changer, et je vous rejoins. »

Une touffeur d'orage pesait sur ce Paris des fins de juillet, où, le soir, l'air devient opaque et gris, sans que l'on puisse démêler si c'est de buée ou de poussière. Ils avaient une demi-heure de marche avant d'arriver chez Packmell.

Battaincourt s'approcha de Jacques :

— « Vous voilà parti pour la gloire », dit-il, sans ironie.

Jacques eut un mouvement d'impatience et Daniel sourit. Bien que Battaincourt eût cinq ans de plus que lui, Daniel le considérait comme un enfant, et il le supportait justement à cause de ce qui irritait Jacques : son inépuisable naïveté. Il se souvint du temps où l'on s'amusait à prier Battaincourt de réciter quelque chose, et où celui-ci s'avançait devant la cheminée, et commençait :

O Corse! O cheveux plats! Que la France était belle
Sous le soleil de Messidor!

sans jamais avoir trouvé suspecte l'hilarité qu'il déchaînait, dès le troisième mot.

En ce temps-là, Simon de Battaincourt, frais débarqué de la ville du Nord où son père était colonel, portait une jaquette noire boutonnée, qu'il avait fait confectionner afin de suivre décemment à Paris les cours de théologie. Le futur pasteur venait alors assez souvent chez Mme de Fontanin, qui s'était fait un devoir de l'attirer chez elle, parce que la colonelle de Battaincourt était une de ses amies d'enfance.

— « J'ai décidément horreur de votre Quartier Latin », dit à ce moment l'ex-théologien, qui vivait maintenant dans le quartier de l'Etoile, portait des complets clairs, et, brouillé avec ses parents à cause du mariage insensé qu'il s'apprêtait à faire, passait ses journées à classer, pour quatre cents francs par mois, des estampes très modernes à la librairie Ludwigson, où Daniel lui avait trouvé un emploi.

Jacques leva la tête et promena les yeux autour de lui. Son regard tomba sur une vieille marchande de roses accroupie derrière son panier; il l'avait aperçue déjà en passant avec Antoine, mais d'un œil soucieux, qui ne s'abandonnait alors à aucune sollicitation. Et, se rappelant cette montée de la rue Soufflot, il eut tout à coup la sensation qu'il lui manquait quelque chose, comme il arrive lorsque l'on perd un objet familier, la bague que l'on portait toujours au doigt. L'angoisse qui habitait en lui depuis des semaines, et qui, moins d'une heure auparavant, l'étreignait encore à chaque pas, avait disparu, laissant un vide presque douloureux. Pour la première fois depuis l'affichage, il prit contact avec son succès, mais pour se sentir étourdi et brisé, comme après une chute.

— « As-tu seulement pris des bains de mer? » demanda Battaincourt à Daniel.

Jacques se tourna :

— « C'est vrai », fit-il, et son regard s'adoucit. « Dire que tu es revenu à cause de moi! Tu t'es amusé, là-bas? »

— « Au-delà de tout ce que je pouvais prévoir! » répondit Daniel.

Jacques sourit avec amertume :

— « Comme toujours. »

Ils échangèrent un regard où se prolongeaient bien des discussions passées.

Jacques avait voué à Daniel une affection sévère, très différente de l'amitié complaisante que lui témoignait Daniel. — « Tu es bien plus exigeant pour moi que tu ne l'es pour toi-même », lui disait quelquefois celui-ci; « tu n'as jamais pris ton parti de la vie que je mène. » — « Non », répondait Jacques : « J'accepte bien ta vie; mais ce que je ne peux pas accepter, c'est l'attitude que tu as prise devant la vie. »

Sujet de querelles qui datait de loin.

Daniel, sitôt bachelier, s'était refusé à suivre aucun chemin tracé. Son père, absent, ne s'occupait jamais de lui. Sa mère le laissait libre de choisir sa voie; elle était respectueuse de toute volonté forte, soutenue par une confiance mystique dès qu'il s'agissait de ses enfants et en général de l'avenir; elle désirait avant tout que son fils fût libre et ne se fît pas un devoir de gagner quelque argent pour améliorer la situation des siens. Daniel y songeait cependant. Deux ans de suite, il souffrit en secret de ne pouvoir aider sa mère, et guetta l'occasion qui lui permettrait de concilier cet ordre d'obligations avec d'autres nécessités plus impérieuses qui le dominaient. Scrupules dont Jacques lui-même n'avait pas pénétré la complexité. C'est que — à voir la façon presque nonchalante dont Daniel s'était mis à travailler la peinture, seul, sans autres guides que son instinct et, semblait-il, son caprice, peignant à peine, dessinant un peu davantage, s'enfermant quelquefois une journée entière avec un modèle pour couvrir un demi-album d'esquisses au trait, puis restant plusieurs semaines sans toucher un crayon, — on ne se fût guère douté de la superbe idée qu'il se faisait de lui-même, de son avenir. Orgueil silencieux, pur de toute fatuité : il attendait le jour où, par l'enchaînement de lois fatales, ce qu'il y avait en lui de supérieur trouverait son mode d'expression; il avait la certitude que sa destinée était celle d'un artiste de première grandeur. Quand, par quelles routes, atteindrait-il ces sommets? il n'en savait rien, agissait comme s'il ne s'en fût pas soucié, et proclamait qu'il fallait s'abandonner à la vie. Il s'y abandonnait de reste. Pas toujours sans remords; mais ces retours inquiets vers la morale de sa mère n'avaient eu qu'un temps, et ne l'avaient jamais bien fermement arrêté sur sa pente. « Dans les pires crises de scrupules qui ont troublé ces deux dernières années », écrivait-il naguère à Jacques (il avait alors dix-huit ans), « je te jure que je ne suis jamais parvenu à avoir vraiment honte de moi-même. Bien mieux : dans ces heures de doute où je me reprochais mes entraînements, j'éprouvais en réalité beaucoup moins d'indignation contre moi-même, que je n'en éprouvais ensuite à me rappeler ces reniements puérils et ces contraintes, dès que, de nouveau, la vie l'avait emporté. »

C'est peu après avoir écrit cette lettre, qu'il voyagea dans un train de banlieue avec celui qu'ils appelèrent par la suite « l'homme du wagon », et qui, certes, ne se douta jamais du retentissement que cette brève rencontre eut sur l'adolescence des deux jeunes gens.

Daniel revenait de Versailles, où il avait passé un bel après-midi d'octobre, sous les ombrages du parc. Il avait sauté dans le train à la dernière minute. Le hasard voulut que l'homme âgé en face duquel il s'assit ne lui fût pas tout à fait inconnu : au cours de la journée, il l'avait croisé dans les bosquets du grand Trianon; il l'avait regarde, remarqué; il fut enchanté de pouvoir l'examiner plus à loisir. De près, le voyageur paraissait beaucoup plus jeune : bien que ses cheveux fussent blancs, il devait à peine avoir atteint la cinquantaine; une barbe très blanche et courte soulignait avec soin l'ovale d'un visage dont la régularité accentuait la douceur. Le teint, l'allure, les mains, la coupe et l'étoffe claire du vêtement, le ton rare de la cravate, et surtout ce regard bleu, ardent et vif, qu'il promenait sur toutes choses, étaient d'un adolescent. La reliure du livre qu'il feuilletait d'un doigt familier était souple comme celle d'un Guide, et ne portait aucun titre. Entre Suresnes et Saint-Cloud, il se leva, gagna le couloir, et se pencha pour contempler le panorama de Paris, dont le couchant enflammait les ors. Puis il vint s'adosser à la vitre contre laquelle Daniel était assis; et le jeune homme eut, à la hauteur de son visage, et isolées seulement par l'épaisseur du verre, les mains qui tenaient le livre secret : des mains déliées, à la fois nonchalantes et nerveuses, qui éveillaient une idée de spiritualité. A un mouvement qu'elles firent, le livre s'entrouvrit, et, sur la page qui vint s'écraser contre la vitre, Daniel put lire quelques mots :

Nathanaël, je t'enseignerai la ferveur...

Une vie palpitante et déréglée...

Une existence pathétique, Nathanaël, plutôt que la tranquillité...

Le livre se déplaça, Daniel eut encore le temps de déchiffrer le titre qui courait au haut des pages : *Les Nourritures terrestres.*

Intrigué, il entra, le jour même, chez plusieurs libraires. L'ouvrage y était ignoré. L'homme du wagon garderait-il son secret? « *Une existence pathétique* », se répétait Daniel, « *plutôt que la tranquillité...* » Le lendemain matin, il courut dépouiller des catalogues sous les galeries de l'Odéon : et, quelques heures plus tard, le volume en poche, il venait s'enfermer chez lui.

Il le lut d'un trait. L'après-midi y passa. Vers le soir, il sortit. Jamais encore il n'avait connu pareille fièvre, exaltation aussi glorieuse : il allait devant lui, à grands pas, comme un conquérant. La nuit vint. Il avait suivi les quais, il était fort loin de chez lui. Il dîna d'un croissant, et rentra. Le livre attendait, sur la table. Daniel tournait autour, sans plus oser l'ouvrir. Il se coucha, mais ne put trouver le sommeil. Alors il capitula, s'enveloppa d'un manteau, et reprit sa lecture, lentement, depuis le début. Il sentait bien que l'heure était solennelle, qu'un travail, une germination mystérieuse, s'élaborait au plus intime de sa conscience. Lorsque, à l'aube, il eut, une fois encore, achevé la dernière page, il s'aperçut qu'il posait sur la vie un regard neuf.

J'ai porté hardiment ma main sur chaque chose et me suis cru des droits sur chaque objet de mes désirs...

Il y a profit aux désirs, et profit au rassasiement des désirs — parce qu'ils en sont augmentés.

Cette manie d'évaluation morale qu'il avait contractée par éducation, il comprit qu'il en était d'un seul coup débarrassé. Le mot « faute » avait changé de sens.

Il faut agir sans juger si l'action est bonne ou mauvaise. Aimer sans s'inquiéter si c'est le bien ou le mal...

Les sentiments, auxquels jusqu'alors il ne s'abandonnait qu'à contre-volonté, se libérèrent soudain et prirent joyeusement la première place; cette nuit-là, en quelques heures, se trouva renversée l'échelle des valeurs que, depuis son enfance, il croyait immuable. Le jour qui suivit fut comme un lendemain de baptême. A mesure qu'il répudiait tout ce qu'il avait tenu pour indubitable, un merveilleux apaisement naissait entre les forces qui jusqu'alors l'avaient écartelé.

Daniel n'avait parlé de cette découverte à personne, si ce n'est à Jacques, et longtemps après l'avoir faite. C'était un des secrets de leur amitié; ils y pensaient comme à un mystère quasi religieux et n'y faisaient allusion qu'à mots couverts. Cependant, malgré les efforts de Daniel, Jacques s'était obstinément dérobé à la contagion de cette ferveur : en refusant d'étancher sa propre soif à cette source trop capiteuse, il lui semblait se résister à lui-même, demeurer plus fort, se garder intact; mais il sentait bien que Daniel avait trouvé là son régime, sa *nourriture;* et, dans la résistance de Jacques, il y avait de l'envie et du désespoir.

— « Tu comptes Ludwigson parmi les merveilles de la nature? » disait Battaincourt.

— « Ludwigson, mon petit Batt'... » expliqua Daniel.

Jacques haussa les épaules et laissa ses amis prendre un peu d'avance.

Ce Ludwigson, chez qui Daniel venait d'être reçu plusieurs jours, et qui passait dans les capitales où il avait établi ses comptoirs pour un des plus effrontés trafiquants d'art de l'Europe, était, de longue date, un sujet de dissentiment entre les deux jeunes gens. Jacques n'avait jamais approuvé que Daniel pût, de près ou de loin, et fût-ce pour vivre, collaborer aux entreprises que lançait ce marchand. Mais Jacques ni personne ne pouvait se vanter d'avoir jamais détourné Daniel d'une aventure qui le sollicitât vraiment. Or, l'intelligence de Ludwigson, cette activité sans trêve qu'il poussait jusqu'à s'être fait une habitude de l'insomnie, ce dédain du luxe, et, dans une certaine mesure, ce mépris de l'argent chez un nabab ivre seulement de risque et de réussite, la puissance de ce brasseur d'affaires dont l'existence éveillait l'idée d'une torche en flamme, secouée par les vents, fumeuse mais éblouissante, intéressaient passionnément Daniel : et, s'il avait consenti à travailler pour ce forban, c'était par curiosité bien plus que par besoin.

Jacques se souvenait du jour où Daniel et Ludwigson s'étaient pour la première fois affrontés : deux races, deux sociétés en présence. Justement, ce matin-là, il se trouvait dans l'atelier que Daniel partageait alors avec plusieurs camarades aussi peu rentés que lui. Ludwigson était entré sans frapper, avait répondu par un sourire à l'algarade de Daniel; puis, sans préambule, sans se présenter ni s'asseoir, tirant de sa poche un portefeuille avec l'allure d'un acteur du répertoire qui va jeter sa bourse à quelque valet, il avait offert à « celui de ces messieurs qui s'appelait Fontanin » un fixe de six cents francs par mois, à dater de ce jour et pendant trois années consécutives, à la condition que lui, Ludwigson, propriétaire de la Galerie Ludwigson et directeur des Établissements d'art Ludwigson et Cie, aurait l'exclusive propriété de toutes les études qu'exécuterait Daniel pendant cette période, études que celui-ci s'engagerait à dater et à signer de son nom. Daniel, qui travaillait peu, qui n'avait jamais exposé ni vendu la moindre esquisse, ne s'était jamais expliqué comment Ludwigson avait pu prendre de son talent une opinion assez avantageuse pour motiver semblable proposition. Il entendait d'ailleurs préserver l'indépendance de sa production; il savait bien que, s'il avait acquiescé aux termes de ce marché, il n'aurait accepté l'argent de Ludwigson qu'en lui remettant chaque mois un nombre de dessins correspondant pour le moins à la somme convenue : or, il s'était fait un dogme de travailler sans aucune contrainte, dans la joie. Avec une courtoisie glacée, il avait donc prié Ludwigson de prendre la porte, et, devant ses camarades ébahis, sans donner au visiteur le temps de s'y reconnaître, il l'avait lui-même, et très rapidement, fait reculer jusque sur le palier.

Les choses n'en étaient pas restées là. Ludwigson était revenu, s'était montré plus circonspect, et, quelques mois plus tard, de véritables relations d'affaires s'étaient nouées entre le trafiquant et Daniel amusé. Ludwigson éditait en trois langues un somptueux magazine traitant des arts plastiques; il pria Daniel de présider au choix des articles français. (Le caractère du jeune homme lui avait plu dès le premier jour, et sa sûreté de goût ne lui avait pas échappé.) Ce n'était pas un travail ennuyeux; Daniel y employa ses loisirs; et bientôt il dirigea effectivement la partie française de la revue. Ludwigson, qui dépensait pour lui-même sans compter, avait pour principe de s'adjoindre peu de collaborateurs, mais de les choisir avec soin, de leur laisser la plus grande initiative, et de rémunérer largement leur labeur : Daniel, sans l'avoir sollicité, reçut bientôt les mêmes appointements que les deux autres directeurs, l'Anglais et l'Allemand. Il fallait vivre; et Daniel préférait une besogne nettement étrangère à sa vie d'artiste. Au reste, certains de ses dessins, dont Ludwigson avait organisé une exposition privée, étaient déjà recherchés par des collectionneurs. Ces avantages, qu'il tirait de ses rapports avec le marchand de tableaux, lui permettaient, non seulement de contribuer à l'aisance de sa mère et de sa sœur, mais de mener la vie facile qu'il aimait, sans être astreint à aucune tâche stricte, et sans rien compromettre des loisirs nécessaires à son véritable travail.

Jacques rejoignit ses amis à la traversée du boulevard Saint-Germain.

— « ...l'ineffable surprise », disait Daniel, « d'être présenté là-bas à une Mme Ludwigson douairière! »

— « L'idée ne m'était pas encore venue que ton Ludwigson pût jamais avoir eu de mère », fit Jacques, pour se mêler à la conversation.

— « Pas plus qu'à moi », reprit Daniel. « Et quelle mère! Figure-toi... Il faudrait un croquis. J'en ai fait plusieurs, mais pas d'après nature : j'en suis inconsolable. Figure-toi une momie qui aurait été regonflée par des clowns pour faire un numéro de cirque! Une vieille juive égyptienne et pour le moins centenaire, déformée par la graisse et la goutte, qui sent l'oignon frit, porte des mitaines, tutoye les valets de pied, appelle son fils *bambino*, vit de mie de pain trempée de vin rouge, et offre à tout venant du tabac... »

— « Ça fume? » demanda Battaincourt.

— « Non, ça prise. Ça crible de poudre noire une parure de gros diamants que Ludwigson, je ne sais pourquoi, lui a flanquée sur le poitrail... » Il hésita, amusé lui-même par l'idée qu'il venait d'avoir : « ...comme on allume un quinquet sur des démolitions! » ajouta-t-il.

Jacques sourit. Il avait une inépuisable indulgence pour la verve de Daniel.

— « Qu'est-ce qu'il voulait obtenir de toi, en te révélant ce répugnant secret de famille? »

— « Tu ne croyais pas si bien dire : il a de nouveaux projets. C'est un as. »

— « C'est un as, parce qu'il est richissime. S'il était pauvre, ce ne serait qu'un... »

Daniel coupa net :

— « Lâche-le, s'il te plaît. Je l'aime. Et son projet n'est pas bête : une collection de monographies : *les Maîtres par l'Image*. Il se fait fort de publier des recueils farcis de reproductions, à des prix exceptionnels... »

Jacques cessa d'écouter; il se sentait endolori, triste. Pourquoi? La fatigue, les émotions de la journée? L'ennui de s'être laissé entraîner ce soir, quand il désirait tant d'être seul? Ce frottement du col sur sa nuque?

Battaincourt se glissa entre les deux amis.

Il cherchait une occasion de leur demander d'être ses témoins à son mariage. Depuis des mois, jour et nuit, il ne songeait qu'à cet événement, avec une fièvre de désir qui consumait à vue d'œil sa complexion lymphatique. Enfin il touchait au but. Le délai légal prévu pour l'opposition de ses parents venait d'expirer; et, ce matin même, la date du mariage avait été fixée : dans deux semaines... A cette pensée, le sang lui monta au visage; il détourna la tête pour cacher sa rougeur, retira son chapeau et s'épongea le front.

— « Ne bouge pas », cria Daniel. « C'est incroyable ce que, de profil, tu peux ressembler à un chevreau! » En effet, Battaincourt avait un nez long attaché à la lèvre, des narines busquées, un œil rond, et, ce soir, une mèche de cheveux couleur ficelle que la transpiration recourbait sur la tempe en une petite corne pointue.

Battaincourt remit tristement son chapeau, et laissa fuir son regard par-delà la place du Carrousel vers le jardin des Tuileries où rougeoyait la poussière.

« Pauvre chevreau bêlant », songea Daniel. « Qui donc l'aurait jamais cru capable de tant de passion? Le voilà qui renie tous ses principes, et se brouille avec les siens pour cette femme... Une veuve, qui a quatorze ans de plus que lui... Une veuve tarée... Appétissante, mais tarée... » Il eut un imperceptible sourire. Il se rappelait cet après-midi du dernier automne où Simon avait tant insisté pour le présenter à la belle veuve, et ce qui, la semaine suivante, en était résulté. Il avait, du moins, conscience d'avoir ensuite tout mis en œuvre pour détourner Battaincourt de commettre cette folie. Mais il s'était heurté à un appétit aveugle; et comme il respectait la passion, où qu'il la rencontrât, il s'était borné à éviter la dame et à suivre de loin les péripéties de cette aventure matrimoniale.

— « Vous faites un gagnant bien mélancolique », dit à ce moment Battaincourt, qui déçu par la moquerie de Daniel, cherchait à se dédommager auprès de Jacques.

— « Tu ne comprends donc pas qu'il espérait être refusé? » insinua Daniel. Il fut surpris du regard pensif que Jacques lui jeta; il se rapprocha de son ami, lui mit la main sur l'épaule, et, souriant, murmura : « *...car c'est différemment que vaut chaque chose!* »

C'en fut assez pour rappeler à Jacques le passage entier que Daniel se plaisait à citer souvent :

Malheur à toi, si tu dis que ton bonheur est mort parce que tu n'avais pas rêvé pareil à cela ton bonheur... Le rêve de demain est une joie — mais la joie de demain en est une autre — et rien heureusement ne ressemble au rêve qu'on s'en était fait, car c'est différemment que vaut chaque chose.

Jacques sourit.

— « Donne-moi une cigarette », fit-il. Pour faire plaisir à Daniel, il essayait de secouer sa torpeur. *Le rêve de demain est une joie...* Il crut sentir, en effet, qu'une joie, encore insaisissable, rôdait autour de lui. Demain? S'éveiller, apercevoir par la fenêtre ouverte le soleil sur les cimes des arbres! Demain, Maisons-Laffitte et la fraîcheur de son parc ombreux!

II

Dans cette rue morte du quartier de l'Opéra, quelques voitures, stationnant le long du trottoir, attiraient seules l'attention sur la façade d'un cabaret sans enseigne, aux rideaux baissés. Un groom poussa devant eux la porte tournante, et Daniel, comme s'il eût été chez lui, s'effaça pour laisser passer Jacques et Battaincourt.

L'apparition de Daniel fut saluée par quelques exclamations discrètes. On l'appelait « le Prophète », et peu d'habitués le connaissaient sous son nom. Il y avait d'ailleurs peu de monde. Derrière le bar, dans le renfoncement d'où s'élevait en spirale le petit escalier blanc à filets d'or, pareil aux boiseries des murs, qui conduisait à l'entresol de Mme Packmell, un piano, un violon, un violoncelle, jouaient les valses de la saison. On avait poussé les tables contre les banquettes de panne grise, et quelques couples bostonnaient sur le tapis pourpre, dans une lumière de jour finissant, qu'adoucissaient encore les rideaux de guipure. Au plafond, les hélices des ventilateurs bourdonnaient sans répit, balançant les pendeloques des lustres, les palmes des plantes vertes, et soulevant, autour des couples de danseurs, le pan des écharpes de mousseline.

Jacques, que l'atmosphère d'un lieu nouveau grisait toujours du premier coup, se laissa mener par Daniel vers une table d'où l'on apercevait les deux salles en enfilade. Battaincourt dansait déjà, accaparé par un groupe de jeunes femmes installées dans la pièce du fond.

— « Il faut toujours que tu te fasses tirer l'oreille »,

dit Daniel. « Maintenant que tu y es, je suis sûr que tu t'amuses. Avoue que ce petit bar est intime et bon enfant? »

— « Commande-moi un cocktail », fit brusquement Jacques; « tu sais : celui où il y a du lait, de la groseille, et du zeste de citron. »

Le service était fait par de jeunes *girls* en toile blanche, qu'on avait surnommées « les infirmières ».

— « Veux-tu que je te présente de loin quelques habitués? » reprit Daniel, qui changea de place et vint s'asseoir à côté de Jacques. « Ça d'abord, en bleu : la patronne. On dit " la mère Packmell ", bien que ce soit encore, comme tu vois, une blonde désirable. Mais si! Toute la soirée, elle va et vient, avec ce sourire-là, au milieu de ses jeunes clientes : elle a l'air d'une couturière en vogue qui fait défiler ses mannequins. Vise le type basané qui lui dit bonjour, — qui cause maintenant avec cette gosse très pâle, celle qui dansait tout à l'heure avec Battaincourt, — non, plus près de nous, Paule, cette petite blonde qui a l'air d'un ange, d'un ange un peu perverti, mais très peu... Tiens, elle pinte en ce moment un poison étonnant : ça doit être du curaçao vert... Eh bien, ce type qui lui parle, debout, c'est le peintre Nivolsky, un numéro délicieux, menteur, tricheur, et avec ça chevaleresque comme un mousquetaire. Toutes les fois qu'il est en retard à un rendez-vous, il raconte qu'il a eu un duel; et, sur le moment, il s'en persuade lui-même. Il emprunte à tout le monde; il n'a jamais le sou; mais, comme il ne manque pas de talent, il paye en tableaux; et, pour simplifier, sais-tu l'idée qu'il a eue? Il s'en va l'été à la campagne, et il peint une route sur une bande de toile de cinquante mètres; une vraie route, avec des arbres, des charrettes, des bicyclistes, un coucher de soleil; et, l'hiver, il débite sa route par tronçons, selon la tête du créancier et la somme qu'il doit. Il prétend qu'il est Russe, qu'il possède je ne sais combien de mille " âmes ". Alors, naturellement, pendant la guerre russo-japonaise, tout le monde le blaguait de rester à Montmartre à faire du patriotisme de café. Sais-tu ce qu'il a fait? Il est parti.

Il a disparu, une année durant. Il n'est revenu qu'après la prise de Port-Arthur. Il rapportait un tas de photos de la guerre; il en avait toujours plein ses poches; il disait : “ Vous voyez, cher, cette batterie en position? Et, derrière, vous voyez ce gros rocher? Et, derrière le rocher, vous voyez ce canon de fusil qui dépasse à peine? Eh bien, cher, c'est moi. ” Seulement il rapportait aussi plusieurs caisses d'études : et, pendant les deux ans qui ont suivi, il a payé toutes ses dettes en paysages siciliens... Tiens, il a flairé que je parlais de lui, il est enchanté, il va faire la roue. »

Jacques, accoudé, ne répondait rien. Il avait, à de tels moments, un visage stupide : les lèvres entrouvertes, l'œil terne, un regard animal, endormi et grognon. Tout en écoutant son ami, il examinait le couple que formaient Nivolsky et la jeune Paule. Elle tenait à la main son fard à lèvres; elle arrondit la bouche, y posa le crayon rouge, et le fit tourner d'un petit coup sec comme pour forer un trou; le peintre, en la regardant, faisait pivoter le sac de la jeune femme autour de son doigt. Il n'y avait entre eux — c'était évident — qu'une camaraderie de bar, et cependant elle lui touchait les mains, le genou, elle arrangeait sa cravate; à un moment, il se pencha vers elle pour lui raconter quelque chose, et elle le repoussa gaiement en lui posant à plat sur le visage sa petite main pâle... Jacques fut troublé.

Non loin d'elle, une femme brune, seule, pelotonnée au fond de la banquette et comme frileusement enveloppée dans sa cape de satin noir, sans que Paule s'en aperçût peut-être, la dévorait des yeux.

Sur tous ces gens, Jacques promenait son regard massif. Observait-il, ou bien inventait-il? Ceux qu'il regardait quelque temps, il leur attribuait aussitôt des sentiments complexes. Il ne cherchait d'ailleurs pas à analyser ce qu'il croyait voir; il n'eût pas été capable de traduire en mots ses intuitions; il était bien trop pris par le spectacle pour se dédoubler et pour enregistrer quoi que ce fût. Mais, d'entrer ainsi en communication — illusoire ou réelle — avec d'autres êtres, lui faisait éprouver une incomparable volupté.

— « Et cette grande, qui parle au barman? » demanda-t-il.

— « En bleu paon, avec un sautoir jusqu'aux genoux? »

— « Oui. Comme elle a l'air cruel! »

— « C'est Marie-Josèphe. Elle est assez belle. Un nom d'impératrice. L'histoire de ses perles est amusante. Tu m'écoutes? » continua Daniel en souriant. « Elle était la maîtresse de Reyvil, le fils du parfumeur; or, ce Reyvil avait une épouse légitime qui le trompait avec Josse, le banquier. M'écoutes-tu? »

— « Mais oui, très bien. »

— « C'est que tu as l'air de dormir... Un jour, Josse, qui est fort riche, veut offrir des perles à Mme Reyvil, sa maîtresse. Comment manœuvrer pour que Reyvil ne prenne pas ombrage? Josse n'est pas tombé de la dernière pluie : il invente une histoire de tombola au profit des Filles repenties, il fait prendre à Reyvil, le mari, dix billets à vingt sous, et il lui fait gagner le sautoir destiné à sa femme. Là, tout se complique : Reyvil écrit à Josse pour le remercier; mais, en *post-scriptum*, il le prie de ne souffler mot de la loterie à Mme Reyvil, parce qu'il vient d'envoyer les perles à Marie-Josèphe, sa maîtresse... Attends donc : le plus beau est pour la fin... Fureur de Josse, qui n'a plus qu'une idée en tête : ravoir son collier ou, du moins, avoir la femme qui le porte. Et, trois mois après, il avait plaqué Mme Reyvil pour chiper Marie-Josèphe à l'ami Reyvil, troquant ainsi la femme sans perles contre la maîtresse à sautoir. Et le brave Reyvil, qui a tout à fait oublié que le collier ne lui a coûté que dix pièces de vingt sous, déblatère à qui veut l'entendre sur l'insondable muflerie des courtisanes!... Bonjour, Werff », fit-il, en serrant la main d'un beau garçon qui venait d'entrer, et que l'on acclamait déjà à l'autre extrémité de la salle aux cris de : " L'Abricot! " « Vous vous connaissez, n'est-ce pas? » demanda-t-il à Jacques, qui tendit sans aménité la main à Werff. — « Bonjour, la plus belle », dit encore Daniel, s'inclinant pour baiser au passage la main de Paule, l'exsangue camarade du peintre russe. « Permettez-moi de vous présenter mon ami Thibault. » Jacques s'était levé. La jeune femme laissa traîner sur lui un regard maladif, qu'elle arrêta plus longuement sur Daniel; elle parut hésiter à dire quelque chose, et passa.

— « Tu viens souvent ici ? » dit Jacques.

— « Non. Enfin, oui. Plusieurs fois par semaine. Une habitude. Et pourtant je me lasse en général très vite d'un endroit, des mêmes gens; j'aime sentir que la vie coule... »

« Je suis reçu », songea Jacques tout à coup. Sa poitrine se gonfla. Une idée traversa son cerveau.

— « Sais-tu à quelle heure ferme le télégraphe de Maisons-Laffitte ? »

— « Il est fermé. Mais, si tu envoies un télégramme ce soir, ton père le recevra demain, à la première heure. »

Jacques fit signe au groom :

— « De quoi écrire. »

Il se mit à griffonner la dépêche d'une main si fébrile, et cette impatience tardive d'annoncer son succès était si bien de lui, que Daniel sourit et se pencha sur son épaule; mais il se releva précipitamment, surpris et surtout ennuyé de son indiscrétion involontaire : au lieu de l'adresse de M. Thibault, il avait lu : *Mme de Fontanin. Chemin de la Forêt. Maisons-Laffitte.*

Un mouvement de curiosité se produisait autour d'une vieille habituée, qui venait de faire son entrée, accompagnée d'une jolie fille brune, dont l'attitude attentive, quoique sans timidité, laissait supposer qu'elle venait là pour la première fois.

— « Tiens, du neuf », fit Daniel à mi-voix.

Werff, qui passait, sourit :

— « Vous ne saviez pas ? » dit-il. « Maman Juju lance une nouvelle. »

— « La petite est rudement bien », décréta Daniel, après une pause.

Jacques se retourna. Elle était charmante, en effet : des yeux clairs, des joues pures de fard, un air de n'être pas de la maison. Elle était vêtue de linon à peine rosé, sans une garniture, sans un bijou. Près d'elle, aussitôt, même les plus jeunes semblèrent défraîchies.

Daniel avait repris sa place près de Jacques :

— « Il faudra que tu voies maman Juju de près », dit-il. « Je la connais bien : c'est un type. Elle jouit maintenant d'une espèce de situation sociale : elle habite un assez bel appartement; elle a son jour; elle donne des soirées; elle protège les débutantes. Ce qu'elle a de particulier, c'est de n'avoir jamais voulu être une femme entretenue : c'était une brave petite prostituée, et elle n'a jamais essayé de monter en grade. Elle a vécu trente ans en carte, à faire le trottoir entre la Madeleine et la rue Drouot. Mais elle avait divisé sa vie en deux : de neuf heures du matin à cinq heures du soir, elle s'appelait Mme Barbin, et elle menait la vie d'une petite bourgeoise, dans un entresol de la rue Richer, avec une suspension, une bonne, et les mêmes soucis que les petits bourgeois : un livre de dépenses, la cote de la Bourse pour surveiller ses placements, des ennuis domestiques, des relations de famille, des neveux Barbin, des nièces Barbin, des anniversaires, et même, une fois l'an, un goûter d'enfants autour d'un arbre de Noël. Je n'invente rien. Et, à cinq heures, tous les soirs, par tous les temps, elle lâchait sa camisole de pilou pour un tailleur chic, et partait, sans aucun dégoût, faire sa besogne; ce n'était plus Mme Barbin, c'était la môme Juju, toujours gaie, consciencieuse, jamais lasse, connue et appréciée dans tous les hôtels meublés des boulevards. »

Jacques ne détachait plus les yeux de maman Juju. Elle avait une brave figure de curé de campagne, énergique, riante, finaude aussi, et portait sur des cheveux courts tout blancs un chapeau de pêcheur à la ligne.

Pensif, il répéta :

— « Sans aucun dégoût... »

— « Mais naturellement », répliqua Daniel. Et, coulant vers Jacques un regard malicieux, un peu agressif, il murmura deux vers de Whitman :

You prostitutes flaunting over the trottoirs or obscene in your rooms,

Who am I that I should call you more obscene than myself [1]?

Daniel savait bien qu'il heurtait la pudeur de Jacques. Il le faisait exprès, agacé qu'il était de voir avec quelle aisance Jacques, durant des mois entiers, — par réaction peut-être aussi contre le libertinage de son ami, — s'accommodait d'une existence presque chaste. Daniel avait même la naïveté de s'en alarmer; et il savait que, parfois, Jacques lui-même s'inquiétait un peu de la complaisante torpeur d'un tempérament qui, jadis, semblait s'annoncer plus exigeant. Cette délicate question avait été effleurée une seule fois entre eux, cet hiver, un soir qu'ils revenaient du théâtre et suivaient ensemble la cohue amoureuse des grands boulevards. Daniel s'était étonné de l'indifférence de son compagnon. — « Pourtant », avait répliqué Jacques, « je suis robuste. Au conseil de revision, j'ai bien constaté que j'étais parmi les plus vigoureux... » Et Daniel se rappelait l'imperceptible anxiété qui avait ébranlé sa voix.

Il fut détourné de ce souvenir par Favery, qu'il aperçut de loin, tourné vers eux; avec une désinvolture étudiée, il remettait chapeau, canne et gants, à la préposée au vestiaire; et, riant déjà, il s'adressait à Jacques :

— « Ton frère n'est pas arrivé? »

Favery portait, le soir, des faux cols un peu trop montants, des vêtements neufs qu'il semblait avoir empruntés, et il avançait son menton rasé de frais, avec un air fringant qui faisait dire à Werff : « Normale part à la conquête de Babylone. »

« Je suis reçu », songea Jacques. Et il eut envie de filer à l'anglaise pour prendre, dès ce soir, le train pour Maisons. La pensée d'Antoine, qui avait promis de le rejoindre, qui allait arriver d'une minute à l'autre, le paralysa. « Non », se dit-il, « mais demain, de très bonne

1. « Vous que la prostitution fait magnifiques sur les trottoirs, ou obscènes dans vos chambres,

« Qui suis-je, pour me dire moins obscène que vous? »

(Autumn Rivulets.)

heure. » Il se sentit déjà baigné de fraîcheur : le soleil matinal pompait la rosée des avenues... Packmell s'effaça...

L'allumage éblouissant de tous les lustres à la fois le tira de son inertie. « Je suis reçu », pensa-t-il encore, comme pour marquer aussitôt son contact avec le réel. Il chercha des yeux son ami, et l'aperçut, dans un angle, qui causait à voix basse avec maman Juju. Daniel était assis de biais sur une chaise volante, et l'animation de son débit faisait valoir le gracieux port de sa tête, l'intelligence de son visage, de son regard, de son sourire, l'élégance de ses mains, qu'il tenait à demi levées; mains, sourire et regard parlaient autant que ses lèvres. Jacques ne se lassait pas de le contempler. « Qu'il est beau! » songeait-il, sans formuler sa pensée. « Comme c'est beau qu'un être jeune, vivant, puisse être aussi totalement possédé par la minute présente! Aussi naturel dans son jeu! Il ne sait pas que je le regarde; il n'y pense pas; il ne se défie d'aucun contrôle. Surprendre un être qui ne sait pas qu'on le voit, un être dans le secret de sa nature! Y a-t-il vraiment des gens qui, dans un lieu public, peuvent oublier tout ce qui les entoure? Il parle, il est tout à ce qu'il dit. Moi, jamais je ne suis naturel. Jamais je ne pourrais m'abandonner à ce point, — si ce n'est dans une chambre close, à l'abri de tous les regards. Et encore! » Il réfléchit un instant : « Daniel n'est pas spécialement observateur. Voilà pourquoi le spectacle ne l'absorbe pas comme moi; il peut rester lui-même. » Il réfléchit de nouveau : « Moi, le monde extérieur me dévore », conclut-il en se levant.

— « Non, mon beau Prophète, inutile d'insister : cette enfant-là n'est pas pour toi », disait au même instant maman Juju à Daniel, dont le regard eut une lueur si rageuse qu'elle se mit à rire : « Voyez-vous ça! *Assieds-toi, petit, ça va passer.* »

(C'était — avec quelques autres scies, telles que : « *Enfant, sois mon fétiche* » ou : « *Ça n'intéresse personne* », ou encore : « *Tout ça n'est rien, tant qu'on a la santé* », — c'était une de ces absurdes phrases-clichés, qui variaient avec les saisons, et que les habitués du lieu se renvoyaient à tout propos avec des sourires d'initiés.)

— « Comment l'as-tu connue? » reprit Daniel, avec une expression têtue.

— « Non, mon joli, je te dis que ce n'est pas pour toi. C'est une gosse exceptionnelle, bonne fille, pantoufle : une perle. »

— « Dis-moi toujours comment tu l'as connue? »

— « Tu la laisseras tranquille? »

— « Mais oui. »

— « Eh bien, c'est quand j'ai eu ma pleurésie. Tu te rappelles? Elle l'a su, elle est arrivée sans rien demander à personne. Et note bien que je ne la connaissais pour ainsi dire pas; je l'avais bien aidée une ou deux fois, mais à peine. (Parce qu'il faut te dire qu'elle a eu de gros ennuis déjà, cette petite : une histoire sérieuse, un homme du monde, à ce que j'ai compris, qu'elle aimait, et un enfant, — on ne dirait pas, hein? — un enfant qui est mort tout de suite, — tant et si bien qu'on ne peut pas lui parler d'enfant sans qu'elle se mette à pleurnicher.) Donc, quand j'ai eu ma pleurésie, elle est venue s'installer chez moi comme une bonne sœur, et elle m'a soignée mieux que si ç'avait été ma fille, jour et nuit, pendant plus de six semaines; elle me posait des cent ventouses en vingt-quatre heures; oui, mon petit; elle m'a sauvé la vie, c'est bien simple : et elle ne dépensait rien. Une perle. Alors je me suis juré de la tirer d'affaire. C'est jeune, ça ne sait rien d'autre que son béguin. Moi je me fais fort de la faire partir; mais tu sais, ce qui s'appelle partir! (Et, pour ça, tu pourrais même me donner un coup de main : je t'expliquerai comment.) Voici donc trois mois que je ne la quitte pas. D'abord il a fallu lui trouver un nom. Elle s'appelait Victorine. Victorine Le Gad. Le Gad, en deux mots, ça va encore. Mais Victorine, c'est fou! J'en ai fait : *Rinette*. Pas mal, hein? Et de tout comme ça. Colin lui a donné des leçons de diction; elle avait un accent breton qui faisait rigoler tout le monde; il lui en reste juste ce qu'il faut, un petit quelque chose d'étranger, d'acidulé, d'english, — charmant. En quinze jours, elle a su bostonner; elle est légère comme un duvet. A part ça, elle n'est pas sotte. Elle chante juste, une voix chaude, un rien canaille : j'adore ça. Enfin la voilà gréée, je la mets à l'eau ce soir, il ne s'agit plus que de lui souffler du vent dans les voiles. Non, sois sérieux. C'est justement à ça que tu peux m'aider. J'ai parlé d'elle à Ludwigson, qui est comme un feu dansant depuis que Bertha l'a plaqué. Il m'a promis de venir aujourd'hui pour rencontrer la gosse. Dis-lui seulement qu'elle te plaît, il s'emballera à fond. Tu comprends, un Ludwigson, c'est exactement ça qu'il faudrait à cette enfant. Elle n'a qu'une idée, faire un petit magot pour retourner dans sa Bretagne. Que diable veux-tu, c'est son goût! Les Bretonnes sont toutes comme ça. Une bicoque sur la place de la criée, une coiffe blanche et des processions : la Bretagne, quoi! Ça n'est pas le Pérou qu'elle demande, elle peut y arriver vite, avec de l'ordre et des conseils. Je veux qu'après les étrennes elle ait déjà mis à gauche une vingtaine de billets que je lui placerai, je sais déjà comment. Tu t'y entends un peu, toi, aux mines d'or? »

— « A table! » criaient des voix tapageuses.

Daniel rejoignit Jacques :

— « Ton frère n'est pas arrivé? Allons toujours prendre nos places. »

Il y avait un certain flottement autour de la longue table où une vingtaine de couverts étaient mis. Daniel fit si bien que Jacques se trouva à la gauche de Rinette; maman Juju ne la lâchait pas et la flanquait d'aussi près que possible sur la droite. Mais, au moment où, tout le monde s'étant placé, Jacques allait s'asseoir, Daniel le bouscula:

— « Change avec moi. » Et, sans attendre, il lui prit si rudement le bras pour l'écarter, que Jacques sentit les doigts de Daniel se crisper sur son poignet, et qu'il dut se retenir pour ne pas crier.

Mais Daniel ne pensait guère à s'excuser :

— « Maman Juju », fit-il, « je crois qu'il serait décent de me présenter à ma voisine. »

— « Ah, toi! » bougonna la vieille, qui venait de découvrir la manœuvre de Daniel. Puis s'adressant à la tablée : « Je vous présente à tous Mlle Rinette »; et, d'un ton menaçant : « Une protégée à moi. »

— « Présentez-nous! Présentez-nous! » firent plusieurs voix.

— « En voilà des micmacs », soupira maman Juju. Elle se leva de mauvaise grâce, retira son chapeau, et le lança à une des « infirmières » qui faisaient le service. « Le Prophète », commença-t-elle en désignant Daniel : « un joli sujet. »

— « Bonjour, Monsieur », fit la petite, gentiment. Daniel lui prit la main et la baisa.

— « Continuez ! »

— « Son ami je ne sais comment », reprit maman Juju en tendant le bras vers Jacques.

— « Bonjour, Monsieur », fit Rinette.

— « Après ça : Paule, Sylvia, Mme Dolorès et un enfant inconnu : l'Enfant du Miracle. Werff, dit l'Abricot. Gaby. La Gourde... »

— « Merci », interrompit une voix ricanante. « J'aime mieux le nom de mes pères : Favery, Mademoiselle, un de vos plus zélés soupirants. »

— « *Enfant, sois mon fétiche!* » fit une voix ironique.

— « Lily et Harmonica, ou les Inséparables », poursuivait maman Juju, sans écouter. « Le Colonel. La belle Maud. Un monsieur que je ne connais pas, avec deux dames que je connais bien, mais dont j'ai oublié les noms. Une place vide. Un autre *idem*. Battaincourt, dit le petit Batt'. Marie-Josèphe et ses perles. Madame Packmell. » Puis, faisant la révérence : « Et maman Juju, pour finir. »

— « Bonjour, Monsieur. — Bonjour, Mademoiselle. — Bonjour, Monsieur. — Bonjour », répétait Rinette sur un ton argentin, souriant sans la moindre gêne.

— « Ce n'est pas Mam'zelle Rinette qu'il faut l'appeler », remarqua Favery, « c'est Mam'zelle Bonjour ! »

— « Je veux bien », dit la petite.

— « Un ban pour Mam'zelle Bonjour ! »

Elle riait et semblait enchantée du bruit fait en son honneur.

— « Et maintenant, le potage », proposa Mme Packmell.

Jacques poussa Daniel du coude, et lui montrant le cercle rouge de son poignet :

— « Qu'est-ce qui t'a pris, tout à l'heure ? »

L'autre lui jeta un regard amusé, dénué de tout remords; un regard ardent, un peu sauvage.

— « *I am he that aches with amorous love* [1] », dit-il en baissant la voix.

Jacques inclina la tête pour apercevoir Rinette, qui justement se tournait vers lui; il rencontra ses yeux : ils étaient verts, frais et mouillés comme des huîtres.

Daniel continuait :

— « *Does the earth gravitate? does not all matter aching, attract all matter?*

« *So the body of me to all I meet or know* [2]. »

Jacques fronça les sourcils. Ce n'était pas la première occasion qui lui était donnée d'assister à un de ces déclenchements passionnels qui lançaient Daniel vers son plaisir sans qu'il fût possible de lui faire obstacle. Et, chaque fois, l'amitié de Jacques s'était rétractée malgré lui. Un détail amusant fit dévier sa pensée : il s'avisa que l'intérieur du nez de Daniel était tapissé d'un duvet très noir qui faisait ressembler ses narines aux trous d'un masque; il chercha des yeux les mains du Prophète, ces belles mains allongées sur lesquelles courait aussi le même duvet brun. « *Vir pilosus* », songea-t-il, et il eut grande envie de sourire.

Mais Daniel se penchait de nouveau, et, sans changer de ton, comme s'il achevait la citation de Whitman :

— « *Gill up your neighbour's glass, my dear* [3]. »

— « Madame Packmell, le menu est illisible, ce soir », zézaya quelqu'un de l'autre côté de la table.

— « Mme Packmell aura un double zéro », décréta Favery.

— « *Tout ça n'est rien, — tant qu'on a la santé* », répliqua philosophiquement la belle blonde.

Jacques se trouvait près de Paule, l'ange perverti, à la chair si pâle. Puis il y avait une fille au buste opulent,

1. « Je suis celui que l'amoureux désir tourmente... »
2. « Est-ce que gravite la terre? Est-ce que toute matière n'est pas tourmentée par l'attraction de toute matière? »
« Ainsi mon corps à moi, par tous ceux que je connais ou rencontre. » *(Children of Adam.)*
3. « Remplis le verre de ta voisine, mon cher. »

qui ne parlait pas et s'essuyait les lèvres après chaque cuillerée. Et plus loin, presque en face de Jacques, à côté de cette femme brune dont le front était mangé de frisures et que maman Juju avait nommée Mme Dolorès, un gamin de sept à huit ans, assez pauvrement vêtu de noir, suivait de ses yeux limpides les mouvements des convives, et sa figure, par éclairs, s'illuminait d'un sourire.

— « On ne vous a pas servi de potage? » demanda Jacques à sa voisine.

— « Je n'en prends pas, merci. »

Elle gardait les yeux baissés, et, lorsqu'elle les relevait, c'était toujours vers Daniel. Elle avait tout fait pour se placer près de lui; et, au dernier moment, elle l'avait vu donner sa chaise à Jacques; et c'est à Jacques qu'elle en voulait. D'où venait-il, celui-là, avec son visage boutonneux et son clou à la nuque? Elle détestait les roux, et ce brun-là avait un aspect de rouquin. Sans compter qu'avec ce front herbu, ces oreilles décollées, cette mâchoire, il avait l'air d'une brute.

— « Eh bien, voyons, qu'est-ce que tu attends pour mettre ta serviette? » dit à voix haute Mme Dolorès, secouant le petit garçon pour mieux lui nouer autour du cou le linge cylindré dont les cassures l'ensevelissaient à demi.

— « Quand une femme avoue son âge », criait Favery, qui discutait avec Marie-Josèphe, « c'est qu'elle ne l'a plus. Je vous dis, moi, qu'elle est entrée au Conservatoire à limite d'âge, il y a juste quarante-cinq ans, avec un acte de naissance appartenant à sa sœur cadette et qui la rajeunissait de deux ans. Cela fait donc... »

— « *Ça n'intéresse personne!* » lança maman Juju à la cantonade.

— « Favery est un de ces bons esprits qui ne peuvent jamais prendre part à une conversation sans rappeler d'abord que l'accélération de la pesanteur est de 9 m 80 à Paris », remarqua Werff, qui jadis avait préparé Centrale. On l'avait surnommé l'Abricot à cause de sa peau que les sports en plein air avaient dorée et crottée de taches de son. Un superbe mâle d'ailleurs, aux épaules ondulantes, avec de fortes pommettes et des lèvres gonflées; le soir, la bonne humeur de ses muscles, satisfaits par les exercices du jour, resplendissait dans ses yeux bleus et sur ses joues lustrées.

— « On ne sait pas de quoi il est mort », dit quelqu'un.

— « Savais-tu de quoi il vivait? » repartit une voix moqueuse.

— « Allons, dépêche-toi », dit Mme Dolorès au gamin. « Tu sais, ici, il y a du dessert. Tu n'en auras pas. »

— « Pourquoi? » demanda le petit, tournant vers elle son regard rayonnant.

— « Tu n'en auras pas, si je le veux. Obéis. Dépêche-toi. » Elle s'aperçut de l'attention de Jacques et lui décocha un sourire complice. « Il est difficile, voyez-vous », reprit-elle. « Il a peur de tout ce qu'il ne connaît pas. Des pigeons en salmis, on t'en donnera! Il mangeait plus souvent du lard aux choux que des pigeons, bien sûr! Il a été trop gâté. Toujours choyé, câliné, comme tous les uniques. Surtout que sa mère est restée malade si longtemps! Oui, oui », fit-elle, en passant sa main sur la tête ronde, tondue de près, « un enfant gâté. C'est très vilain. Mais, avec sa tante, ça ne sera plus pareil. Monsieur voulait-il pas garder ses boucles comme une petite fille? Ah mais, c'en est fini, des caprices, des gâteries. Allons, mange; le monsieur te regarde, dépêche. » Heureuse d'être écoutée, elle sourit de nouveau à Jacques et à Paule : « C'est un petit orphelin », déclara-t-elle sur un ton satisfait. « Il a perdu sa mère cette semaine. Une femme qui était mariée avec un frère à moi. Elle est morte de la poitrine, dans son village, en Lorraine. Pauvre petit », ajouta-t-elle, « il a encore de la chance que j'aie bien voulu le prendre à ma charge : il n'a plus personne d'aucun côté; il n'a plus que moi. Mais j'aurai du tintouin. »

Le gamin avait cessé de manger; il regardait sa tante. Comprenait-il?

Il demanda, avec une intonation étrange :

— « C'est ma maman à moi, qui est morte? »

— « T'occupe pas de ça. Mange. »

— « N'ai plus envie. »

— « Vous voyez, voilà comme il est! » reprit Mme Dolorès. « Oui, là : c'est ta maman qui est morte. Et maintenant, obéis, mange. Ou bien tu n'auras pas de glace. »

Paule, à ce moment, détourna la tête, et Jacques, croisant son regard, crut y lire l'impression de malaise qu'il ressentait lui-même. Elle avait un cou fin, mobile, et pâle, plus pâle encore que ses joues : son aspect gracile invitait à de tendres égards. Jacques regardait ce cou, cette peau fine, à peine duvetée, et il éprouvait une sensation de douceur aux lèvres. Il chercha quelque chose à dire, ne trouva rien, et sourit. Elle l'examina à la dérobée. Il lui sembla moins laid. Mais un brusque pincement au cœur la fit devenir toute blanche : elle posa ses mains au bord de la table et renversa un peu la tête en arrière, mordant sa langue pour ne pas perdre connaissance.

Jacques la vit. Elle avait l'air d'un oiseau qui serait venu mourir là, sur la nappe. Il murmura :

— « Quoi donc? »

Il apercevait, entre les paupières à demi closes, le blanc des yeux chavirés. Elle fit un effort et balbutia sans bouger :

— « Dites rien. »

Il avait la gorge nouée, il n'aurait pu appeler. Personne d'ailleurs ne prêtait attention à eux. Il regarda les mains de Paule : les doigts, immobilisés, transparents comme de petits cierges, étaient si livides que les ongles y faisaient des taches violacées.

— « Mon réveil sonne à six heures et demie dans une soucoupe en équilibre sur un verre... », expliquait Favery à sa voisine, avec des roucoulements satisfaits.

Déjà Paule, moins pâle, rouvrait les yeux; elle tourna la tête et sourit faiblement pour remercier Jacques de s'être tu :

— « C'est fini », souffla-t-elle. « Ça vient par crises, c'est des pointes au cœur. » Et du bout de ses lèvres encore crispées, elle ajouta, non sans mélancolie : « *Assieds-toi, petit, ça va passer.* »

Il eut envie de la saisir dans ses bras, de l'emporter

loin de ce lieu souillé; il songeait à se consacrer à elle, à la guérir. Ah, qu'il se sentait d'amour pour tout être faible qui eût sollicité, ou seulement accepté, l'appui de sa force!

Il fut sur le point de confier à Daniel ce projet chimérique : mais Daniel ne songeait guère à Jacques.

Daniel causait avec maman Juju, dont Rinette le séparait. C'était un prétexte pour se tourner vers sa voisine, pour être plus près de sa tiédeur. Quoique, depuis le début du repas, il eût par tactique évité presque de lui adresser la parole, visiblement il ne pensait qu'à elle. A plusieurs reprises, elle avait surpris son regard : chaque fois, sans qu'elle pût s'expliquer pourquoi, ce regard, au lieu de la flatter, soulevait en elle un sentiment d'éloignement; et l'attrait de ce visage viril, bien qu'elle y fût sensible, l'irritait.

Un débat assez vif animait l'autre bout de la table :

— « Fat! » cria l'Abricot à Favery.

L'autre en convint :

— « Hé, je me le dis souvent. »

— « Trop bas, sans doute. »

Il y eut des rires. Werff garda l'avantage :

— « Favery, mon cher », déclara-t-il, élevant exprès le ton, « permettez que je vous dise une chose : vous venez de parler des femmes comme quelqu'un qui n'a jamais su... leur parler! »

Daniel regarda Favery qui riait, et il crut saisir un regard du normalien dans la direction de Rinette, comme si ce fût à propos d'elle que la discussion fût née : un certain regard osé et concupiscent qui redoubla soudain l'antipathie de Daniel pour Favery. Il connaissait sur lui plusieurs anecdotes qui le discréditaient. Une envie féroce le prit de les raconter devant Rinette. Il ne résistait jamais à ces sortes de tentations. Baissant la voix, pour n'être entendu que des deux femmes, et se penchant vers maman Juju d'une façon qui mettait Rinette en tiers dans le colloque, il demanda négligemment :

— « Est-ce que tu connais l'histoire de Favery et de la Femme adultère? »

— « Non », s'écria la vieille, alléchée. « Raconte. Et,

passe-moi une cigarette; le dîner n'en finit pas, ce soir. »

— « Un beau jour, — elle était depuis longtemps sa maîtresse, — elle débarque chez lui avec une valise : " J'en ai assez, je veux vivre avec toi, et cætera... " — " Mais ton mari? " — " Mon mari? Je viens de lui écrire : *Cher... Eugène, je suis arrivée à un tournant de ma vie, et caetera... J'ai le besoin et le droit d'épancher ma tendresse dans un cœur ami, et caetera... J'ai trouvé ce cœur, et je pars.* " »

— « En fait de cœur, dis donc...! »

— « C'était son affaire. Ecoute la suite. Voilà mon Favery épouvanté. Une femme sur les bras, et, qui pis est, une femme bientôt divorcée, libre, qui allait exiger qu'on l'épouse... C'est alors qu'il a eu ce qu'il appelle lui-même son idée de génie. Il a écrit au mari : *Monsieur, je reconnais que c'est pour me suivre que votre femme abandonne le domicile conjugal. Salutations. Favery.* »

— « C'est chic », murmura Rinette.

— « Pas tant que ça », répliqua Daniel avec un sourire presque méchant : « Vous allez voir. Favery, malin, prenait simplement ses précautions pour l'avenir; il savait que le mari ferait état de cette lettre devant les tribunaux : or, la loi interdit à l'amant d'épouser jamais sa complice. " Il est bon de connaître le Code ", dit-il quand il raconte l'histoire. »

Rinette réfléchissait; enfin elle comprit :

— « Oh, ce vice! » s'écria-t-elle.

Daniel, qui penchait la tête vers elle, reçut son souffle au visage, aux lèvres. Il fit une longue aspiration et dut presque fermer les yeux.

— « Il l'a quittée? » demanda la vieille.

Daniel ne répondit pas. Rinette tourna les yeux vers lui. Il gardait les paupières à demi baissées, tant il se sentait peu maître de dissimuler l'intensité de son désir. Elle vit de tout près sa chair lisse, le pli cruel de sa bouche, ses cils frémissants; et, comme si depuis longtemps elle avait expérimenté les secrets trompeurs de ce visage, quelque chose en elle d'aussi indiscutable qu'un instinct se révolta tout à coup contre lui.

— « Et la femme, qu'est-ce qu'elle est devenue? » demanda maman Juju.

Daniel avait repris son calme, mais sa voix gardait un léger tremblement :

— « On a dit qu'elle s'était tuée », fit-il. « Lui, il affirme qu'elle était tuberculeuse. » Il essaya de rire, et passa sa main sur son front.

Rinette se tenait droite, appuyée au dossier de sa chaise, afin de s'écarter le plus possible de Daniel. Pourquoi ce tumulte en elle? Cela s'était fait d'un seul coup, à cause de ce visage, de ce sourire, de ce regard. Tout en ce beau garçon lui était odieux : sa façon de se pencher, l'élégance de ses gestes, et sa main surtout, sa longue main nerveuse... Jamais elle n'aurait cru qu'il y eût en elle, disponible, et pour ainsi dire toute préparée, tant d'aversion contre un inconnu.

— « Alors, autant dire que je suis une coquette? » s'écria Marie-Josèphe, prenant à témoin toute la table.

Battaincourt sourit naïvement :

— « Est-ce ma faute? La langue française n'a que ce terme-là pour désigner cette chose, entre toutes charmante : l'intention de plaire... »

— « C'est du propre! » glapit Mme Dolorès.

On se retourna. Mais il s'agissait du petit garçon qui venait de renverser une cuillerée de glace sur sa veste noire, et que sa tante traînait vers le lavabo.

Jacques profita de son absence :

— « Vous la connaissez? » demanda-t-il à Paule, heureux de se rapprocher d'elle.

— « Un peu. » Elle fut sur le point de se taire; elle n'était pas bavarde et se sentait triste. Mais Jacques avait été gentil avec elle, tout à l'heure. « Ça n'est pas une méchante femme, vous savez », poursuivit-elle. « Et puis elle est riche. Elle a été longtemps avec un type qui écrivait pour les théâtres. Après, elle a épousé un pharmacien; qui est mort. Elle touche encore de grosses rentes pour les spécialités. Le *Coricide Dolorès*, vous connaissez bien ça? Non? Faut lui dire, elle en a toujours des échantillons dans son sac. Epatant, vous verrez. C'est une originale. Elle a chez elle une douzaine de chats, racolés partout. Et des poissons, un grand aquarium, dans sa chambre à coucher. Elle adore les bêtes. »

— « Mais elle n'aime pas les enfants. »

Paule hocha la tête :

— « C'est une femme qui est comme ça », conclut-elle.

Elle respirait difficilement quand elle avait parlé. Jacques s'en aperçut. Il cherchait cependant à prolonger leur aparté. La pensée qu'elle avait une maladie de cœur amena assez sottement sur ses lèvres :

— « *Le cœur a ses raisons que la raison ne connaît pas.* »

Elle resta une seconde pensive.

— « *Que la raison n'a pas* », rectifia-t-elle, en pianotant sur la table : « sans ça, le vers serait faux. »

Il la désirait malgré tout. Pourtant il avait déjà moins envie de lui consacrer sa vie. « Dès qu'un être me laisse lire en lui, si peu que ce soit, je suis prêt à l'aimer », songea-t-il. Il se souvint de la promenade où il avait, pour la première fois, fait cette remarque : l'été dernier, dans les bois de Viroflay, avec des camarades d'Antoine et une étudiante en médecine, une Suédoise, qui s'était appuyée à son bras pour lui conter des souvenirs d'enfance.

Et, tout à coup, il s'avisa qu'Antoine n'était pas venu. Neuf heures et demie!

Alors, envahi par une terreur nerveuse, oubliant tout le reste, il secoua Daniel par le bras :

— « Sûrement, il est arrivé quelque chose! »

— « Quelque chose? »

— « A Antoine! »

Justement, on sortait de table. Jacques s'était levé. Daniel, debout, cherchant à ne pas s'éloigner de Rinette, essayait de le rassurer :

— « Voyons, tu es fou! Les médecins... Il a suffi d'un malade... »

Mais Jacques était déjà loin. Incapable de réfléchir, incapable de lutter contre son pressentiment, il avait couru jusqu'au vestiaire; et sans dire au revoir à personne, sans une pensée pour Paule, il s'élançait dehors.

« C'est moi qui ai porté malheur à Antoine », se répétait-il avec épouvante. « C'est moi... C'est moi... Pour avoir un complet noir, comme le type du carrefour Médicis !... »

Le trio de musiciens venait d'attaquer une valse. Quelques couples dansaient déjà dans la salle du bar. Daniel vit Favery lever le menton comme s'il prenait le vent, et fixer sur Rinette son regard clignotant. D'un pas preste, il le devança :

— « Un boston ? »

Elle l'avait vu venir et l'examinait avec hostilité; elle le laissa s'incliner légèrement, avant de lui répondre :

— « Non. »

Il dissimula sa surprise et sourit :

— « Pourquoi : non ? » fit-il, imitant son intonation. Il était si certain de la décider qu'il dit : « Allons », et fit un pas vers elle. Geste un peu trop assuré, qui acheva de la mettre en révolte.

— « Avec vous, non ! » accentua-t-elle.

— « Non ? » répéta-t-il, tandis que son œil noir la défiait, semblait dire : « Quand je voudrai ! »

Elle se détourna, et apercevant Favery qui hésitait à s'approcher, alla vers lui comme s'il l'eût déjà invitée, et se mit à danser, sans un mot.

Ludwigson venait d'arriver. En smoking, debout près du bar, le canotier sur la tête, il causait avec la mère Packmell et Marie-Josèphe, dont il maniait familièrement le sautoir. Mais, sans en avoir l'air, de son regard dormant qui glissait sous ses paupières de tortue et qui, par instants, s'abattait sur quelque chose ou sur quelqu'un comme un coup de canne plombée, il inspectait la salle.

Maman Juju naviguait entre les couples, à la recherche de Rinette. Elle l'atteignit enfin et lui poussa le coude :

— « Vite. Et comme je t'ai dit. »

Daniel, que Paule avait acculé dans un angle, écoutait la jeune femme avec un sourire distrait. Il vit maman Juju venir le plus naturellement du monde se mêler au groupe de Marie-Josèphe, tandis que Rinette, cessant de danser, allait s'asseoir seule à une table éloignée, dans la pièce du fond. Presque aussitôt, Ludwigson et maman Juju traversèrent les deux salons pour la rejoindre. Ludwigson, surtout lorsqu'il se sentait regardé, marchait en raidissant le torse comme un cocher de l'ancien style; il n'ignorait pas que la nature l'avait affligé d'une croupe de houri, qui se dandinait de droite et de gauche dès qu'il pressait le pas; et il se surveillait. Rinette lui tendit la main; il y appuya ses grosses lèvres. Dans le mouvement qu'il fit, Daniel aperçut son crâne un peu fuyant, sur lequel collaient ses cheveux noirs savamment décrêpés. « Une certaine allure, malgré tout », observa-t-il. « Il y a du portefaix dans ce polichinelle levantin; mais il y a aussi du grand vizir. »

Ludwigson se dégantait sans hâte, tout en évaluant Rinette d'un œil connaisseur; puis il s'assit en face d'elle, et maman Juju à côté de lui. On leur apportait déjà à boire, sans que Ludwigson eût rien commandé; ses habitudes étaient connues : il ne prenait jamais de champagne, mais buvait de l'asti, non mousseux, non frappé, pas même frais, un peu chambré : « Tiède », disait-il, « comme le *yus* d'un *frouit* au soleil. »

Daniel quitta Paule, alluma une cigarette, fit le tour du bar, serra des mains, puis revint s'asseoir dans la seconde salle. Ludwigson et maman Juju lui tournaient le dos; mais il se trouvait placé juste en face de Rinette, quoique séparé d'elle par toute la pièce. Une conversation animée s'était établie d'emblée autour des coupes d'asti. Rinette souriait aux finesses de Ludwigson, qui, penché vers elle et visiblement séduit, multipliait les frais en son honneur. Lorsqu'elle aperçut que Daniel les épiait, elle exagéra sa gaieté.

Par la baie qui faisait communiquer les deux salles, on voyait passer et repasser les couples de danseurs. Derrière le comptoir, une petite grue aux joues roses, qui ressemblait à un Lawrence, était grimpée sur une marche du petit escalier blanc, et là, tenant la rampe de chaque main, perchée sur un pied, balançant l'autre et levant le museau, elle accompagnait l'orchestre, en glapissant un absurde refrain que tout le monde, cet été-là, savait par cœur :

Timélou, lamélou, pan, pan, timéla!

La cigarette aux lèvres, Daniel s'était accoudé et regardait fixement Rinette. Il ne souriait plus; il avait un visage figé, et ses lèvres se pinçaient. « Où donc l'ai-je vu? » se demandait la jeune femme; elle riait avec excès, et prenait soin de ne pas rencontrer les yeux de Daniel. Elle y parvenait de moins en moins aisément; et comme une alouette voletant au miroir, de plus en plus souvent son attention se laissait happer par ce regard tenace : regard voilé sans être vague, et dont la précision semblait réglée sur un point situé fort au-delà de Rinette; regard qui restait aigu et tenace; regard brûlant, aimanté, dont elle réussissait bien chaque fois à se déprendre, mais chaque fois avec plus d'effort.

Tout à coup, Daniel sentit quelque chose remuer presque contre lui. Il avait les nerfs si tendus qu'il ne put s'empêcher de tressaillir. C'était, parmi les coussins de la banquette, roulé dans le manteau soyeux de Dolorès, le petit orphelin qui dormait, un doigt près de la bouche, et des larmes mal séchées au bord des cils.

La musique s'était tue. Le violoniste quêtait de table en table. Lorsqu'il s'approcha de Daniel, celui-ci glissa un billet sous la serviette :

— « Le prochain boston, un quart d'heure sans arrêt », murmura-t-il. Les paupières bistrées battirent en signe d'acquiescement.

Daniel sentit que Rinette le surveillait. Alors, relevant la tête, il s'empara de son regard. Il comprit que maintenant il en était le maître; une ou deux fois, par jeu, il se donna le plaisir de le prendre et de le laisser, afin d'éprouver sa possession. Puis il ne le quitta plus.

Très allumé, Ludwigson redoublait d'amabilités. Cependant l'attention que lui prêtait Rinette était de plus en plus factice et haletante. Lorsque le violon attaqua une nouvelle valse, dès le premier coup d'archet, elle comprit au frémissement que lui communiqua le visage crispé de Daniel, qu'un événement décisif allait avoir lieu. En effet, Daniel s'était levé; très calme, et sans lâcher sa proie du regard, il traversa le salon et vint droit sur elle. Il eut le temps de se dire : « Je joue ma situation chez Ludwigson »; ce fut comme un coup de fouet qui cingla son désir. Rinette le regardait approcher, et son œil fixe exprima quelque chose de si anormal que Ludwigson et maman Juju, ensemble, se retournèrent. Ludwigson crut que Daniel venait le saluer, et déjà il ébauchait le geste de l'accueillir à sa table. Daniel n'eut même pas l'air de le reconnaître. Il inclina la tête et plongea son regard dans les yeux verts où se lisait autant de consentement que d'effroi. Elle se dressa subjuguée. Sans un mot, il l'enlaça, l'étreignit, et disparut avec elle dans la salle où se tenait l'orchestre.

Ludwigson et maman Juju restèrent une seconde immobiles, suivant le couple des yeux. Puis ils se regardèrent.

— « Quel toupet! » balbutia-t-elle; son double menton tremblait d'émotion et de colère.

Ludwigson leva les sourcils et ne répondit pas. Son teint blafard l'empêchait de pouvoir pâlir. Il avança, vers la coupe qui était devant lui, sa main énorme dont les ongles étaient sombres comme des cornalines, et il trempa ses lèvres dans l'asti.

Maman Juju respirait comme quelqu'un qui vient de courir.

— « Voilà toujours un blanc-bec qui ne travaillera plus pour vous, je suppose! » dit-elle, avec un rire sec de femme qui se venge.

Il parut surpris :

— « M. de Fontanin? Et pourquoi donc? »

Il sourit, en grand seigneur qui ne s'abaisse pas à certaines mesquineries, et, très maître de lui, enfila ses gants. Peut-être bien s'amusait-il vraiment de l'aventure? Il tira son portefeuille, jeta un billet sur la table, et, se levant, salua maman Juju d'un geste courtois. Puis il gagna la salle où l'on dansait et s'arrêta sur le seuil, pour attendre que le couple vînt à passer devant lui. Daniel rencontra son regard endormi, où il y avait un peu de méchanceté, un peu d'envie, de l'admiration; il le vit ensuite glisser vers la sortie en longeant les banquettes et disparaître dans le tambour vitré, qui parut le cueillir dans son remous pour le jeter dehors.

Daniel bostonnait sans hâte, le corps en apparence immobile, la tête droite, avec une sorte de flegme fait de raideur et d'aisance, ne dansant qu'avec la pointe de ses pieds, qui ne quittaient pas le sol. Rinette, inconsciente, grisée, incapable de savoir si elle était exaspérée ou ravie, épousait les moindres ondulations de son cavalier, semblait n'avoir jamais dansé qu'avec lui. Au bout de dix minutes, ils restaient les derniers; les autres couples, depuis longtemps fatigués, formaient cercle autour d'eux. Cinq nouvelles minutes s'écoulèrent. Ils bostonnaient toujours. Enfin, après une dernière reprise, l'orchestre demanda grâce. Ils dansèrent jusqu'aux derniers accords : elle, à demi pâmée sur son épaule; lui, grave, les paupières baissées sur un regard brûlant qu'il essayait de temps à autre sur elle, et qui la faisait tour à tour palpiter de rancune et de désir.

Des applaudissements éclatèrent.

Daniel ramena Rinette à la table de Ludwigson, s'assit le plus simplement du monde à la place vacante, demanda une quatrième coupe, l'emplit d'asti, la leva gaiement vers maman Juju, et la vida.

— « Pouah », fit-il, « quel sirop! »

Rinette partit d'un éclat de rire nerveux, et ses yeux s'emplirent de larmes.

Maman Juju couvait Daniel d'un œil émerveillé; sa rage s'était évanouie. Elle se leva, haussa les épaules, et soupira drôlement :

— « *Tout ça n'est rien — tant qu'on a la santé.* »

Une demi-heure plus tard, Rinette et Daniel sortaient ensemble de chez Packmell.

Il avait plu.

— « Une voiture? » proposa le groom.

— « Marchons d'abord un peu », dit Rinette. Sa voix avait des inflexions molles que Daniel remarquait avec joie.

Malgré l'averse, la température demeurait orageuse. Les rues étaient vides, mal éclairées. Ils allaient doucement devant eux sur le trottoir luisant d'eau.

Un fantassin les croisa, qui tenait deux femmes par la taille et s'amusait à leur faire changer le pas : « Un, deux! Pas comme ça! On saute sur le pied gauche : un, deux! » Leurs rires, longtemps, résonnèrent entre les façades muettes.

Elle s'était attendue, en quittant le bar, à ce qu'il vînt aussitôt glisser son bras sous le sien. Mais Daniel savourait si fort les attentes, qu'il se plaisait à les prolonger jusqu'à l'énervement. Ce fut elle qui se rapprocha, après un éclair lointain.

— « L'orage n'est pas fini. Il va repleuvoir. »

— « Ça va être délicieux », répliqua-t-il, sur un ton caressant qui exprimait toute sorte de choses. C'était bien subtil pour elle, que la réserve de Daniel intimidait. Elle dit :

— « Vous savez, on ne m'ôtera pas de l'idée que je vous ai déjà vu ailleurs. »

Il sourit dans l'ombre; il lui savait gré de ne prononcer que des mots prévus. Il était loin de soupçonner qu'elle pensait vraiment l'avoir rencontré. Par gaminerie, il fut sur le point de répondre : « Moi aussi »; et ils auraient émis des hypothèses. Mais il s'amusait davantage encore à l'intriguer en se taisant.

— « Pourquoi qu'ils vous appellent le Prophète? » reprit-elle, après un silence.

— « Parce que je m'appelle Daniel. »

— « Daniel quoi? »

Il hésita; il n'aimait pas à se livrer, si peu que ce fût. Pourtant la curiosité de Rinette était si dépourvue de rouerie, qu'il eut scrupule à se fabriquer pour elle un nom d'emprunt.

— « Daniel de Fontanin », dit-il.

Elle ne répondit pas, mais elle eut un haut-le-corps. Il crut qu'elle avait bronché et voulut la soutenir; elle fit un mouvement pour l'éviter. C'en fut assez pour lui donner envie de la contraindre : il s'approcha, essayant de lui prendre le bras; elle esquiva son attouchement par un bond de côté, et, changeant tout à coup de direction, s'engagea dans une rue de traverse. Il pensa qu'elle jouait et se prêta au jeu. Elle paraissait réellement fuir devant lui : elle avait accéléré l'allure, et il avait du mal à garder sa distance sans courir. Il s'amusait : cette marche rapide dans ce quartier désert ressemblait à une chasse. Cependant, un peu las, comme elle allait s'enfoncer dans une rue obscure qui, par un détour, les eût ramenés sur leurs pas, il voulut l'arrêter et tenta pour la troisième fois de saisir son bras. Elle lui échappa de nouveau.

— « C'est stupide », fit-il agacé. « Arrêtez-vous maintenant. »

Elle fuyait de plus belle, cherchant l'ombre et changeant sans cesse de trottoir comme si vraiment elle eût voulu qu'il perdît sa trace; et tout à coup elle se mit à courir. En quelques enjambées, il fut à sa hauteur et la bloqua dans l'embrasure d'une porte. Alors il découvrit sur son visage une expression d'effroi qui ne pouvait pas être feinte.

— « Qu'est-ce qu'il y a? »

Essoufflée, elle restait blottie dans l'encoignure humide, fixant sur lui des yeux égarés. Il réfléchit une seconde. Il ne comprenait pas, mais il voyait bien que quelque chose de grave s'était passé en elle. Il voulut l'attirer contre lui. Elle se dégagea d'un geste si apeuré qu'un volant de sa robe se déchira.

— « Qu'est-ce qu'il y a donc? » répéta-t-il, reculant d'un pas. « Vous avez peur de moi? Vous vous sentez souffrante? »

Prise d'un tremblement nerveux, elle ne pouvait prononcer un mot, et ne cessait de le regarder.

Il ne comprenait toujours pas; cependant, il eut pitié :

— « Préférez-vous que je vous laisse? » proposa-t-il.

Elle fit signe que oui. Il se sentit bien près d'être ridicule.

— « C'est vrai? Vous voulez que je m'en aille? » reprit-il, mettant autant de douceur dans sa voix que s'il eût essayé d'apprivoiser un enfant perdu.

— « Oui! » souffla-t-elle, presque brutalement.

Certes, elle ne jouait pas la comédie.

Il sentit combien c'eût été inélégant d'insister, et, renonçant d'un coup à elle, il prit le parti d'agir galamment.

— « Eh bien, soit », fit-il. « Seulement, je ne peux pas vous abandonner là, en pleine nuit, dans le creux de cette porte ! Nous allons faire quelques pas à la recherche d'une voiture, et je vous laisserai... Voulez-vous ? »

Ils se dirigèrent en silence vers l'avenue de l'Opéra dont on apercevait les lumières. Bien avant, ils croisèrent un taxi en maraude, qui, sur un signe, vint se ranger contre le trottoir. Rinette gardait les yeux obstinément baissés. Daniel ouvrit la portière. Sur le marchepied, elle se décida à tourner la tête vers lui et le regarda au visage, comme si elle ne pouvait se retenir de l'examiner encore une fois. Il s'efforçait de sourire, et, tête nue, s'appliquait à garder l'attitude d'un ami qui prend congé. Lorsqu'elle fut certaine qu'il ne chercherait pas à l'accompagner, ses traits se détendirent. Elle donna l'adresse au chauffeur. Puis, se tournant vers Daniel, elle murmura, sur un ton d'excuse :

— « Pardon. Ce soir, il faut me laisser, Monsieur Daniel. Demain, je vous expliquerai. »

— « Eh bien, à demain », fit-il en s'inclinant. « Mais où ? »

— « C'est vrai, où ? » répéta-t-elle naïvement. « Chez Mme Juju, si vous voulez. Oui, chez Mme Juju. A trois heures. »

— « A trois heures. »

Il tendit la main, elle avança la sienne, et, de ses lèvres, il effleura le bout des doigts gantés.

L'auto démarra.

Alors seulement Daniel eut un mouvement de colère. Il se reprenait déjà, lorsqu'il vit le buste clair de la jeune femme se pencher hors de la voiture et arrêter net le chauffeur.

Il ne fit qu'un bond jusqu'à la portière, Rinette, déjà, l'avait ouverte. Il remarqua qu'elle s'était rejetée au fond de la banquette; ses yeux étaient ouverts dans l'ombre. Il comprit; il sauta près d'elle. Lorsqu'il la saisit dans ses bras, elle écrasa ses lèvres sur les siennes, et il sentit bien qu'elle ne s'abandonnait pas par faiblesse ni par crainte : qu'elle s'offrait. Elle sanglotait, — on eût dit de désespoir, — et murmurait des mots inintelligibles :

— « Je voudrais... je voudrais... »

Daniel fut bouleversé d'entendre :

— « Je voudrais... un enfant... de toi ! »

— « Alors, même adresse? » demanda le chauffeur.

III

En quittant Jacques et ses amis, Antoine s'était fait conduire à Passy, où il avait « une pneumonie à voir »; puis, de là, rue de l'Université, à la maison paternelle, dont il partageait, depuis cinq ans, le rez-de-chaussée avec son frère. Et, au fond de la voiture qui le ramenait chez lui, une cigarette aux lèvres, il s'avisa que le petit malade allait vraiment mieux, que sa journée de médecin était terminée, et qu'il se trouvait en excellente disposition.

« J'avoue qu'hier soir je n'étais pas fier. En général, quand l'expectoration cesse aussi brusquement... *Pulsus bonus, urina bona, sed aeger moritur*... Il ne s'agit plus que d'éviter l'endocardite... La mère est encore jolie femme... Paris aussi est bien joli, ce soir... » Au passage, il plongeait son regard dans les verdures du Trocadéro, et il se retourna pour suivre des yeux un couple qui s'engageait dans une allée perdue. La Tour Eiffel, les statues du pont, la Seine étaient roses. « *Dans mon cœur... na-na-na..* » Le ronron du moteur soutenait son chant. « *Dans mon cœur... dort!* » fit-il tout à coup. « Oui, c'est ça : *Dans mon cœur dort na-na-na-na*... C'est agaçant de ne pas pouvoir retrouver les paroles. Qu'est-ce qui peut bien dormir dans mon cœur?... *Le cochon qui sommeille?* » songea-t-il en souriant; et, de nouveau, sa pensée l'entraîna vers les perspectives amusantes de la soirée chez Packmell. Une aventure galante?... Il se sentit heureux de vivre, et comme porté par un désir latent. Il jeta sa cigarette, croisa les jambes et aspira l'air, auquel la vitesse du véhicule donnait une apparence de fraîcheur. « Pourvu que Belin n'oublie pas les ventouses du petit. Nous allons le sauver, ce pauvre gosse, — et sans intervention. Je voudrais voir la tête de Loisille. Ces chirurgiens! Ils ont la vogue, mais pfuit! Des acrobates. Comme disait le vieux père Black : " Si j'avais trois fils, je dirais au moins doué : *Fais-toi accoucheur*. Au plus sportif : *Prends le bistouri*. Mais au plus intelligent des trois : *Sois médecin, soigne beaucoup de malades, et tâche d'y voir de plus en plus clair!* " » Il se sentit de nouveau joyeux, joyeux jusque dans le plus intime de sa force : « J'ai bien dirigé ma vie », murmura-t-il à mi-voix.

Lorsqu'il pénétra chez lui, la porte ouverte de la chambre de Jacques lui rappela que son frère était reçu. Cinq années de vigilance, de ménagements, aboutissaient à ce succès. « Je me souviens très bien le soir où j'ai rencontré Favery rue des Ecoles, et où j'ai eu la première fois l'idée d'aiguiller Jacques vers Normale. Le square Monge était blanc de neige. Un peu moins chaud qu'aujourd'hui », soupira-t-il. Il se représenta, par avance, le délice des ablutions froides, et jeta ses vêtements autour de lui avec une impatience d'enfant.

Il sortit de la douche, régénéré. Il pensait à Packmell et sifflotait de plaisir. Ce qu'il appelait « les femmes » ne tenait dans son existence qu'une place secondaire; l'amour sentimental, aucune. Il se contentait de rencontres faciles; et il en tirait vanité parce que c'était plus « pratique ». D'ailleurs, certains soirs exceptés, il se défendait assez bien contre tout cela; non par discipline; ni par indifférence physique; mais parce que « tout cela » faisait partie d'un genre de vie différent de celui qu'il avait une fois pour toutes résolu d'adopter. Il avait l'impression que ces obsessions-là étaient des faiblesses; lui, il était un « fort ».

Ding! On venait de sonner. Un coup d'œil vers la pendule : au besoin, il aurait encore le temps de voir un malade avant de rejoindre la bande chez Packmell.

— « Qui est là? » cria-t-il à travers la porte.

— « C'est moi, Monsieur Antoine. »

Il reconnut la voix de M. Chasle, et ouvrit. Pendant les séjours de M. Thibault à Maisons-Laffitte, son secrétaire continuait à travailler rue de l'Université.

— « Ah, c'est vous », dit M. Chasle machinalement. Puis, gêné de voir Antoine en caleçon, il tourna la tête, en murmurant : « Quoi? » d'un air interrogatif. « Ah, vous vous habillez », ajouta-t-il presque aussitôt, levant le doigt comme s'il découvrait le mot d'une énigme. « Je ne vous dérange pas, au moins? »

— « Il faut que je sois parti dans vingt-cinq minutes », s'empressa d'avouer Antoine.

— « C'est bien plus qu'il ne faut. Regardez, docteur. » Il déposa son chapeau, retira ses lunettes et écarquilla les yeux. « Vous ne voyez rien? »

— « Où ça? »

— « Dans l'œil. »

— « Lequel? »

— « Celui-ci. »

— « Ne bougez pas. Je ne vois absolument rien. Un coup d'air, peut-être? »

— « Ah, oui, sûrement! Merci. Ce n'est rien : un coup d'œil sur l'air... J'avais ouvert les deux fenêtres. » Il toussota et remit ses lunettes. « Merci. Me voilà tranquillisé. Un coup d'œil sur l'air. Ça arrive souvent, ça n'est rien. » Il ajouta, après un petit rire : « Vous voyez, je ne vous ai pas dérangé longtemps. » Mais, au lieu de reprendre son chapeau, il se hissa sur le bord d'une chaise, sortit son mouchoir, et s'épongea le front.

— « Il fait chaud », dit Antoine.

— « Sûr! » répondit l'autre en plissant les paupières avec malice, « un vrai temps à orage. Ceux qu'il faut plaindre, ce sont ceux qui ont à aller ici ou là; ceux qui ont des démarches à faire. »

Antoine, qui laçait ses bottines, leva le nez :

— « Des démarches? »

— « Dame, par cette chaleur! Dans les bureaux, dans les commissariats, on étouffe. Alors, on remet au lendemain », conclut-il en secouant la tête avec indulgence.

Antoine restait le nez en l'air.

— « A propos », fit M. Chasle, « voilà longtemps que je veux vous demander ça : connaissez-vous l'Asile de l'Age mûr? »

— « De l'Age mûr? »

— « Oui. Pour les vieillards. Pas des incurables. Une maison de retraite, au Point-du-Jour. Ça, comme air, n'y a pas mieux. Et tenez, pendant que nous sommes là-dessus, Monsieur Antoine, une chose que je vais également vous demander : vous n'avez pas trouvé, un jour, une pièce de cent sous, oubliée? »

— « Oubliée?... dans une poche? »

— « Non... Dans un jardin. Dans la rue, en quelque sorte? »

Debout, son pantalon à la main, Antoine regardait M. Chasle, et songeait : « Dès qu'on est avec cet animal-là, on a l'impression d'être devenu idiot. » Il fit un effort pour être attentif, et déclara sérieusement :

— « Je ne comprends pas bien votre question. »

— « Voyons : il y a des gens qui perdent une chose, par exemple. Eh bien, cette chose, il y a des gens qui pourraient la trouver, pourquoi pas? »

— « Evidemment. »

— « Eh bien, vous, par hasard, si vous la trouviez, la chose, qu'est-ce que vous en feriez? »

— « Je chercherais à qui elle appartient. »

— « N'est-ce pas? Mais, s'il n'y avait plus personne? »

— « Où? »

— « Dans le jardin, dans la rue, par exemple. »

— « Eh bien, je porterais la... chose au commissariat de police. »

M. Chasle eut un sourire en coin :

— « Mais, si c'était de l'argent? Ah, ah! Une pièce de cent sous? On sait trop bien ce que ça deviendrait, chez ces gens-là! »

— « Vous supposez que le commissaire garderait la pièce pour lui? »

— « Sûr! »

— « Mais non, Monsieur Chasle. D'abord, il y a des formalités, des paperasses. Tenez, avec un ami, nous avons trouvé un jour dans un fiacre un hochet d'enfant, très joli, ma foi, ivoire et vermeil. Eh bien, au commissariat, on a pris le nom de mon ami, le mien, celui du cocher, nos adresses, le numéro de la voiture, et on nous a fait signer une déclaration, et on nous a donné un reçu en règle. Ça vous étonne? Et même un an après, mon ami a été avisé que personne n'était venu réclamer le hochet et qu'il pouvait venir le chercher. »

— « Pourquoi faire? »

— « C'est le règlement : si l'objet trouvé n'est réclamé par personne, il appartient de droit, au bout d'un an et un jour, à celui qui l'a trouvé. »

— « Un an et un jour? A celui qui l'a trouvé? »

— « Parfaitement. »

M. Chasle haussa les épaules :

— « Un hochet, possible. Mais si c'était un billet... un billet de cinquante francs, par exemple... »

— « Ce serait la même chose. »

— « Je ne crois pas, Monsieur Antoine. »

— « Et moi, j'en suis sûr, Monsieur Chasle. »

Le nain à poils gris, juché sur sa chaise, regarda fixement le jeune homme par-dessus ses lunettes. Puis il détourna les yeux, toussa dans le creux de sa main, et dit :

— « Je vous demandais ça, c'est pour ma mère. »

— « Votre mère a trouvé de l'argent? »

— « Quoi? » fit M. Chasle, se trémoussant sur son siège. Il était devenu pourpre, et, pendant une seconde, son visage refléta la plus douloureuse incertitude. Presque aussitôt, il sourit finement : « Mais non, je parlais de l'Asile. » Puis, comme Antoine enfilait son veston, il sauta de sa chaise pour l'aider à glisser le bras dans l'emmanchure : « La traversée de la Manche », insinua-t-il; et, profitant de ce qu'il était derrière Antoine, il lui glissa très vite, dans l'oreille : « Le terrible, voyez-vous, c'est qu'ils demandent 9.000 francs. Avec les petits frais, comptez 10.000. Et 10.000 francs *d'avance* : c'est imprimé. Alors, après, si on veut partir? »

— « Partir? » fit Antoine, en se retournant; et, de nouveau, il eut la sensation pénible qu'il perdait le fil.

— « Dame, elle n'y restera pas trois semaines! Est-ce que c'est une chose à faire, voyons? La voilà qui entre dans ses soixante-dix-sept ans. Eh bien, il y a gros à parier qu'elle n'aura plus le temps de les dépenser à la maison, les 10.000 francs! Pas vrai? »

— « Soixante-dix-sept ans ? » répéta Antoine, qui, malgré lui, esquissa le lugubre calcul.

Il ne songeait plus à l'heure. « Dès qu'on déplace son attention pour la porter sur autrui », remarqua-t-il, « on découvre un cas. » (En dépit de ses habitudes professionnelles, son attention était si naturellement concentrée sur lui-même, qu'il avait le sentiment de la déplacer dès qu'il la tournait vers autrui.) « Cet imbécile est certainement un cas », se dit-il, « le cas Chasle. » Il se souvint de la première année où il avait connu le bonhomme : sur la recommandation des abbés de l'Ecole, M. Thibault avait emmené M. Chasle en vacances, à titre de répétiteur; puis, à la rentrée, séduit par sa ponctualité, il se l'était attaché comme secrétaire. « Voilà dix-huit ans que je vois ce petit homme presque chaque jour, et je ne sais rien de lui... »

— « C'est une femme admirable que maman », continuait M. Chasle sans le regarder. « Dans notre famille, Monsieur Antoine, il ne faut pas croire qu'on soit si peu que rien. Moi, oui, peut-être. Mais maman, non. Elle était faite pour mener la grande vie, et pas cette petite vie-là. Mais, comme répètent souvent ces messieurs de Saint-Roch, — de vrais amis pour nous, même M. le curé, qui connaît bien M. Thibault de nom — : " Chacun sa croix ", qu'ils disent : et c'est bien vrai. Moi, ce n'est pas que je ne veuille pas. Au contraire. Si j'étais sûr!... dix mille francs... Pour avoir, après ça, ma petite vie tranquille!... Mais elle n'y restera pas. Et on ne me rendra pas l'argent. Ils prennent leurs précautions, vous pensez! Ils vous font signer, en entrant, tout un papyrus, sur papier timbré, une déclaration en règle. C'est comme à votre commissariat. Seulement, eux, pas si bêtes, ils ne vous écrivent pas un an après; ils ne rendent rien. Rien, rien, rien », reprit-il d'un air goguenard. Et, sans changer de ton : « Qu'est-ce qu'il a fait votre ami? Est-ce qu'il a été le rechercher? »

— « Le hochet d'ivoire? Ma foi non. »

M. Chasle avait pris une attitude songeuse :

— « C'est vrai qu'un hochet d'ivoire... Tandis qu'une somme d'argent! Tous ceux qui perdent de l'argent dans la rue courent aussitôt le réclamer dans tous les commissariats de Paris! Je parierais qu'il y en a même qui vont réclamer plus qu'ils n'ont perdu. Et quelle preuve? » Antoine ne répondit pas. M. Chasle l'examinait avec insistance; il répéta gouailleur : « Et quelle preuve? Dites? »

— « Quelle preuve? » fit Antoine, agacé. « Et tous les détails qu'il faut fournir : comment l'argent a été perdu, si c'était en billets ou en pièces, s'il y avait... »

— « Oh non, pas ça! » interrompit M. Chasle avec vivacité. « On ne va pas leur demander si c'est en billets ou en pièces! Des détails, soit, j'admets. Mais pas ça, non! » Il répéta plusieurs fois d'un air distrait : « Pas ça... pas ça... »

Antoine jeta les yeux vers la pendule.

— « Cette fois, ce n'est pas pour vous renvoyer, mais il va falloir que je parte. »

M. Chasle tressaillit, et se laissa glisser à terre.

— « Merci pour la consultation, docteur. Je vais rentrer mettre une compresse... un peu de coton dans l'oreille... Ça ne sera rien. »

Antoine ne put se défendre de sourire en voyant le petit homme s'aventurer en sautillant sur le parquet ciré du vestibule. M. Chasle avait toujours eu des chaussures qui criaient; c'était une des « croix » de sa vie : il avait pris conseil de tous les bottiers; il avait expérimenté toutes les formes de tiges et de claques, toutes les variétés de semelles, en cuir, en feutre, en caoutchouc; il avait consulté des pédicures : il avait même, à l'instigation d'un frotteur qui faisait les extras, confié ses pieds à l'inventeur d'un soulier à élastiques, dit « Le Silencieux », spécialement destiné aux serveurs et gens de maison. En vain. Alors il avait contracté cette habitude de marcher sur les pointes : et il avait l'air, avec sa petite tête aux yeux ronds, sa jaquette d'alpaga dont les basques flottaient derrière lui, d'une pie dont on a rogné les ailes.

— « Bon, j'oubliais! » dit-il, lorsqu'il fut à la porte. « Tous les magasins sont fermés. Vous n'auriez pas de la monnaie? »

— « De? »

— « De mille francs. »

— « Peuh », fit Antoine en allant ouvrir un tiroir.

— « Je n'aime guère avoir un de ces gros-là sur moi », expliquait M. Chasle. « Justement vous qui me parliez d'argent perdu... Si vous pouviez me donner dix billets de cent francs? Ou vingt de cinquante? Plus le paquet est conséquent, moins on risque. En quelque sorte. »

— « Non, je n'ai que deux coupures de cinq cents », déclara Antoine, s'apprêtant à refermer le tiroir.

— « Eh bien, oui », fit M. Chasle en s'avançant. « C'est quand même très différent. » Il tendit à Antoine le billet qu'il venait de prendre dans la doublure de sa jaquette et il s'apprêtait à y glisser les deux autres, lorsque le timbre de l'entrée retentit, si strident que les deux hommes sursautèrent, et que M. Chasle, qui n'avait pas fini de cacher son argent, balbutia : « Attendez, attendez... »

Mais ses traits se décomposèrent en reconnaissant la voix de son propre concierge, qui glapissait, frappant du poing la porte :

— « M. Chasle n'est pas ici? »

Antoine courut ouvrir.

— « Il est là? » cria l'homme, essoufflé. « Vite! Un accident. La petite s'est fait écraser. »

M. Chasle entendait. Il chancela. Antoine reparut juste à temps pour le recevoir, l'étendre à terre, lui souffleter le visage avec une serviette humide. Le pauvre vieux rouvrit les yeux et tenta de se lever.

— « Ah, Monsieur Jules », disait l'homme, « venez vite, j'ai une voiture. »

— « Morte? » questionna Antoine, sans même se demander quelle pouvait être cette petite.

— « Ma foi, c'est moins cinq », murmura l'autre.

Antoine prit sur l'étagère la trousse de campagne qu'il tenait toujours prête pour les cas fortuits; et, se souvenant tout à coup qu'il avait prêté à Jacques le flacon de teinture d'iode, il s'élança dans la chambre de son frère, en criant au concierge :

— « Emmenez-le toujours. Et attendez-moi. Je vous accompagne. »

Lorsque la voiture s'arrêta près des Tuileries, devant la maison que les Chasle habitaient, rue d'Alger, Antoine, à travers les explications désordonnées du concierge, parvenait encore mal à démêler ce qui avait eu lieu. Il s'agissait d'une petite fille qui venait tous les jours au-devant de M. Jules. Avait-elle voulu traverser la rue de Rivoli, voyant que ce soir M. Jules n'arrivait pas? Un triporteur de livraison l'avait renversée et lui avait passé sur le corps. La marchande de journaux, attirée par l'attroupement, l'avait reconnue à ses nattes et avait pu donner son adresse. On l'avait rapportée inanimée à l'appartement.

M. Chasle, plié au fond de la voiture, ne pleurait pas; mais chaque nouveau détail lui arrachait un sanglot houleux, qu'il étouffait en appuyant son poing sur sa bouche.

Devant la porte, un rassemblement s'attardait. On s'écarta sur le passage de M. Chasle, que ses deux compagnons durent soutenir jusqu'au dernier étage de l'escalier. Une porte bâillait à l'extrémité d'un couloir dans lequel M. Chasle s'engagea en flageolant. Le concierge, laissant passer Antoine, lui mit la main sur le bras :

— « Ma femme, pas bête, est partie à la recherche du petit médecin qui mange au restaurant d'à côté. J'espère qu'elle l'a trouvé. »

Antoine approuva de la tête, et suivit M. Chasle. Ils traversèrent une sorte de penderie qui sentait le placard moisi, puis deux pièces basses, carrelées, presque obscures, où l'air était étouffant malgré les fenêtres ouvertes sur une cour; dans la dernière, Antoine contourna une table ronde où quatre couverts attendaient sur une toile cirée noirâtre. M. Chasle ouvrit une porte, entra dans une pièce éclairée, et presque aussitôt s'affaissa, bégayant :

— « Dédette... Dédette... »

— « Jules! » glapit une voix sévère.

Antoine ne vit d'abord rien d'autre qu'une lampe tenue à deux mains par une femme en peignoir rose, et dont la chevelure rousse, le front, la poitrine, resplendissaient dans la lumière : puis il distingua le lit que la femme éclairait, et sur lequel plusieurs ombres étaient penchées. Le jour crépusculaire qui entrait encore par la croisée venait se fondre au halo de la lampe, et la pièce était noyée dans une pénombre où tout semblait irréel. Antoine aida M. Chasle à s'asseoir, et s'avança vers le lit. Un homme jeune, à lorgnon, courbé en deux, et qui avait encore son chapeau sur la tête, lacérait avec des ciseaux les vêtements ensanglantés de la petite victime, dont on devinait le visage, versé sur le traversin, parmi les cheveux coagulés. Une vieille, à genoux, aidait le médecin.

— « Elle vit? » demanda Antoine.

Le docteur se retourna, l'aperçut, hésita, s'essuya le front et répondit enfin sans conviction :

— « Oui... »

— « J'étais avec M. Chasle quand on est venu le chercher », expliqua Antoine, « et j'ai apporté de quoi donner les premiers soins. Docteur Thibault », ajouta-t-il à mi-voix, « chef de clinique aux Enfants-Malades. »

Le médecin s'était levé; il fit un mouvement pour céder la place.

— « Faites, faites », dit aussitôt Antoine, reculant d'un pas. « Le pouls? »

— « Presque incomptable », répondit l'autre qui reprit hâtivement sa besogne.

Antoine leva les yeux vers la jeune femme rousse, rencontra son regard anxieux, et proposa :

— « Le mieux, Madame, serait de téléphoner à un poste d'ambulance et de transporter tout de suite votre enfant à mon hôpital? »

— « Non », fit une voix nette.

Alors Antoine distingua, debout à la tête du lit, une femme âgée, — la grand-mère, sans doute, — qui le dévisageait de ses prunelles de paysanne, claires comme de l'eau : un nez pointu, des traits volontaires, ramassés dans un océan de graisse, dont les dernières vagues formaient les plis du cou.

— « Je sais bien que nous avons l'air d'être des pauvres », continua-t-elle, avec une inflexion de voix résignée. « Mais, quand même, nous autres, on préfère mieux rester mourir dans ses draps. Dédette n'ira pas à l'hôpital. »

— « Mais pourquoi, Madame? » insista Antoine.

Elle déplissa le cou, avança le menton, et, d'un ton mélancolique, mais inflexible :

— « C'est notre goût! » dit-elle simplement.

Antoine chercha des yeux la jeune femme; elle écartait des mouches obstinées à se poser sur son visage lumineux, et ne semblait pas avoir d'avis. Alors il eut l'idée d'en appeler à M. Chasle. Le bonhomme était tombé à genoux au pied de la chaise où Antoine avait voulu l'asseoir, et il enfonçait sa tête entre ses bras repliés, pour ne plus rien entendre, pour ne plus rien voir. La vieille dame, qui surveillait tous les gestes d'Antoine, devina son intention et la prévint :

— « N'est-ce pas, Jules? » fit-elle.

M. Chasle tressaillit :

— « Oui, maman. »

Elle eut l'air satisfait, et reprit, d'une voix maternelle :

— « Ne reste pas là, Jules. Tu seras mieux dans ta chambre. »

Le pauvre vieux leva son front blême; ses yeux dansaient derrière ses lunettes. Il n'objecta rien, se mit debout, et quitta la pièce sur la pointe des pieds.

Antoine mordait sa lèvre, et, tout en envisageant l'opportunité d'une discussion, il retirait déjà sa veste, et roulait ses manches de chemise au-dessus des coudes; puis il vint s'agenouiller au bord du lit. Il ne réfléchissait presque jamais sans commencer en même temps à agir, tant il était inapte à soupeser longuement les données d'un problème, tant il était impatient d'avoir pris un parti. Il lui importait moins de ne pas s'être trompé que d'être intervenu avec célérité et audace : penser n'était pour lui qu'un moyen de déclencher l'acte, fût-ce prématurément.

Avec le concours du docteur et de l'autre vieille, qui tremblait, il acheva de démailloter le corps de la fillette, dont la nudité chétive apparut enfin, très pâle, presque grise. Le triporteur avait dû renverser l'enfant avec une violence extrême, car elle était couverte d'ecchymoses, et une traînée sombre rayait la cuisse en biais, depuis la hanche jusqu'au genou.

— « C'est la droite », précisa le confrère. En effet, le pied droit était tordu, tourné en dedans, et la jambe, souillée de sang, paraissait déformée et plus courte.

— « Fracture du fémur? » hasarda le médecin.

Antoine ne répondit pas. Il réfléchissait. « Elle est trop choquée », songea-t-il; « il y a sûrement autre chose. Autre chose, mais quoi? » Il tâta la rotule; puis ses doigts remontèrent lentement le long de la cuisse; et, tout à coup, par une plaie imperceptible qui se trouvait sur la face interne de la jambe, quelques centimètres au-dessus du genou, un jet de sang gicla.

— « Ah! » fit-il.

— « La fémorale? » s'écria l'autre.

Antoine s'était levé précipitamment.

D'avoir à prendre seul la décision lui donnait un afflux de force; et, toujours, lorsqu'il était en présence d'autres êtres, le sentiment de sa puissance se trouvait exalté. « Un chirurgien? » se demanda-t-il. « Non : elle n'arriverait pas vivante à l'hôpital. Alors, qui? Moi? Pourquoi non? Et que faire d'autre? »

— « Vous allez essayer de lier? » questionna le docteur que le mutisme d'Antoine vexait.

Mais Antoine ne pensait pas à lui répondre. « Bien sûr », songea-t-il, « et sans attendre une seconde; peut-être est-ce déjà trop tard! » Il jeta autour de lui un regard aigu. « Lier. Avec quoi? Voyons : la rousse n'a pas de ceinture; les rideaux, pas d'embrasses. Un tissu élastique? Ah, je l'ai! » En un clin d'œil, il se débarrassa de son gilet, détacha ses bretelles, les rompit d'un coup sec, et, s'agenouillant de nouveau, en fit un garrot qu'il noua serré à la naissance de la cuisse.

— « Bon. Deux minutes pour souffler », dit-il en se relevant. La sueur coulait le long de ses joues. Il sentit tous les yeux fixés sur lui. « Elle est perdue si on ne l'opère pas sur-le-champ », articula-t-il d'une voix brève. « Essayons. »

Aussitôt tous s'écartèrent du lit, même la femme qui tenait la lampe, même le jeune docteur, troublé.

Antoine serrait les mâchoires, et son regard, contracté, brutal, semblait entièrement tourné en dedans. « Voyons », pensa-t-il, « du calme. Une table? La table ronde que j'ai vue en entrant. »

— « Eclairez-moi », cria-t-il à la jeune femme. « Et vous, venez », ajouta-t-il, en s'adressant au médecin. D'un pas rapide, il entra dans la pièce voisine. « Bon », songea-t-il, « salle d'opération. » En un tournemain, il eut enlevé les couverts, et fait une pile des assiettes. « Ça, pour ma lampe », se dit-il. Il avait pris possession du logis, comme d'un champ de manœuvre. « La petite, maintenant. » Il retourna dans la chambre; le médecin et la jeune femme suivaient tous ses gestes et marchaient dans ses pas. Il montra la fillette au médecin :

— « Je vais la prendre. Elle ne pèse rien. Vous, soutenez sa jambe. »

Glissant les bras sous les reins de l'enfant, qui poussa un faible gémissement, il la transporta jusque sur la table. Puis il prit la lampe des mains de la rousse, enleva l'abat-jour, et plaça la lampe sur la pile d'assiettes. « Je suis un type merveilleux », eut-il le temps de penser, en promenant un coup d'œil autour de lui. La lampe rayonnait comme une fournaise au milieu de rougeâtres ténèbres, d'où surgissaient le masque éclatant de la jeune femme, et le binocle du docteur; une lumière impitoyable tombait sur le petit corps dont les membres tressaillaient par instants. L'air était chargé de mouches que l'orage électrisait. Antoine transpirait de chaleur, d'angoisse. « Vivra-t-elle jusqu'à ce que j'aie fini? » se demanda-t-il; mais une force, qu'il n'analysait pas, le soulevait. Jamais il n'avait été si sûr de lui.

Il saisit sa trousse, et, après en avoir retiré un flacon de chloroforme, une compresse, il la tendit au médecin :

— « Ouvrez ça quelque part. Sur le buffet. Enlevez la machine à coudre. Déballez tout. »

Puis, se retournant, le flacon à la main, il distingua des formes dans la sombre embrasure de la porte : les deux vieilles, immobiles, debout. L'une, la mère Chasle, avait de gros yeux fixes, comme un hibou; l'autre pressait sur sa bouche ses deux mains jointes.

— « Allez! » ordonna-t-il. Et, comme elles s'enfonçaient en reculant dans l'ombre de la chambre où était le lit, il désigna l'autre partie de l'appartement : « Non!... Plus loin. Par ici! » Elles obéirent, traversèrent la pièce, disparurent, sans un mot.

— « Pas vous! » cria-t-il, impatienté, à la femme rousse qui s'apprêtait à les suivre.

Elle fit volte-face. Une seconde, il la regarda : elle avait un beau visage, un peu charnu, et que la douleur sans doute ennoblissait : une expression de calme, de maturité qui lui plut. Malgré lui, il pensa : « Pauvre femme! Mais j'ai besoin d'elle. »

— « Vous êtes la mère? » demanda-t-il. Elle secoua la tête :

— « Non. »

— « Ah, tant mieux. » Tout en parlant, il avait imbibé la compresse et l'avait prestement dépliée sur le nez de l'enfant. « Eh bien, mettez-vous là, et prenez ça », dit-il en lui passant le flacon. « Quand je vous ferai signe, vous en remettrez. »

L'odeur du chloroforme se répandit dans la pièce. La petite gémit, fit plusieurs aspirations profondes, et se tut.

Un dernier coup d'œil : le terrain était déblayé : seules restaient les difficultés professionnelles. L'heure décisive était venue; l'angoisse d'Antoine, comme par enchantement, se dissipa. Il s'approcha du buffet où le médecin achevait de disposer sur une serviette le contenu de la trousse. « Voyons », se dit-il, comme s'il cherchait encore à dérober quelques secondes : « La boîte des instruments, bon! Le bistouri, les pinces. La boîte de gaze, le coton, ça va! Alcool. Caféine. Teinture d'iode. Et cætera. Tout y est. Commençons. » Et, de nouveau, il eut la sensation d'être soulevé : ivresse joyeuse de l'acte; confiance sans limite; activité vitale tendue à son paroxysme; et, par-dessus tout, exaltation de se sentir superbement grandi.

Il leva la tête, regarda un instant le jeune médecin

dans les yeux; il semblait dire : « Vous avez du cran. La partie est dure. A nous deux! »

L'autre ne broncha pas. Il suivait maintenant, avec une attention servile, tous les mouvements d'Antoine. Il savait bien que l'opération était l'unique chance; seul, jamais il ne l'aurait osée; mais, avec Antoine, tout semblait possible.

« Le petit confrère n'est pas mal », pensa celui-ci; « j'ai de la veine. Voyons. Une cuvette. Bah! A quoi bon? voilà qui est aussi bien. » Il empoigna la teinture d'iode et s'en inonda les bras jusqu'aux coudes.

— « A vous », dit-il, offrant la fiole au docteur, qui astiquait fiévreusement les verres de son lorgnon.

Un éclair strident, suivi d'un coup brutal, illumina la fenêtre.

« Un peu trop tôt, la fanfare », songea Antoine, « je n'avais même pas le bistouri en main. La rousse n'a pas tressailli. Ça va détendre les nerfs et rafraîchir; je suis sûr qu'il y a 35° sous ce toit. » Il avait pris des compresses et les disposait autour de la jambe afin de limiter le champ opératoire.

Il tourna les yeux vers la jeune femme.

— « Quelques gouttes de chloroforme. Assez. Bon. »

« Elle obéit comme un soldat au feu », pensa-t-il. « Ces femmes! » Puis, regardant avec attention la petite cuisse gonflée, il avala sa salive, et leva le bistouri :

— « Allons-y. »

D'un geste précis, il incisa.

— « Epongez », dit-il au médecin, penché près de lui. « Que c'est maigre », songea-t-il. « Nous allons tout de suite arriver dessus. Tiens, voilà ma Dédette qui ronfle. Bon. Faisons vite. Les écarteurs maintenant. » « A vous », souffla-t-il. L'autre lâcha les cotons imbibés de sang pour empoigner les écarteurs et faire béer la plaie.

Antoine s'arrêta une seconde : « Bien », se dit-il. « Ma sonde? La voilà. Dans le canal de Hunter. La ligature classique; tout va bien. Zim! Encore un éclair. Celui-là n'a pas dû tomber loin. Sur le Louvre. Ou bien sur " ces messieurs de Saint-Roch ", peut-être... » Il se sentait très calme; il ne s'inquiétait plus de l'enfant ni de la mort imminente : il réfléchissait joyeusement à « la ligature fémorale dans le canal de Hunter ».

« Zim ! Encore un. Et presque pas de pluie. On étouffe. L'artère est lésée au niveau du foyer de fracture : l'extrémité de l'os l'a déchirée; c'est enfantin. Elle n'avait pourtant pas beaucoup de sang à perdre... » Un coup d'œil vers la petite : « Hum... Dépêchons ! C'est enfantin, mais on en meurt... Une pince, bon. Une autre, voilà. Zim ! Ces éclairs sont insupportables; effet facile... Je n'ai que de la soie plate; tant pis. » Il brisa le tube, sortit l'écheveau, fit une ligature près de chaque pince. « Parfait. Nous touchons au but. La circulation collatérale suffit, surtout à cet âge-là. Je suis un type merveilleux. Est-ce que j'aurais raté ma vocation ? J'avais tout ce qu'il faut pour faire un chirurgien, un grand chirurgien... » Dans le silence, entre deux grondements de l'orage qui s'éloignait, on entendit le claquement sec des ciseaux dont les pointes coupaient les bouts de la soie. « Tout : le coup d'œil, le sang-froid, l'énergie, l'habileté... » Soudain, il tendit l'oreille, et pâlit :

— « Diable », fit-il à mi-voix.

L'enfant ne respirait plus.

Il écarta la femme d'une poussée brusque, arracha la compresse qui couvrait le visage de la petite opérée, et posa l'oreille sur le cœur. Le médecin et la jeune femme, les yeux braqués sur Antoine, attendaient.

— « Si ! Elle respire encore », murmura-t-il.

Il prit le poignet; mais le pouls était si précipité qu'il renonça à compter les pulsations. « Pfuit ! » fit-il, et sa figure crispée se contracta davantage. Ses deux aides sentirent son regard passer sur eux; mais il ne les voyait pas.

Il commanda d'un ton bref :

— « Vous, enlevez les pinces, faites un pansement; et puis levez le garrot. Vite... Vous, donnez-moi de quoi écrire. Inutile, j'ai mon carnet. » Il s'essuyait fébrilement les mains avec une boule de coton. « Quelle heure est-il ? Pas encore neuf heures. Le pharmacien est ouvert. Vous allez y courir. »

Elle se tenait devant lui; au mouvement imperceptible

qu'elle esquissa, comme pour mieux croiser sur elle les deux côtés de son peignoir, il comprit qu'elle hésitait à sortir parce qu'elle était à demi nue; et, l'espace d'une seconde, sa pensée évoqua sous l'étoffe ce corps plantureux. Il griffonna l'ordonnance et signa. « Une ampoule d'un litre. Courez, Madame, courez! »

— « Et si...? » balbutia-t-elle.

Il la toisa :

— « Si c'est fermé », cria-t-il, « vous sonnerez, vous cognerez, jusqu'à ce qu'on ouvre! Allez! »

Elle s'éclipsa. Il pencha la tête, s'assura qu'elle s'éloignait en courant, puis se tourna vers le médecin :

— « Nous allons tenter le sérum. Et pas du sous-cutané, ça n'en vaut plus la peine : de l'intraveineux. Notre dernière chance. » Il prit deux petites fioles sur le buffet. « Le garrot est levé? Bon. Faites-moi toujours une piqûre d'huile camphrée. Et puis une de caféine; la moitié seulement, pauvre gosse... Mais, je vous en prie, faites vite. »

Il revint à l'enfant et reprit le frêle poignet entre ses doigts; il ne percevait plus rien, à peine un frémissement accéléré. « Cette fois », pensa-t-il, « le pouls est franchement incomptable. » Alors il eut une minute de faiblesse, de désespoir.

— « Ah, nom de nom », bégaya-t-il. « Dire que tout est réussi, et que ça n'aura servi à rien! »

D'instant en instant, le visage de l'enfant devenait plus livide. Elle mourait. Antoine aperçut, près des lèvres entrouvertes, deux petits cheveux enroulés, plus légers que des fils de la Vierge, et qui, par intervalles, se soulevaient : elle respirait toujours.

« Il n'est pas maladroit, pour un myope », songea-t-il, en surveillant le médecin qui faisait les piqûres. « Mais nous ne la sauverons pas. » Il ressentait plus de dépit encore que de chagrin. Il avait l'insensibilité des médecins, pour qui la souffrance des autres signifie expérience, profit, intérêt professionnel, et qui ne s'enrichissent guère qu'aux dépens de la douleur ou de la mort.

A ce moment, il crut entendre battre une porte, et s'élança au-devant de la jeune femme. Elle accourait, en effet, de son pas onduleux, se retenait de paraître essoufflée; il lui arracha le paquet des mains.

— « De l'eau chaude », dit-il, ne pensant même pas à la remercier.

— « Bouillie? »

— « Non. Pour tiédir le sérum. Vite. »

Il eut à peine le temps de développer le paquet, que déjà elle était revenue tenant une casserole fumante. Cette fois, sans la regarder, il murmura :

— « Bien. Très bien. »

Le temps pressait. En quelques secondes, il eut brisé les pointes de l'ampoule et assujetti le tube de caoutchouc. Au mur pendait un baromètre suisse, en bois sculpté. Il l'enleva d'une main, et de l'autre accrocha l'ampoule au clou. Puis il saisit la casserole d'eau chaude, hésita un dixième de seconde, et enroula le caoutchouc au fond. « Le sérum se chauffera en passant. Merveilleux! » songea-t-il; et il prit le temps de jeter un coup d'œil vers le médecin pour s'assurer que l'autre l'avait vu faire. Enfin, il revint à l'enfant, souleva le petit bras inanimé, le badigeonna d'iode, découvrit le vaisseau d'un coup de bistouri, glissa la sonde dessous et piqua l'aiguille dans la veine.

— « Ça passe », cria-t-il. « Prenez le pouls. Moi, je ne bouge plus. »

Dix interminables minutes s'écoulèrent, dans un absolu silence.

Antoine, le corps couvert de sueur, la respiration courte, les paupières plissées, attendait. Son regard ne quittait pas l'aiguille.

Il leva enfin les yeux vers l'ampoule :

— « Où en sommes-nous? »

— « Presque un demi-litre. »

— « Et le pouls? »

Le médecin secoua la tête, sans répondre.

Cinq autres minutes passèrent dans la même intolérable anxiété.

Antoine reporta les yeux sur l'ampoule :

— « Où en sommes-nous? »

— « Reste un tiers de litre. »

— « Et le pouls? »

Le médecin hésita :

— « Je ne sais pas. Je crois qu'il aurait plutôt tendance à... à revenir un peu... »

— « Pouvez-vous compter? »

Une pause.

— « Non. »

« Si le pouls revenait... », pensa Antoine. Il eût donné dix ans de sa propre vie pour ranimer ce petit cadavre. « Quel âge ça a-t-il? Sept ans? Si je la sauve, avant dix ans d'ici elle fera de la tuberculose, dans ce taudis. Mais la sauverai-je? Elle est à la limite — à l'extrême limite... Nom de nom, j'ai pourtant tout fait! Le sérum passe. Mais il est trop tard... Attendons... Rien à faire, rien à essayer : attendre... La rousse a été très bien. Belle créature. Ça n'est pas la mère. Qu'est-ce que c'est, alors? Chasle n'a jamais soufflé mot de tous ces gens. Ça n'est pas sa fille, pourtant? Je n'y comprends rien. Et la vieille, avec ses airs... En tout cas, ils m'ont bien fichu la paix. Cette autorité qu'on prend tout d'un coup. Ils ont tous compris à qui ils avaient affaire. L'ascendant d'un type énergique!... Mais il aurait fallu réussir... Vais-je réussir? Non, elle a dû perdre trop de sang dans le transport. En tout cas, pour l'instant aucun indice de mieux. Ah, nom de nom! »

Il regarda les lèvres décolorées, et les deux fils d'or, qui, par intervalles, se soulevaient toujours. La respiration lui parut même un peu plus nette. Se trompait-il? Une demi-minute passa. Un imperceptible soupir sembla gonfler la poitrine et s'en exhaler lentement, comme s'il épuisait un reste de vie. Antoine resta une seconde perplexe, l'œil fixe. Non, elle respirait toujours. Il fallait attendre, attendre, encore attendre.

Une minute plus tard, un autre soupir, presque distinct.

— « Où en êtes-vous? »

— « L'ampoule est presque vide. »

— « Et le pouls? Il revient? »

— « Oui. »

Antoine respira.

— « Vous pouvez compter? »

Le médecin tira sa montre, rajusta son lorgnon, se tut pendant une minute, et dit :

— « Cent quarante... Cent cinquante peut-être. »

— « C'est mieux que rien », laissa échapper Antoine.

Il se défendait, de toutes ses forces, contre l'immense soulagement, qui déjà, malgré lui, l'envahissait. Pourtant, il ne rêvait pas, il y avait un mieux certain. Le souffle devenait plus régulier. Il dut faire effort pour ne pas changer de place; il avait une envie puérile de siffler, de chanter. « C'est-mieux-que-rien-na-na-na-na », fredonna-t-il en lui-même, sur l'air qui l'obsédait depuis le matin. « *Dans mon cœur... Dans mon cœur dort... na-na-na-na...* Dort quoi? — Ah, j'y suis! » songea-t-il brusquement : « Un clair de lune! Un clair de lune d'été!

Dans mon cœur dort un clair de lu-ne,
Un beau clair de lu-ne d'é-té... »

Il eut une seconde de délivrance, de véritable joie. « Et la petite est sauvée », pensa-t-il. « Il faut qu'elle soit sauvée!

Un beau clair de lu-ne d'é-té... »

— « L'ampoule est vide », constata le docteur.

— « Parfait! »

A ce moment, l'enfant, qu'il ne quittait pas du regard, eut un frisson. Antoine se tourna quasi gaiement vers la jeune femme, qui, depuis un quart d'heure, adossée au buffet, n'avait pas remué un cil.

— « Eh bien, Madame », cria-t-il d'un ton bourru, « nous dormons? Et la bouillotte? » Il faillit sourire de sa stupéfaction. « Evidemment, Madame, ça tombe sous le sens! Une boule, et bien chaude, pour réchauffer les petons de cette enfant! »

Elle eut, au fond du regard, un bref éclair de joie, et disparut.

Alors Antoine, se penchant avec un redoublement de précaution, de tendresse, retira l'aiguille, et, du bout des doigts, mit une compresse sur la petite plaie. Puis il palpa le bras dont la main pendait, inerte encore.

— « Une autre ampoule d'huile camphrée, mon cher, à tout hasard; et nous aurons épuisé le grand jeu. » Il ajouta entre ses dents : « Je ne serais pas surpris que nous tenions le bon bout. » De nouveau, une force, une force allègre, le soulevait.

La femme reparaissait déjà, un cruchon entre les bras. Elle hésitait; et, comme il ne disait rien, elle s'approcha des pieds de l'enfant.

— « Pas comme ça, Madame », reprit Antoine sur le même ton brusque et gai. « Vous allez la brûler! Donnez-moi ça. Dire qu'il faut que je vous apprenne à emmailloter une bouillotte! » Et, souriant cette fois, il prit une serviette roulée qui traînait, jeta le rond sur le haut du buffet, enveloppa le cruchon et le cala contre les pieds de la fillette. La rousse le regardait, surprise par le sourire juvénile qui rajeunissait tout à coup ce visage.

— « Elle est... sauvée? » hasarda-t-elle.

Il n'osa pas encore répondre oui.

— « Je vous dirai ça dans une heure », bougonna-t-il. Elle ne s'y méprit point. Elle l'enveloppa d'un regard hardi, chargé d'admiration.

« Qu'est-ce que cette belle fille fait ici? » se demanda Antoine pour la troisième fois. Puis désignant la porte :

— « Et les autres? »

Elle sourit imperceptiblement :

— « Ils attendent. »

— « Rassurez-les un peu, dites-leur qu'ils se couchent. Qu'ils aillent dormir. Et vous aussi, Madame, il faut aller vous reposer. »

— « Oh, moi... » murmura-t-elle, en s'en allant.

— « Remettons la petite dans le lit », proposa Antoine au médecin. « Comme tout à l'heure. Soutenez la jambe. Enlevez le traversin; la tête à plat. Maintenant, le moment est venu d'organiser un appareil... Donnez-moi cette serviette. Et la ficelle du paquet. Nous allons improviser un extenseur. Faites passer la corde entre les barreaux. Bien. C'est commode, ces lits de fer. Maintenant, un poids. N'importe! Ce pot. Non, voilà mieux : ce fer à repasser. Il y a tout ce qu'il faut ici. Mais oui, donnez. Là! Demain, nous perfectionnerons. En attendant, ça va suffire à faire un peu d'extension... N'est-ce pas votre avis? »

Le médecin ne répondit pas. Il regardait Antoine, fixement, comme Marthe dut regarder le Sauveur lorsque Lazare se fut dressé hors du cercueil. Ses lèvres s'entrouvrirent. Il balbutia seulement :

— « Puis-je... ranger votre trousse? » Et, dans cette voix timide, résonnait un tel besoin de servir, de se dévouer, qu'Antoine en éprouva l'enivrement des chefs. Ils étaient seuls. Il alla vers le jeune homme et plongea son regard dans le sien.

— « Vous êtes un chic type, mon petit. »

L'autre en perdit le souffle. Antoine, plus intimidé encore que son jeune confrère, ne lui laissa pas le temps de répondre.

— « Maintenant, rentrez chez vous, mon cher. Il est tard. Nous n'avons pas besoin d'être deux ici. » Il hésita : « Je crois pouvoir dire qu'elle est sauvée. Je crois. Cependant, à tout hasard, je passerai la nuit, là, si vous permettez... » Le docteur fit un geste. « Je dis : si vous permettez », continua Antoine, « car je n'oublie pas que c'est votre malade. Parfaitement. Je suis intervenu d'urgence parce que l'indication était formelle. N'est-ce pas? Mais, dès demain, je laisse la petite entre vos mains. Et sans inquiétude : ce sont de très bonnes mains. » Tout en parlant, il avait reconduit le médecin jusqu'à la porte. « Voulez-vous repasser vers midi? » ajouta-t-il. « Je reviendrai après l'hôpital; nous conviendrons ensemble du traitement. »

— « Maître, je... je suis trop heureux d'avoir pu... »

C'était la première fois qu'Antoine s'entendait saluer comme un « maître ». Il huma tout entière cette bouffée d'encens, et, spontanément, il tendit au jeune homme ses deux mains. Il se ressaisit aussitôt :

— « Je ne suis pas un maître », dit-il d'une voix altérée. « Un élève, mon cher, un apprenti : un simple apprenti. Comme vous. Comme les autres. Comme tout le monde. On essaye, on tâtonne... On fait ce qu'on peut; et c'est déjà bien. »

Antoine avait désiré, avec une sorte d'impatience, le départ du jeune médecin. Pour être seul? Cependant, lorsqu'il entendit le pas de la jeune femme qui revenait, son visage s'anima.

— « Vous n'allez donc pas vous coucher, vous? »

— « Non, docteur. »

Il n'insista pas.

La malade geignait; elle eut un hoquet et cracha.

— « Bien ça, Dédette! » fit-il; « très bien! » Il prit le pouls. « Cent vingt. De mieux en mieux. » Il regarda la femme, sans sourire : « Cette fois, je crois vraiment que nous avons le dessus. »

Elle ne dit rien; il sentit qu'elle croyait en lui. Il ne savait comment entamer la conversation qu'il souhaitait.

— « Vous avez été bien courageuse », reprit-il. Et, comme toujours lorsqu'il était intimidé, il alla de l'avant : « Qu'est-ce que vous êtes, ici? »

— « Moi? Rien. Une voisine. Pas même une amie. C'est parce que j'habite l'appartement du cinquième. »

— « Mais alors, qui est la mère de l'enfant? Je n'y comprends rien. »

— « Je crois que la mère est morte. C'était une sœur d'Aline. »

— « Aline? »

— « La bonne. »

— « La vieille dont les doigts tremblaient? »

— « Oui. »

— « Alors, l'enfant n'est pas du tout parente des Chasle? »

— « Non. C'est une nièce qu'Aline élève ici; aux frais de M. Jules, bien entendu. »

Ils parlaient à mi-voix, légèrement penchés l'un vers l'autre, et Antoine voyait de tout près les lèvres, les joues, cette chair éclatante, à laquelle la fatigue ajoutait une sorte de charme. Il se sentait à la fois déprimé et fiévreux, sans résistance contre ses instincts.

La fillette commençait à s'agiter dans son sommeil. Ils s'approchèrent ensemble du lit. La petite entrouvrit et referma les yeux.

— « C'est peut-être la lumière qui la gêne », dit la jeune femme, en prenant la lampe pour la placer en retrait. Puis, elle revint au chevet de la malade afin d'essuyer le petit front où perlait la transpiration. Et, comme elle se penchait, Antoine, qui la suivait des yeux, eut un choc : en ombre chinoise, sous l'étoffe du peignoir, il apercevait le corps de la jeune femme avec une précision aussi troublante que si elle se fût tout à coup trouvée nue devant lui. Il retenait son souffle; il regardait, avec une sensation de brûlure au fond des yeux, le sein, dans la demi-lumière, s'abaisser et se relever mollement, au rythme de l'haleine. Les mains d'Antoine, glacées tout à coup, se crispèrent. Jamais il n'avait désiré aucune créature avec cette soudaine frénésie.

— « Mademoiselle Rachel... », chuchota quelqu'un.

Elle se releva :

— « C'est Aline qui voudrait venir près de sa petite. »

Elle souriait et semblait intercéder pour la bonne. Il était dépité de la venue d'un tiers; mais il n'osa pas refuser.

— « Vous vous appelez Rachel? » balbutia-t-il. « Oui, oui : qu'elle entre. »

C'est à peine s'il vit la vieille s'agenouiller au bord du lit. Il s'approcha d'une des fenêtres ouvertes; ses tempes bourdonnaient; aucune fraîcheur n'entrait du dehors; au-dessus des toits, le clignement de quelques éclairs lointains blêmissait par instant le ciel. Il s'aperçut alors de sa fatigue; il était resté debout trois ou quatre heures de suite. Il chercha un siège pour s'asseoir. Entre les croisées, deux matelas d'enfant, posés à même le carrelage, formaient une sorte de divan. Ce devait être la couchette habituelle de Dédette, et la chambre devait être celle d'Aline. Il se laissa tomber sur ce grabat, appuya le dos au mur, et de nouveau, ce fut comme s'il se livrait sans défense à sa convoitise : apercevoir encore une fois, dans la transparence du peignoir, le ferme contour du sein, sa palpitation! Mais Rachel n'était plus placée dans la lumière.

— « Est-ce que la petite n'a pas remué la jambe? » murmura-t-il, sans se lever. Elle fit un pas vers le lit, et tout son corps ondula sous l'étoffe.

— « Non. »

Les lèvres d'Antoine étaient desséchées, et il sentait toujours cette brûlure au fond des yeux. Il ne savait comment faire avancer Rachel devant la lampe.

— « Est-elle toujours aussi pâle? »

— « Un peu moins. »

— « Mettez-lui la tête bien droite, voulez-vous? A plat, et droite... »

Alors elle s'engagea dans la zone éclairée, mais ne fit que passer entre le foyer lumineux et Antoine. Cette seconde suffit à déchaîner de nouveau son désir. Il fut obligé de fermer les yeux, d'écraser son dos contre la muraille; il restait là, les dents serrées, s'efforçant de garder les paupières closes sur sa secrète vision. L'odeur des grandes villes pendant l'été, — ce relent fait de fumée, de crottin, de poussière d'asphalte, — rendait l'air irrespirable. Les mouches frappaient l'abat-jour comme des balles et venaient harceler le visage moite d'Antoine. De temps à autre, le tonnerre continuait à gronder sur la banlieue.

Peu à peu, la chaleur, la fièvre, l'excès même de son trouble, triomphèrent de ses forces : il ne s'aperçut pas de la torpeur qui s'emparait de lui; ses muscles se détendirent, ses épaules s'abandonnèrent contre le mur : il dormait.

Il fut tiré de son sommeil par une sollicitation particulière; et, sans sortir d'une demi-somnolence, il eut l'impression d'éprouver quelque chose d'agréable. Il demeura un long moment dans cet état de confuse béatitude, avant de discerner par quelle partie de son corps, par quel point de sa frontière, s'insinuait cette tiède sensation de bien-être. Par sa jambe. Au même instant, il prit conscience que quelqu'un était venu s'asseoir près de lui; que cette chaleur contre sa cuisse émanait d'un corps vivant; que ce corps, cette chaleur, étaient de Rachel; et que ce qu'il éprouvait était en réalité un plaisir sensuel, lequel s'amplifiait encore depuis qu'il en avait constaté la source. La jeune femme avait dû glisser contre lui en dormant. Il eut la présence d'esprit de ne faire aucun geste. Il s'éveilla tout à fait. Le contact des deux cuisses s'établissait, à travers les étoffes, par une surface moins large que la main, où toute la sensibilité d'Antoine se trouvait pour l'instant concentrée. Il demeurait haletant, immobile, prodigieusement lucide, et puisant dans la confusion de leurs deux chaleurs une volupté plus irritante que dans le plus prolongé des baisers.

Tout à coup, Rachel s'éveilla, raidit les bras, s'écarta de lui sans hâte, et se redressa. Il fit mine de s'éveiller aussi, parce qu'elle remuait. Elle avoua, souriant :

— « J'ai un peu dormi. »

— « Moi aussi. »

— « Il fait jour », constata-t-elle, levant la main pour rajuster ses cheveux.

Antoine regarda sa montre : il allait être quatre heures.

L'enfant reposait, presque calme. Aline, les mains jointes, semblait prier. Antoine s'approcha et découvrit le lit. « Pas une goutte de sang : ça va. » Tout en suivant des yeux les mouvements de Rachel, il prit le poignet de la fillette, et compta cent dix.

« Comme sa jambe était chaude », pensa-t-il.

Rachel se contemplait dans un fragment de miroir fixé au mur par trois clous et riait. Avec son casque de cheveux roux, son col dégrafé, ses robustes bras nus, son regard libre, hardi, un rien moqueur, elle évoquait une figure de l'émeute républicaine: la *Marseillaise* sur des barricades.

— « Me voilà jolie! » murmura-t-elle en faisant la moue. Elle savait bien que son teint et sa jeunesse gardaient leur fleur même à l'instant du réveil. Elle le lut clairement aussi sur la physionomie d'Antoine, lorsqu'il s'avança jusqu'auprès d'elle et vint la regarder dans le miroir. Elle remarqua que ce regard d'homme ne cherchait pas ses yeux, mais ses lèvres.

Cependant, Antoine s'aperçut lui-même dans la glace, les manches relevées sur ses bras brûlés d'iode, la chemise fripée et tachée de sang.

— « Et moi qu'on attendait pour dîner chez Packmell ! » dit-il.

Un sourire curieux illumina le visage de Rachel :

— « Tiens ? Vous allez quelquefois chez Packmell ? »

Leurs yeux riaient. Antoine se sentit tout joyeux : il n'avait guère d'autre expérience que celle des femmes de vie légère. Rachel lui parut soudain moins distante de son désir.

— « Je redescends chez moi », dit-elle. Et se tournant vers Aline, qui les examinait : « Si je peux être utile, n'hésitez pas à m'appeler. »

Puis, sans dire au revoir à Antoine, elle croisa les revers de son peignoir, et s'esquiva légèrement.

Dès qu'elle fut sortie, il eut envie de partir. « Respirer l'air frais », songea-t-il en jetant, par-dessus les toits, un regard vers le ciel matinal. « Et puis, rentrer chez moi, expliquer à Jacques... Je reviendrai après être passé à l'hôpital. Lavé, présentable. Je pourrai peut-être la faire demander, pour aider au pansement ? Ou bien, la prévenir, en montant ? Mais je ne sais même pas si elle habite seule... »

Pour le cas où la petite malade s'éveillerait avant son retour, il fit quelques recommandations à Aline. Puis, au moment de partir, un scrupule lui vint : qu'était devenu M. Chasle ?

— « Sa chambre donne dans le vestibule, près du poêle », expliqua la bonne.

Près du poêle, en effet, une porte de placard ouvrait sur un boyau qui s'évasait en triangle, et qu'éclairait, dans le fond, un jour de souffrance percé dans la cloison de l'escalier. C'était là. Tout habillé, étendu sur une couchette de fer, la bouche ouverte, M. Chasle ronflait doucement.

« L'imbécile, il s'est bien fourré du coton dans l'oreille ! » remarqua Antoine.

Il résolut de patienter quelques minutes, dans l'espoir que le bonhomme ouvrirait les yeux. Le long des murs, des images de piété étaient collées sur des cartons de couleur. Des livres, — de piété, eux aussi, — garnissaient une étagère dont la planchette supérieure portait une mappemonde, entre deux alignements de flacons de parfumerie vides.

« Le cas Chasle... », se dit Antoine. « J'ai la manie des cas. Beaucoup plus simple : visage insignifiant, vie d'imbécile. Quand je m'applique à voir, je déforme, j'amplifie. Se méfier. C'est comme la bonne de Toulouse... Tiens, pourquoi ce rapprochement? Parce que sa soupente s'aérait aussi par l'escalier? Non, à cause de ce relent de savon de toilette... Curieux, les associations d'idées... » Il découvrit qu'il évoquait avec un vif plaisir la vision de cette servante d'hôtel, que, tout jeune homme encore, au cours d'un voyage avec son père pour un congrès, il était allé retrouver une nuit dans sa mansarde. Il eût payé cher, en cette minute, le corps potelé de cette fille, tel qu'il l'avait possédé entre les draps rugueux.

M. Chasle ronflait toujours. Antoine renonça à attendre et regagna le couloir qui menait sur le palier.

A peine eut-il mis le pied sur les marches, il se souvint que Rachel habitait au-dessous; et, dès qu'il fut au tournant, il chercha des yeux la porte : elle n'était pas fermée! C'était bien certainement la sienne, il n'y en avait pas d'autre. Pourquoi ouverte?

Il n'eut pas le temps d'hésiter : il descendait sans oser ralentir le pas, il arrivait à l'étage.

Rachel était dans son antichambre, et se retourna, par hasard, en l'entendant marcher. Elle était fraîche, recoiffée; elle avait changé son peignoir rose pour un kimono de soie blanche. Ses cheveux roux, au sommet de cette blancheur, faisaient penser à la flamme d'un cierge.

Il dit :

— « Au revoir, Mademoiselle. »

Elle vint à lui, dans l'embrasure :

— « Voulez-vous prendre quelque chose avant de vous en aller, docteur? Je viens justement de faire du chocolat. »

— « Non, je suis trop sale. Vraiment. Au revoir! »

Il lui tendit la main. Elle souriait à demi, et ne lui donna pas la sienne.

Il répéta :

— « Au revoir! » Et, comme elle continuait à sourire sans prendre la main qu'il lui offrait, il ajouta : « Vous ne voulez pas me donner la main? »

Il vit le sourire de la jeune femme se figer et son regard durcir. A son tour, elle tendit la main. Mais elle ne lui laissa pas le temps de la serrer : elle avait saisi Antoine avec force et l'avait attiré d'un geste brusque dans le vestibule, repoussant le battant derrière lui. Ils se trouvèrent debout, l'un devant l'autre. Elle ne souriait plus, et cependant elle n'avait pas rapproché les lèvres : il vit luire ses dents. L'odeur des cheveux l'enveloppait. Il pensa au sein nu, à la jambe brûlante. Il approcha durement son visage, et plongea son regard dans les yeux de Rachel, élargis tout près des siens. Elle ne recula pas; à peine s'il sentit ployer la taille qu'il avait entourée de son bras : et ce fut elle qui jeta sa bouche sous les lèvres d'Antoine. Puis elle se dégagea avec effort, baissa la tête, et, souriant de nouveau, murmura :

— « Des nuits comme ça, énervent... »

Il apercevait, dans le fond, par les portes ouvertes, un lit sous des soies roses; et le soleil levant faisait de cette alcôve lointaine et si proche, un vaste calice de fleur, baigné d'aurore.

IV

Ce même matin, vers onze heures et demie, Rachel vint frapper à la porte des Chasle.

— « Entrez! » cria une voix aiguë.

Mme Chasle avait repris sa place dans la fenêtre ouverte de la salle à manger, et se tenait le buste droit, les pieds sur un tabouret, les mains inoccupées comme toujours. « Je suis honteuse de ne rien faire », disait-elle parfois. « Mais il y a un âge où l'on ne peut plus se tuer pour les autres. »

— « Comment va la petite? » demanda Rachel.

— « Elle s'est éveillée, elle a bu, et puis elle s'est rendormie. »

— « M. Jules n'est pas là? »

— « Non, il est sorti », répondit Mme Chasle, haussant les épaules avec une expression résignée.

Rachel se sentit déçue.

La vieille poursuivait tristement :

— « Toute la matinée, il a été comme un moustique. Ah, le dimanche est un jour infernal pour ceux qui ont des hommes. Je croyais que cet accident allait le rendre un peu convenable avec nous. Ouiche! Déjà ce matin, il pensait à autre chose. Dieu sait à quoi! Il avait ce nez allongé que je connais bien, depuis cinquante et des, que je l'endure. Il est parti pour la grand-messe, plus d'une heure en avance. Croyez-vous que c'est naturel? Et il n'est pas encore rentré. Tenez », fit-elle, tandis que ses lèvres se pinçaient, « le voilà. Quand on parle de malheur... Je t'en supplie, Jules », reprit-elle, tendant le cou vers son fils qui entrait sur la pointe des pieds, « ne claque pas ainsi les portes. Ce n'est pas seulement pour ma maladie de cœur; cette fois, c'est pour Dédette — qui en mourra. »

M. Chasle ne chercha pas à se disculper. Il semblait distrait et soucieux.

— « Venez voir la petite », lui proposa Rachel. Et dès qu'ils furent devant le lit de l'enfant endormie : « Il y a longtemps que vous le connaissez, ce docteur Thibault? »

— « Quoi? » fit Chasle. Son œil prit une expression effarée; mais il sourit d'un air entendu, répéta : « Quoi? » à la façon d'un écho, et se tut. Puis, comme quelqu'un qui se décide à faire une confidence, il se tourna brusquement vers elle :

— « Ecoutez, Mademoiselle Rachel, vous avez été bien bonne pour Dédette, je vais vous demander un petit service. J'étais tellement échiné par tout ça que je n'avais sans doute pas ma tête à moi, ce matin : honnêtement, il faut que j'y retourne. Et tout de suite. Mais c'est si... si mortifiant de se présenter une seconde fois à ce guichet, tout seul! Ne me dites pas non », suppliat-il : « je vous donne ma parole d'honnête homme, Mademoiselle Rachel, que ça ne durera pas plus de dix minutes. »

Elle consentit en souriant, sans rien comprendre à ce qu'il disait, prête déjà à s'amuser des extravagances du bonhomme, et désireuse aussi de profiter du tête-à-tête pour l'interroger sur Antoine. Mais, de tout le chemin, il ne parut pas entendre ses questions, et ne desserra pas les dents.

Midi était sonné depuis longtemps lorsqu'ils arrivèrent au poste de police. Le commissaire venait de partir. M. Chasle eut l'air si consterné, que l'employé prit la mouche :

— « Puisque je suis là, moi, c'est tout comme. Qu'est-ce que vous voulez? »

M. Chasle lui glissa un coup d'œil craintif, et, n'osant plus se retirer, commença des explications :

— « C'est parce que j'ai réfléchi à tout ça. J'ai des choses à ajouter à ma déclaration. »

— « Quelle déclaration? »

— « Je suis venu ce matin, j'ai parlé à ce guichet là-bas. »

— « Votre nom? Je vais chercher le dossier. »

Rachel, intriguée, s'approcha. L'employé revint bientôt, une feuille à la main, et examina son homme des pieds à la tête :

— « Chasle? Jules-Auguste? C'est vous? De quoi s'agit-il? »

— « Eh bien, j'ai peur que M. le commissaire n'ait pas bien compris où j'ai trouvé l'argent. »

— « Rue de Rivoli », fit l'autre en regardant le papier.

M. Chasle sourit, comme s'il eût gagné un pari :

— « Vous voyez! Non, ça n'est pas tout à fait ça. J'y suis retourné, et ma foi, sur place, des détails me sont revenus qui peuvent être utiles à noter, pour être honnête. » Il toussa dans sa main et continua : « En somme, je n'ose pas affirmer que c'était dans la rue. C'était plutôt dans les Tuileries. Oui. J'étais dans le jardin, comprenez-vous? J'étais même assis sur un banc de pierre qui est le deuxième après le kiosque aux journaux quand on va de la Concorde au Louvre. J'étais là, assis, et j'avais ma canne. Vous allez bientôt découvrir pourquoi j'insiste sur cette particularité. Je vois un monsieur et sa dame qui passent devant moi, et un enfant qui suivait par derrière. Ils causaient. Même que j'ai pensé : " En voilà deux qui ont su faire une famille, un enfant, et cætera... " Vous voyez que je vous dis bien tout. Alors l'enfant, au moment qu'il passe devant mon banc, le voilà qui tombe. Il crie. Moi je n'ai pas l'habitude des fragilités, je ne bouge pas. La maman se précipite. Et alors, devant moi, presque à mes pieds, — ce n'était pas ma faute, n'est-ce pas? — la voilà qui s'agenouille près de l'enfant, et, pour lui essuyer la figure, tire d'un petit sac de dame, qu'elle avait à la main, un mouchoir, ou je ne sais quoi. Moi, je suis resté assis. Eh bien », reprit-il en levant l'index, « c'est quand ils ont été repartis, que moi, jouant avec ma canne, avec le bout de ma canne, dans le sable, j'ai tout d'un coup aperçu l'argent. Je me suis rappelé tout ça après. J'ai toujours été ce qu'on appelle un homme scrupuleux. Mademoiselle pourra vous le dire : cinquante-deux ans, et rien à me reprocher : ça compte. Donc, il ne s'agit pas de dire ceci ou cela.

Moi, j'en suis arrivé à croire que peut-être la dame et son petit sac y sont pour quelque chose dans cette histoire d'argent : et je le dis honnêtement. »

— « Vous n'avez pas pu courir après eux? » demanda Rachel.

— « Ils étaient trop loin. »

L'employé leva le nez de ses écritures :

— « Pouvez-vous au moins donner leur signalement? »

— « Le monsieur, je ne sais pas. La dame, elle, était en foncé; une trentaine d'années peut-être. Le bébé avait une locomotive. Oui, ça, je suis sûr de cette particularité : une petite locomotive. Enfin, je dis petite, entendons-nous : je veux dire grande comme ça. Qu'il traînait. Vous inscrivez bien tout? »

— « Soyez tranquille. C'est fini? »

— « Oui. »

— « Je vous remercie. »

Rachel avait déjà gagné la porte. M. Chasle, au lieu de la suivre, s'accouda sur la planchette et inclina la tête vers le guichet.

— « Encore une petite particularité », murmura-t-il, devenant cramoisi. « Il est bien possible que j'aie commis une légère erreur ce matin en déposant l'argent. Oui. » Il s'arrêta pour s'éponger le front. « Je crois bien que j'ai remis deux billets, n'est-ce pas? Deux billets de cinq cents francs? Si, si, maintenant j'en suis sûr. C'est une erreur de ma part, ou plutôt une négligence. Parce que... ce que j'ai trouvé... ça n'était pas tout à fait ça : c'était un seul billet... Un billet de mille francs, vous comprenez?... » Il ruisselait de sueur et s'épongea de nouveau. « Notez ça, puisque j'y pense; quoique ça revienne au même, en quelque sorte. »

— « Ça ne revient pas du tout au même », répliqua l'employé. « Je pense bien que c'est important! Le monsieur qui a perdu un billet de mille francs, il aurait pu venir ici cent fois de suite, on ne lui aurait jamais remis vos deux billets de cinq cents. En voilà une histoire! » Il toisait M. Chasle d'un regard mécontent. « Avez-vous seulement une pièce d'identité? »

M. Chasle fouilla dans ses poches :

— « Non. »

— « Ça ne suffit pas », dit l'autre. « Je suis au regret, mais je ne peux pas vous laisser filer comme ça. Un agent va vous accompagner jusque chez vous : votre concierge témoignera que vos noms et domicile ne sont pas présupposés. »

M. Chasle semblait devenu indifférent, à tout. Il s'épongeait toujours, mais son visage était rasséréné, presque souriant.

— « A votre service », dit-il poliment.

Rachel partit d'un éclat de rire. M. Chasle leva sur elle un regard plein de tristesse; puis, après réflexion, il se décida à faire un pas vers elle, et, bégayant un peu :

— « Quelquefois, Mademoiselle Rachel, sous la jaquette d'un simple inconnu, il y a un cœur plus noble, — oui, je dis plus noble, je veux dire aussi plus honnête, — que sous le chapeau haut de forme de tel ou tel, qui est considéré, et même chargé d'honneurs. » Le bas de son visage tremblait. Il regretta presque aussitôt sa vivacité : « Je ne dis pas cela pour vous, Mademoiselle Rachel. Ni pour vous, Monsieur l'agent », ajouta-t-il, regardant sans aucune timidité le sergent de ville qui venait d'entrer.

Rachel laissa M. Chasle et l'agent s'expliquer dans la loge, et remonta chez elle.

Antoine l'attendait sur le palier.

Elle était bien loin de penser le trouver là. Elle ressentit, en l'apercevant, une joie violente qui lui fit un instant baisser les paupières, mais qui parut à peine sur son visage.

— « J'ai sonné, sonné. J'étais au désespoir », avoua-t-il.

Ils se regardaient gaiement avec un sourire complice.

— « Qu'est-ce que vous faites ce matin? » demanda-t-il, ravi de la trouver si élégante dans ce tailleur de toile claire et sous ce chapeau fleuri.

— « Ce matin? Mais il est une heure passée. Et je n'ai pas déjeuné, moi. »

— « Moi non plus. » Il se décida tout à coup : « Vous voulez venir déjeuner avec moi, dites? Vous voulez?

Oui? » Elle souriait, conquise par cet air d'enfant avide qui ne sait déguiser ses désirs.

— « Dites oui! »

— « Eh bien, oui! »

— « Ah », fit-il. Et sa poitrine se dilata.

Elle reprit, en ouvrant sa porte :

— « Le temps de prévenir ma femme de ménage et de la renvoyer chez elle. »

Il resta seul, une minute, à l'entrée du vestibule. Il retrouvait les sensations qu'il avait eues le matin, lorsqu'elle s'était avancée vers lui. « Comme elle m'a donné sa bouche », pensa-t-il; et il fut si remué qu'il s'appuya du poing au mur.

Rachel revenait déjà.

— « Allons », fit-elle; et elle ajouta : « J'ai faim! » avec un sourire animal, qui semblait appeler le plaisir.

Il proposa gauchement :

— « Préférez-vous sortir seule, et que je vous rejoigne dans la rue? »

Elle se tourna en riant :

— « Moi? Je suis complètement libre, et ne me cache jamais de rien! »

Ils prirent la rue de Rivoli. Antoine remarqua de nouveau l'aisance rythmée de son pas qui lui donnait l'air de danser dès qu'elle se déplaçait.

— « Où allons-nous? » demanda-t-il.

— « Et si l'on entrait là, tout simplement? Il est si tard! » Du bout de son ombrelle, elle indiquait, au coin de la rue, un restaurant de quartier.

A l'entresol, il n'y avait personne. Les petites tables s'alignaient le long des fenêtres en demi-cercle, qui donnaient sous les arcades et qui, ouvertes au ras du sol, éclairaient de façon inattendue la salle basse. La température était fraîche, l'ombre constante. Ils s'installèrent l'un en face de l'autre, avec des regards d'enfants qui vont jouer.

— « Je ne sais même pas votre nom, » remarqua-t-il soudain.

— « Rachel Gœpfert. Vingt-six ans. Menton ovale. Nez moyen... »

— « Et toutes ses dents? »

— « Vous allez voir! » s'écria-t-elle, en se jetant sur un ravier de saucisson.

— « Méfiez-vous, il doit être à l'ail. »

— « Tant pis », répliqua-t-elle. « J'adore m'encanailler. »

Gœpfert... A l'idée qu'elle était peut-être israélite, le peu qui subsistait chez Antoine de son éducation s'émut : juste assez pour assaisonner l'aventure d'un piment d'indépendance et d'exotisme.

— « Mon père était juif », déclara-t-elle, sans bravade, et comme si elle eût deviné les pensées du jeune homme.

Une serveuse à manches de crémière apportait la carte.

— « *Mixed grill?* » proposa Antoine.

Le visage de Rachel s'éclaira d'un très étrange sourire, que, visiblement, elle n'avait pas été maîtresse de réprimer.

— « Pourquoi riez-vous? C'est excellent. Il y a un tas de bonnes choses grillées ensemble, des rognons, du *bacon*, des saucisses, des côtelettes... »

— « ...avec du cresson et des pommes soufflées », renchérit la serveuse.

— « Je sais, je veux bien », dit-elle; et la gaieté qu'elle était parvenue à refouler semblait pétiller encore dans son regard énigmatique.

— « Vous boirez? »

— « De la bière. »

— « Moi aussi. Bien fraîche. »

Il la contemplait tandis qu'elle grignotait les feuilles d'un petit artichaut cru.

— « J'adore tout ce qui est vinaigré », confessa-t-elle.

— « Moi aussi. »

Il se voulait pareil à elle. Il se retenait de l'interrompre à chaque mot, pour s'écrier : « C'est comme moi! » Tout ce qu'elle disait, tout ce qu'elle faisait, correspondait à ce qu'il attendait d'elle. Elle s'habillait exactement comme il avait toujours souhaité qu'une femme s'habillât. Elle portait au cou un collier de vieil ambre, dont les gros grains, translucides et allongés, faisaient penser à des fruits, à d'énormes raisins de Malaga, à des mirabelles gonflées de soleil. Et, sous l'ambre, sa chair avait un rayonnement laiteux, troublant. Antoine se sentait devant elle semblable à un être affamé, dont rien, jamais, ne parviendrait à rassasier la fringale. « Comme elle m'a donné sa bouche... », songea-t-il de nouveau, avec un afflux de sang au cœur. Et elle était là, en face de lui, la même... Elle souriait!

On venait de poser sur la table deux chopes de bière mousseuse. Ils eurent la même impatience d'y goûter. Antoine s'amusa à boire en même temps que Rachel, sans la quitter des yeux; et lorsqu'il sentit la gorgée piquante et savonneuse baigner sa langue et s'y tiédir, à la seconde même où Rachel laissait couler contre la sienne le même liquide glacé, ce fut comme si leurs deux bouches se confondaient encore une fois. Il en demeura une minute étourdi, avant d'entendre de nouveau sa voix :

— « ...elles le traitent comme leur domestique », disait-elle.

Il se ressaisit :

— « Qui ça, elles? »

— « La mère et la bonne. » (Il comprit que Rachel parlait des Chasle.) « La vieille n'appelle jamais son fils autrement que : Dadais! »

— « Avouez que cela ne lui va pas si mal. »

— « Dès qu'il est entré, elle le houspille. Le matin, c'est lui qui décrotte leurs chaussures sur le palier, même les bottines de la petite. »

— « M. Chasle? » fit Antoine amusé. Il aperçut le bonhomme écrivant sous la dictée de M. Thibault, ou recevant à la place de son patron un collègue des Sciences Morales.

— « Et elles s'y entendent pour le dépouiller! Elles vont jusqu'à lui voler son argent dans sa poche, sous prétexte de lui brosser le dos quand il va sortir. L'an dernier, la vieille a signé pour trois ou quatre mille francs de billets, en imitant la signature de son fils. On a cru que M. Jules allait en tomber malade. »

— « Et qu'est-ce qu'il a fait? »

— « Mais il a tout payé, naturellement. En six mois; par petites sommes. Il ne pouvait pas dénoncer sa mère. »

— « Nous qui le voyons tous les jours, nous ne soupçonnions rien de tout ça. »

— « Vous n'étiez jamais venu chez eux? »

— « Jamais. »

— « Maintenant ils sont meublés pis que des pauvres. Mais il fallait voir leur petit intérieur, il y a encore deux ans. Dans ce logement carrelé, à boiseries, à placards, on se serait cru, — vous savez? — du temps de Voltaire. Des meubles en marqueterie, des tableaux de famille, même de la vieille argenterie.

— « Et qu'est-ce devenu? »

— « Tout a été vendu en catimini par les deux femmes. Un soir, M. Jules revenait : le secrétaire Louis XVI avait décampé. Un autre jour, c'était la tapisserie, les bergères, la pendule, les miniatures. Même le portrait du grand-père, un beau gaillard en uniforme, avec un tricorne sous le bras et une carte dépliée devant lui. »

— « Noblesse d'épée? »

— « Presque : il avait servi en Amérique, sous Lafayette. »

Il remarqua qu'elle était bavarde, mais qu'elle racontait assez bien; les détails qu'elle donnait avaient de la couleur. Elle était intelligente. Elle avait surtout un tour d'esprit, une façon d'observer et de retenir, qu'il appréciait.

— « A la maison », dit-il, « jamais il ne se plaint. »

— « Oh, moi je l'ai aperçu bien souvent, le soir, qui s'était réfugié dans l'escalier pour pleurer! »

— « C'est à ne pas croire! » s'écria-t-il.

Il avait jeté cette exclamation avec un regard, un sourire, si vivants, qu'elle cessa de penser à ce qu'elle racontait, pour ne plus songer qu'à lui.

Il demanda :

— « Sont-ils vraiment dans une telle misère? »

— « Bien sûr que non! Tout cet argent-là, les deux vieilles en font un magot, qu'elles cachent. Et elles ne se privent de rien, je vous assure; seulement, elles lui font des scènes lorsqu'il s'achète des boules de gomme! Ah!

si je vous racontais tout ce qu'on sait dans la maison!... Aline a voulu... Devinez!... Se faire épouser par M. Jules! Ne riez pas; il s'en est fallu de peu! Elle était d'accord avec la vieille. Heureusement, un jour, elles se sont disputées... »

— « Et Chasle, il voulait bien? »

— « Oh, il aurait fini par dire oui, à cause de Dédette. C'est sa passion. Quand elles ont quelque chose à obtenir de lui, elles le menacent de renvoyer la petite en Savoie, au pays d'Aline; alors il pleure et promet tout ce qu'elles veulent. »

Il n'écoutait guère ce que Rachel disait : il regardait remuer cette bouche qu'il avait baisée : une bouche bien dessinée, charnue au milieu, et, dans les commissures, fine comme une incision; au repos, les deux coins des lèvres se relevaient à peine, en un demi-sourire suspendu, qui n'était pas moqueur, mais calme, gai.

Il pensait si peu à ce pauvre Chasle, qu'il déclara, à mi-voix :

— « Je suis un homme heureux, vous savez. » Puis il rougit.

Elle éclata de rire. Après avoir, la veille, devant la table d'opération, si bien mesuré la valeur de cet homme, elle était ravie de ce côté puéril qu'elle lui découvrait, et qui le rapprochait d'elle.

— « Depuis quand? » demanda-t-elle.

Il mentit un peu :

— « Depuis ce matin. »

C'était vrai, tout de même. Il se souvint de l'impression qu'il avait eue, en sortant de chez Rachel, en s'élançant dans la rue ensoleillée : jamais il ne s'était senti si en forme. Il se rappelait, devant le pont Royal, s'être jeté dans un encombrement avec un sang-froid exceptionnel, et s'être dit, en se faufilant parmi les voitures : « Comme je suis sûr de moi, comme je suis en ce moment maître de mes forces! Et il y a des gens qui nient le libre arbitre! »

— « Laissez-moi vous servir », dit-il, « ce cèpe grillé? »

— « *With pleasure* [1]. »

1. « Avec plaisir. »

— « Vous parlez l'anglais? »
— « Bien sûr. *Si son vedute cose più straordinarie* [1]. »
— « L'italien aussi? Et l'allemand? »
— « *Aber nicht sehr gut* [2]. »
Il réfléchit une seconde :
— « Vous avez voyagé? »
Elle se retint de sourire :
— « Un peu. »
Il chercha son regard, tant l'intonation lui avait paru sibylline.
— « Qu'est-ce que je disais? » reprit-il.
Peu importaient les paroles : ils sentaient un échange incessant se faire entre eux, par leurs regards et leurs sourires, par leurs voix, par leurs moindres gestes.
Elle dit, l'examinant tout à coup :
— « Comme vous êtes différent de celui que j'ai vu cette nuit... »
— « Je vous jure que c'est le même », fit-il, levant ses mains encore jaunies par l'iode. « Je ne peux pourtant pas jouer au grand praticien, quand je n'ai qu'une côtelette à désosser! »
— « J'ai eu le temps de bien vous regarder, savez-vous! »
— « Et alors? »
Elle se tut.
— « C'était la première fois que vous assistiez à une séance de ce genre? » reprit-il.
Elle le regarda, ne répondit pas tout de suite, et se mit à rire :
— « Moi? » fit-elle, sur un ton qui semblait dire : « J'en ai vu bien d'autres! » Mais elle rompit aussitôt les chiens :
— « Vous opérez comme ça tous les jours? »
— « Jamais. Je ne fais pas de chirurgie. Je suis médecin, je suis spécialiste d'enfants. »
— « Pourquoi n'êtes-vous pas chirurgien? Un homme comme vous! »

1. « On a vu des choses plus extraordinaires. »
2. « Mais pas très bien. »

— « Il faut croire que ce n'était pas ma vocation. »

— « Ah, que c'est dommage ! » soupira-t-elle.

Il y eut une courte pause. Ce qu'elle venait de dire éveillait en lui un écho de mélancolie.

— « Bah, médecin, chirurgien... », fit-il à haute voix. « On se fait bien des idées fausses, au sujet de la vocation. On croit toujours avoir choisi. Ce sont les circonstances... » (Elle vit reparaître sur ses traits comme l'ébauche de ce masque viril qui l'avait si fort séduite la veille, au chevet de l'enfant.) « A quoi bon remettre en question ce qui est fait ? » poursuivit-il. « Le chemin qu'on a pris est toujours le meilleur, pourvu qu'il permette d'aller de l'avant ! » Et, songeant soudain à cette belle créature assise en face de lui, songeant à la place qu'elle s'était, en quelques heures, déjà taillée dans sa vie, il se dit, avec une subite anxiété : « Oui, mais d'abord, que ça ne m'empêche pas de travailler ! D'arriver ! »

Elle distingua cette ombre qui passait sur son front :

— « Vous devez être terriblement têtu ? »

Il sourit :

— « Vous n'allez pas vous moquer de moi ? Longtemps j'ai eu pour devise un mot latin, qui veut dire : Je tiendrai ! *Stabo!* Je l'avais fait reproduire sur mon papier à lettres, je l'inscrivais sur la feuille de garde de mes livres... » Il tira sa chaîne de montre : « Je l'ai même fait graver sur un cachet ancien, que je porte encore. »

Elle prit le bijou qui pendait au bout de la chaîne :

— « Il est ravissant. »

— « C'est vrai ? Il vous plaît ? »

Elle comprit, et le lui rendant :

— « Non. »

Déjà, il avait détaché la breloque :

— « Je vous en prie. »

— « Vous êtes fou. »

— « Rachel... En souvenir de... »

— « De quoi ? »

— « De tout. »

Elle répéta : « De tout ? » sans cesser de le regarder bien en face, avec un rire franc.

Ah, qu'elle lui plaisait en ce moment ! Comme il

aimait ce sourire libre, presque un sourire de garçon! Elle différait autant des professionnelles qu'il avait connues que des jeunes filles ou des jeunes femmes qu'il avait eu l'occasion de rencontrer dans le monde ou dans les hôtels pendant les vacances, et qui l'intimidaient sans presque jamais l'attirer. Rachel ne l'intimidait pas : elle était sur le même plan que lui. Elle avait le charme païen, et même un peu de cette simplicité qu'ont les filles qui aiment leur métier; mais elle possédait ce charme-là sans rien avoir d'équivoque ni de vulgaire. Qu'elle lui plaisait! Il ne trouvait pas seulement en elle une partenaire incomparable : pour la première fois de sa vie, il pensait avoir une compagne, une amie.

Depuis le matin, cette idée le hantait. Il avait déjà échafaudé toute une combinaison d'existence nouvelle, où Rachel aurait sa part. Seul, le consentement de l'intéressée manquait encore au contrat. Aussi, avec une impatience enfantine, brûlait-il de lui prendre les mains, de lui dire : « Vous êtes celle que j'attendais. Je veux renoncer aux amours de hasard. Mais j'ai horreur de l'incertain, réglons la suite de nos relations. Vous serez ma maîtresse. Organisons-nous. » A plusieurs reprises, il avait laissé percer sa préoccupation et hasardé un mot qui cherchait à engager l'avenir : elle n'avait jamais eu l'air de comprendre; et il devinait en elle une réserve qui le faisait hésiter à démasquer ses plans.

— « N'est-ce pas qu'on est bien, ici? » dit-elle, croquant une grappe de groseilles givrées qui lui mit du carmin aux lèvres.

— « Oui. A retenir. On trouve de tout à Paris, même la province. » Il ajouta, montrant la salle vide : « Et pas de rencontres à craindre. »

— « Ça vous ennuierait d'être vu avec moi? »

— « Voyons! C'est pour vous que je dis ça. »

Elle haussa les épaules :

— « Pour moi? » Elle eut plaisir à sentir combien elle l'intriguait, et ne se hâta pas de s'expliquer davantage. Pourtant, il l'interrogeait du regard avec tant de secrète anxiété, qu'elle finit par confier : « Je vous répète que je n'ai de comptes à rendre à personne. J'ai de quoi vivre, modestement, et m'en contente. Je suis libre. »

La figure crispée d'Antoine s'était détendue naïvement. Elle comprit qu'il traduisait : « Je t'appartiens, si tu le veux. » Avec tout autre, elle se fût insurgée; mais il lui plaisait; et elle éprouvait encore plus d'agrément à se sentir désirée, que d'agacement à voir combien il se trompait sur elle.

On apportait le café. Elle se tut et réfléchit. Elle-même, d'ailleurs, n'avait pas été sans envisager l'éventualité d'une liaison, puisqu'elle s'était surprise, tout à l'heure, à penser : « Je lui ferai couper cette barbe. » Cependant, elle ne le connaissait pas; ce goût qu'elle avait aujourd'hui pour lui, elle l'avait, en somme, éprouvé déjà, pour d'autres. Il ne fallait pas qu'il se méprît, et continuât à la regarder, comme en ce moment, avec autant d'assurance que de gourmandise...

— « Une cigarette? »

— « Non, j'en ai là, de plus douces. »

Il lui tendit la flamme d'une allumette; elle tira une bouffée, dont elle s'enveloppa.

— « Merci. »

Certes, il importait, dès le début, d'éviter les malentendus. Elle pouvait d'autant mieux se permettre la franchise, qu'elle sentait bien ne courir aucun risque. Elle avança un peu sa tasse, mit ses coudes sur la nappe et son menton sur ses doigts enlacés. Ses paupières, plissées par la fumée, voilaient presque complètement son regard.

— « Je dis que je suis libre », accentua-t-elle; « je ne dis pas que je sois disponible. Vous saisissez? »

Il avait repris son air fatal. Elle continua :

— « Je vous avoue que j'ai déjà été sérieusement étrillée par la vie. Je n'ai pas toujours eu ma liberté. Il y a deux ans, je ne l'avais pas. Aujourd'hui, je l'ai. J'y tiens. » (Elle se croyait sincère.) « J'y tiens tellement que, pour rien au monde, je ne consentirais plus à l'aliéner. Vous saisissez? »

— « Oui. »

Il y eut un silence. Il l'examinait. Elle sourit un peu, sans le regarder, en tournant sa cuillère dans sa tasse.

— « D'ailleurs, je vous le dis simplement, je n'ai rien de ce qu'il faut pour faire une amie fidèle, une maîtresse de tout repos. J'aime à me passer tous mes caprices. Tous. Pour ça, il faut être libre. Je veux rester libre. Vous saisissez? » Et, posément, elle lampa son café, à petits coups, en se brûlant.

Antoine eut une minute de désespoir. Tout s'écroulait. Pourtant elle était encore là, devant lui; rien n'était perdu. Il ne savait pas renoncer à ce qu'il voulait fortement; il n'avait pas l'habitude des défaites. En tout cas, la situation était franche; cela valait mieux que de s'illusionner; bien renseigné, on peut agir. Pas un instant, l'idée qu'elle lui échapperait peut-être, qu'elle se refuserait à ses projets d'association, ne lui parut possible. Il était ainsi : certain, toujours, d'atteindre le but.

Ce qu'il fallait, c'était mieux la comprendre, déchirer ce voile qui l'entourait encore.

— « Il y a deux ans, vous n'étiez pas libre? » murmura-t-il sur un ton nettement interrogatif. « L'êtes-vous vraiment, pour toujours? »

Rachel le considéra comme elle eût fait d'un enfant. Puis son regard se nuança d'ironie. Elle semblait dire : « Je vais vous répondre, mais parce que je le veux bien. »

— « L'homme avec qui je vivais est installé dans le Soudan égyptien », expliqua-t-elle : « il ne reparaîtra jamais en France. » Elle termina sa phrase par un petit rire silencieux, et déroba son regard. Puis elle coupa court :

— « Allons », fit-elle en se levant.

Dehors, elle reprit le chemin de la rue d'Alger. Antoine l'accompagnait en silence; il se demandait ce qu'il allait faire; il ne pouvait se résoudre à la quitter déjà.

Rachel vint à son aide, lorsqu'ils arrivèrent devant la porte :

— « Vous montez voir Dédette? » proposa-t-elle. Puis, sans broncher, elle ajouta : « Mais, je dis ça, peut-être êtes-vous occupé ailleurs? »

Antoine avait, en effet, promis de retourner chez son petit malade de Passy. Il avait aussi à relire les épreuves d'un rapport que son patron lui avait communiqué ce matin, à l'hôpital, en le priant de vérifier des références. Il voulait surtout aller dîner à Maisons-Laffitte, où il était attendu, et où il avait la ferme intention de ne pas arriver trop tard, afin de causer un peu avec Jacques. Mais, de tout cela, dès l'instant où il entrevit la possibilité de suivre Rachel, rien ne subsista.

— « Je suis libre toute la journée », affirma-t-il, s'effaçant pour la laisser entrer.

C'est à peine s'il fut effleuré par l'idée du travail compromis, d'une perturbation dans sa façon de se conduire. Tant pis. (Il était presque sur le point de penser : Tant mieux.)

Ils montèrent l'escalier sans dire un mot.

Arrivée chez elle, elle mit sa clef dans la serrure et se retourna. Le désir éclatait sur son visage : un désir sans subtilités ni déguisements; un désir affranchi, joyeux, irrésistible.

V

Dès que Jacques, revenu en courant de chez Packmell, eut appris par la concierge que l'on était venu chercher M. Antoine pour un accident, sa superstitieuse terreur se dissipa d'un coup; mais il demeura vexé d'avoir cru que le souhait d'un vêtement de deuil pût suffire à provoquer la mort de son frère. La disparition du flacon d'iode, dont il avait besoin pour son furoncle, acheva de l'énerver; et il se déshabilla dans cet état d'animosité imprécise dont il était coutumier, et qui lui était douloureux parce qu'il en avait honte. Il fut long à s'endormir. Son succès ne lui apportait aucune joie.

Le lendemain matin, Antoine rencontra Jacques sous la porte cochère, au moment où celui-ci se décidait à partir pour Maisons-Laffitte sans qu'ils se fussent revus. En quelques mots, Antoine le mit au courant de ce qui s'était passé la veille au soir; mais il ne souffla mot de Rachel. Il avait l'œil brillant et, sur son visage tiré, une expression guerrière que son frère attribua aux difficultés de l'opération.

Les cloches sonnaient à la volée lorsque Jacques mit le pied hors de la gare de Maisons-Laffitte. Rien ne le pressait; M. Thibault, non plus que Mlle de Waize, ni Gisèle, ne manquaient jamais la grand-messe : Jacques avait donc le temps de faire un tour avant de rentrer à la villa. L'ombre tiède du parc invitait à la flânerie. Les avenues étaient désertes. Il s'assit sur un banc. Il n'entendait rien que le bruissement des insectes dans l'herbe et l'envol brusque des passereaux qui, un à un, désertaient l'arbre au-dessus de lui. Il restait immobile, un sourire aux lèvres, ne pensant à rien de précis, heureux d'être là.

L'ancien domaine de Maisons, accolé à la forêt de Saint-Germain-en-Laye, avait été acheté sous la Restauration par Laffitte, qui avait mis en lotissement les cinq cents hectares du parc, pour ne conserver que le château. Mais le financier avait pris des mesures pour que ce morcellement ne portât aucun préjudice aux somptueuses perspectives ménagées autour de sa résidence, et pour que le déboisement fût réduit à l'indispensable. Maisons était donc resté, grâce à lui, un immense parc seigneurial, dont les avenues de tilleuls deux fois centenaires desservaient avec magnificence une colonie de menues propriétés, sans murs mitoyens, et presque invisibles dans la verdure.

La villa de M. Thibault était située au nord-est du château, sur une petite place en gazon, ceinte de lices blanches, éternellement à l'ombre des grands arbres, et dont le centre était occupé par un bassin rond, entre des compartiments de buis.

Jacques se dirigeait à petits pas vers cette place. Et, de très loin, dès qu'il put apercevoir la maison, il distingua une robe blanche appuyée à la barrière de l'entrée : Gisèle guettait. Tournée vers l'allée de la gare, elle ne le voyait pas venir. Alors, soulevé par un joyeux élan, il se mit à courir. Elle l'aperçut, agita les bras, et, tout de suite, les mains en porte-voix, questionna :

— « Reçu? »

Bien qu'elle eût seize ans, elle n'osait pas sortir du jardin sans la permission de Mademoiselle.

Il ne répondit pas, pour la taquiner. Mais elle lut la bonne nouvelle dans ses yeux et se mit à sauter sur place, comme une enfant. Puis elle s'élança dans ses bras.

— « Allons, allons, folle! » fit-il par habitude. Elle se dégagea en riant, pour se jeter de nouveau, frémissante, contre lui. Il vit son sourire radieux, ses yeux brillants de larmes : il en fut ému, reconnaissant, et, pendant une seconde, il retint la jeune fille sur sa poitrine.

Elle rit et baissa la voix :

— « J'ai inventé toute une histoire pour forcer ma

tante à venir avec moi à la messe basse; je pensais que tu arriverais à dix heures. Quant à ton père, il n'est pas encore de retour. Viens », dit-elle en l'entraînant vers la villa.

La petite Mademoiselle apparaissait au fond du vestibule : un peu bossue maintenant, elle avançait à pas pressés, et l'émotion lui faisait branler la tête. Elle s'arrêta au bord du perron, et, dès que Jacques fut à sa hauteur, elle tendit vers lui ses bras de marionnette et faillit perdre l'équilibre pour l'embrasser.

— « Reçu? Tu es reçu? » marmonnait-elle, comme si elle avait sans cesse mâché quelque chose.

— « Aïe », fit-il joyeusement; « prenez garde, j'ai un clou qui me fait très mal. »

— « Tourne-toi. Dieu bon! » Et, comme si ce bobo eût été mieux à sa mesure que les examens de Normale, elle renonça aussitôt à interroger Jacques sur son succès, pour l'obliger à un lavage d'eau bouillie et à des compresses émollientes.

Le pansement s'achevait dans la chambre de Mademoiselle, lorsque le timbre de la barrière tinta : M. Thibault rentrait.

— « Jacquot est reçu! » glapit Gisèle en se penchant à la fenêtre, tandis que Jacques descendait à la rencontre de son père.

— « Ah, te voilà? Quel rang? » demanda M. Thibault, dont une évidente satisfaction colorait pour un instant le visage albumineux.

— « Troisième. »

L'approbation de M. Thibault devint plus manifeste encore. Il ne souleva pas les paupières, mais les muscles du nez tressaillirent, le lorgnon tomba au bout du fil, et il tendit la main.

— « Allons, ce n'est pas mal », grommela-t-il, retenant la main de Jacques entre ses doigts mous. Il hésita une seconde, prit un air hargneux, murmura : « Quelle chaleur! », puis, attirant son fils vers lui, il l'embrassa. Le cœur de Jacques battait. Il voulut regarder son père. M. Thibault s'était déjà retourné, et, hâtant le pas, gravissait les marches du perron; il gagna son cabinet, jeta son paroissien sur la table, fit quelques pas, et, tirant son mouchoir, s'essuya lentement le visage.

Le déjeuner était servi.

Gisèle avait paré la place de Jacques d'un bouquet de mauves, qui donnait à la table familiale un air de fête. Elle ne pouvait s'empêcher de rire, tant elle avait de joie au cœur. Son existence de jeune fille était sévère, entre les deux vieillards; elle portait assez de vie en elle pour n'en souffrir jamais : attendre le bonhcur, n'était-ce pas déjà être heureuse?

M. Thibault entra, se frottant les mains.

— « Eh bien », fit-il, après avoir déplié sa serviette et posé les poings de chaque côté de son couvert, « il s'agit maintenant de ne pas t'en tenir là. Nous ne sommes pas des imbéciles, et, si tu es entré troisième, pourquoi ne pourrais-tu pas, en travaillant, sortir premier? » Il entrouvrit un œil et dressa la barbiche, d'un air rusé : « Est-ce qu'il ne faut pas toujours, dans une promotion, qu'il y ait un premier? »

Jacques répondit au sourire de son père par un sourire évasif. Il avait tellement pris le pli de feindre, pendant ces repas de famille, qu'il n'avait presque plus à se contraindre : certains jours, il se reprochait même cette accoutumance comme une faute de dignité.

— « Etre sorti premier d'une grande école », reprit M. Thibault, « tu peux le demander à ton frère, cela vous accompagne pendant toute la vie : partout où l'on se présente ensuite, on est sûr d'être considéré. Ton frère va bien? »

— « Il doit venir après le déjeuner. »

L'idée de raconter à son père qu'il y avait eu un accident dans l'entourage de M. Chasle ne se présenta même pas à l'esprit de Jacques. D'un commun accord, tout le monde, autour de M. Thibault, se taisait : on ne commettait plus jamais l'imprudence de le mettre au courant de quoi que ce fût, car il était impossible de prévoir quelles conclusions le gros homme, trop puissant, trop actif, tirerait de la moindre nouvelle ni par quelles démarches, lettres ou visites, il se croirait en droit d'intervenir et d'embrouiller les événements.

— « Est-ce que vous avez vu que la presse de ce matin confirme la faillite de notre coopérative de Villebeau? » demanda-t-il à Mademoiselle, bien qu'il sût qu'elle n'ouvrait jamais un journal. Elle répondit d'ailleurs par un signe d'assentiment marqué. M. Thibault eut un petit rire froid. Puis il se tut, et, jusqu'à la fin du déjeuner, sembla se désintéresser de la conversation. Son ouïe rebelle l'isolait chaque jour davantage. Il lui arrivait souvent de rester ainsi, pendant tout un repas, muet, engouffrant les copieuses portions qu'exigeait son estomac de lutteur, et concentré en lui-même. En réalité, il ruminait quelque affaire difficile. Son inertie trompeuse était celle d'une araignée à l'affût : il attendait que le va-et-vient de sa pensée lui eût livré la solution de quelque problème administratif ou social. C'est ainsi d'ailleurs qu'il avait toujours travaillé : passif et comme pétrifié, les yeux mi-clos, le cerveau seul en éveil; jamais ce grand laborieux n'avait pris une note, n'avait écrit le canevas d'un discours; tout se combinait, se gravait infailliblement, jusqu'au dernier détail, sous son crâne immobile.

Assise en face de lui et attentive au service, Mademoiselle croisait sur la nappe ses mains minuscules, restées jolies et qu'elle entretenait (en cachette, pensait-elle) avec un cosmétique au lait de concombre. Elle ne se nourrissait presque plus. Au dessert, on lui servait un bol de lait et un biscuit, qu'elle avait la coquetterie de grignoter sec, car elle avait gardé des dents de souris. Elle trouvait toujours que l'on s'alimentait avec excès, et surveillait de près l'assiette de sa nièce. Mais, ce matin, en l'honneur de Jacques, elle renia ses principes jusqu'à proposer, le dessert fini :

— « Jacquot, tu vas goûter mes nouvelles confitures? »

— « *Saveur exquise, digestibilité parfaite* », murmura Jacques, clignant de l'œil vers Gisèle; et cette vieille plaisanterie, qui leur rappelait un certain sac de berlingots et un des meilleurs fous rires de leur jeunesse, les fit rire aux larmes, comme deux enfants.

M. Thibault n'avait pas entendu, mais il sourit avec bonhomie.

— « Méchant lutin », reprit Mademoiselle, « regarde plutôt comme elles sont bien prises ! » Sur la desserte, protégés par une mousseline que harcelaient en vain les mouches, une cinquantaine de pots, remplis d'une gelée rubis, attendaient leurs ronds de papier rhumé.

La salle à manger ouvrait, par deux portes-fenêtres, sur une véranda garnie de caisses fleuries. Le long des stores, le soleil glissait jusqu'au parquet ses traînées aveuglantes. Autour du compotier de reines-claudes une guêpe bourdonnait, et toute la maison semblait ronronner avec elle sous la caresse de midi. Jacques devait plus tard se souvenir de ce repas comme du seul moment où son admission à Normale lui eût causé un fugitif sentiment de plaisir.

Gisèle, agitée, heureuse, mais silencieuse par habitude, échangeait avec lui des coups d'œil furtifs, chargés d'une complicité sans objet; et, au moindre mot de Jacques, sa gaieté partait en fusée.

— « Oh, Gise, cette bouche ! » chevrotait alors Mademoiselle, qui ne s'était jamais résignée à ce que Gisèle eût une bouche largement fendue et des lèvres fortes. Elle ne prenait pas davantage son parti des cheveux noirs, un rien crêpelés, du nez camus, ni de ce teint blond aux ombres chaudes, qui lui rappelaient, plus qu'elle ne l'eût souhaité, la mère de Gisèle, la métisse épousée par le commandant de Waize pendant son séjour à Madagascar. Aussi ne manquait-elle jamais une occasion de rappeler l'ascendance paternelle de sa nièce : « Quand j'avais ton âge », reprit-elle en souriant, « mon aïeule, tu sais, la grand-mère à l'écharpe écossaise, pour me faire une petite bouche, me faisait répéter cent fois de suite : *Bâillez-nous, ma mie, deux tout petits pruneaux de Tours.* » Elle s'efforçait, tout en parlant, de happer la guêpe dans le piège de sa serviette tendue, et riait à tout instant de l'avoir manquée. Car la chère vieille n'avait rien de morose : les tribulations de son existence n'avaient pas altéré la jeunesse de son rire perlé, contagieux. « Cette grand-mère-là », poursuivit-elle, « avait dansé à Toulouse avec le comte de Villèle, le ministre. Et elle serait bien malheureuse au temps d'aujourd'hui, car elle n'aimait ni les grandes bouches, ni les grands pieds. » Mademoiselle était fort coquette des siens, qui étaient faits comme ceux des nouveau-nés, et qu'elle chaussait toujours d'escarpins en étoffe, carrés du bout, afin de préserver les orteils de toute déformation.

A trois heures, la maison se vida pour les vêpres.

Jacques, resté seul, monta dans sa chambre.

Elle était au second, mansardée, mais vaste, fraîche, et tapissée d'un papier à fleurs; l'horizon y était borné, mais par les cimes de deux marronniers dont le feuillage plumeux était une caresse pour le regard.

Sur la table traînaient encore des dictionnaires, un traité de philologie : il jeta le tout au bas d'un placard et revint s'asseoir à son bureau.

« Suis-je un enfant ou bien suis-je un homme? » se demanda-t-il inopinément. « Daniel... Lui, c'est autre chose. Moi, je... Qu'est-ce que je suis, moi? » Il eut l'impression d'être un monde; un monde peuplé de contradictions; un chaos, un chaos de richesses. Il souriait à sa propre immensité, l'œil perdu sur cette surface d'acajou, qu'il avait déblayée pour... Pourquoi? Certes, les projets ne lui faisaient pas défaut. Depuis combien de mois repoussait-il presque chaque jour la tentation d'entreprendre quelque chose? « Quand je serai reçu », se disait-il. Et maintenant, cette liberté, qui s'éployait tout à coup à sa portée, plus rien ne lui semblait digne de lui être consacré : ni le *Conte des deux jeunes hommes*, ni les *Feux*, ni même la *Confidence brusquée!*

Il quitta son bureau, fit quelques pas, flaira sur l'étagère le rayon de livres qu'il accumulait, — quelques-uns depuis l'an dernier, — pour le moment où il serait libre, chercha mentalement quel serait d'entre tous le premier élu, fit la moue, et vint choir sur son lit, les mains vides.

« Assez de livres, assez de raisonnements, assez de phrases ! » songea-t-il. « *Words! Words! Words!* » Il tendit les bras vers il ne savait quoi d'insaisissable, et fut sur le point de pleurer. « Est-ce que je peux déjà... vivre? »

se demanda-t-il, oppressé. Et, de nouveau : « Suis-je encore un enfant? Ou bien suis-je un homme? »

De violentes aspirations le soulevaient; il en était accablé; il n'eût pas osé dire ce qu'il attendait du sort.

« Vivre », répéta-t-il; « agir. »

Il ajouta : « Aimer », et ferma les yeux.

Une heure plus tard, il se leva. Avait-il rêvassé ou dormi? Il remuait difficilement la tête; son cou était irrité. Un abattement, fait d'ennui sans cause et de force en excès, entravait en lui toute velléité d'action, obscurcissait toute pensée. Il parcourut des yeux sa chambre. Stagner, deux mois entiers, là, dans cette maison? Et pourtant, il sentait qu'une mystérieuse destinée l'enchaînait ici, cette année, et que, partout ailleurs, il traînerait une détresse pire.

Il s'approcha de la fenêtre pour s'y accouder; du même coup, sa tristesse s'envola : la robe de Gisèle faisait une tache claire à travers les basses branches des marronniers. Près d'elle, il eut le sentiment qu'il retrouverait aussitôt du goût à être jeune et à vivre!

Il tenta de la surprendre. Elle avait l'oreille au guet, ou bien sa lecture ne captivait guère son attention, car elle se retourna vite en reconnaissant le pas de Jacques derrière elle :

— « Manqué! »

— « Qu'est-ce que tu lis là? »

Elle refusa de répondre, et, de ses bras croisés, pressa le livre contre sa poitrine. Ils se défièrent avec une pointe subite de plaisir :

— « Un, deux, trois... »

Il fit basculer le fauteuil et glisser la jeune fille dans l'herbe. Elle ne lâchait pas le livre, et il dut lutter un bon moment contre ce corps souple et chaud, avant de pouvoir s'emparer du volume.

— « *Le Petit Savoyard, tome premier*. Bigre! Et il y en a plusieurs, de ces tomes? »

— « Trois. »

— « Félicitations. C'est passionnant? »

Elle rit :

— « Je n'arrive même pas à finir le premier. »

— « Aussi pourquoi lis-tu des choses pareilles? »

— « Je n'ai pas le choix. »

(— « Gise n'aime pas beaucoup la lecture », affirmait Mademoiselle, après plusieurs essais de ce genre.)

— « Je te prêterai des livres, moi », déclara Jacques, qui se plaisait à conseiller la révolte et la désobéissance.

Gisèle n'eut pas l'air d'entendre.

— « Ne t'en va pas tout de suite », implora-t-elle, en se couchant sur le gazon. « Tiens, prends mon fauteuil. Ou bien mets-toi là. »

Il s'étendit à côté d'elle. Le soleil tapait dur sur la villa, qui s'élevait à cinquante mètres d'eux, au centre d'un terre-plein sablé, garni d'orangers en caisses; mais sous les arbres, l'herbe était restée fraîche.

— « Alors, te voilà libre, Jacquot? Tout à fait libre? » Elle prit un air dégagé qui n'avait rien de naturel, pour demander: « Qu'est-ce que tu vas faire? » et resta tournée vers lui, les lèvres entrouvertes.

— « Comment? »

— « Oui. Où vas-tu aller, maintenant que tu es libre pour deux mois? »

— « Nulle part. »

— « Quoi? Tu vas rester un peu avec nous? » fit-elle, levant vers lui ses yeux de bon chien, ronds et brillants.

— « Oui. Le 10, j'irai en Touraine marier un ami. »

— « Et après? »

— « Je ne sais pas. » Il détourna la tête. « Je pense rester à Maisons toutes les vacances. »

— « Vrai? » balbutia-t-elle, en se penchant pour saisir le regard de Jacques.

Il souriait, heureux de lui faire tant de plaisir; et il n'éprouvait presque plus d'appréhension à la perspective de vivre deux mois auprès de cet être naïf et tendre, qu'il aimait comme une sœur : bien mieux qu'une sœur. Il n'avait pas pensé que son arrivée illuminerait à ce point la vie de cette enfant, lui dont la présence n'avait jamais semblé désirée de personne; et il lui sut tant de gré de cette découverte qu'il prit sa main abandonnée sur l'herbe et la caressa.

— « Tu as la peau douce, Gise. La pommade au concombre, toi aussi? »

Elle rit et se rapprocha de lui par un glissement qui fit remarquer à Jacques combien elle était flexible. Elle avait la sensualité naturelle et joyeuse d'un animal jeune, et son rire de gorge, lorsqu'il ne faisait pas penser à un fou rire d'enfant, ressemblait à un roucoulement amoureux. Mais son âme de vierge habitait à l'aise ce corps potelé, malgré les mille désirs dont il frémissait déjà, sans qu'elle en soupçonnât la nature.

— « Ma tante ne veut pas encore que je fasse partie du Tennis cette année », reprit-elle, faisant la grimace. « Et toi, tu iras au club? »

— « Certainement non. »

— « Feras-tu des promenades à bicyclette? »

— « Ça, peut-être. »

— « Quel bonheur! » s'écria-t-elle. Son regard paraissait toujours apercevoir quelque chose de surprenant. « Tu sais, ma tante a promis qu'elle me laisserait sortir avec toi. Voudras-tu? »

Il examina un instant ses prunelles sombres, miroitantes :

— « Tu as de beaux yeux, Gise. »

Il crut remarquer qu'un trouble soudain les fonçait encore. Elle tourna la tête, en souriant. Ce quelque chose de gai, de rieur, qui frappait en elle dès l'abord, ne se manifestait pas seulement par l'éclat du regard, ni par le jeu des deux fossettes très mobiles dont l'ombre se creusait sans cesse au coin des lèvres, mais éclatait jusque dans la rondeur des pommettes, dans le bout arrondi du nez, dans la saillie ronde et gamine du menton, et sur toute sa figure charnue qui respirait la santé, la bonne humeur.

Comme il ne répondait pas à ce qu'elle venait de dire, elle prit peur :

— « Tu voudras bien, dis? »

— « Quoi donc? »

— « M'emmener en forêt, ou bien à Marly, comme l'été dernier? »

Elle fut si contente de le voir sourire en manière

d'acquiescement, qu'elle roula tout contre lui et l'embrassa. Puis ils demeurèrent côte à côte, allongés sur le dos, le regard fouillant les profondeurs branchues des arbres.

On entendait le grésillement du jet d'eau, le ricanement des rainettes autour du bassin de la place, et, par moments, des voix de promeneurs le long de la palissade du jardin. L'odeur des pétunias, dont le soleil avait rissolé tout le jour les calices poisseux, se dégageait lourdement des jardinières de la véranda et planait dans l'air chaud.

— « Comme tu es drôle, Jacquot. Tu réfléchis toujours ! A quoi peux-tu penser ? »

Il se souleva sur un coude, regarda Gise, vit ses lèvres entrouvertes, un peu humides, étonnées.

— « Je pense que tu as de jolies dents. »

Elle ne rougit pas, mais haussa les épaules :

— « Non, je parle sérieusement », dit-elle, avec une intonation d'enfant.

Il se mit à rire.

Un bourdon tout enflé de lumière fauve rôdait autour d'eux; il vint heurter Jacques au visage, comme une houppe de laine; puis, visant le sol, il s'engouffra dans un trou du gazon, avec un bruit de batteuse.

— « Je pense aussi que ce bourdon te ressemble, Gise. »

— « A moi ? »

— « Oui. »

— « Pourquoi ? »

— « Je n'en sais rien », fit-il, s'étalant de nouveau sur le dos. « Il est rond et noir comme toi. Et même son bourdonnement ressemble un peu au bruit que tu fais quand tu ris. »

Cette remarque, énoncée d'un ton grave, parut plonger Gisèle dans de profondes réflexions.

Ils se taisaient tous deux. Sur la pelouse mordorée, les ombres s'allongeaient, obliques. Et Gisèle, dont le soleil atteignait la figure, ne put encore une fois s'empêcher de rire, chatouillée par les paillettes d'or qui jouaient sur ses joues et picotaient ses yeux à travers les cils.

Lorsque le timbre de la barrière annonça l'arrivée d'Antoine et que Jacques aperçut son frère au bout de l'allée, il se dressa avec décision, comme s'il eût prémédité ce qu'il allait faire, et courut à lui :

— « Tu repars ce soir? »

— « Oui. Dix heures vingt. »

L'attention de Jacques fut encore une fois attirée, non pas tant par l'expression fatiguée des traits d'Antoine, que par leur rayonnement, qui lui donnait un aspect inaccoutumé, presque belliqueux.

Il baissa la voix :

— « Tu ne voudrais pas, après le dîner, venir avec moi chez Mme de Fontanin? » Il sentit que son frère allait hésiter, cessa de le regarder, et ajouta très vite : « Il faut absolument que je lui fasse visite, et ça m'ennuie beaucoup d'y aller seul demain. »

— « Daniel y sera? »

Jacques savait pertinemment que non.

— « Bien sûr », dit-il.

Ils se turent en voyant M. Thibault paraître à l'une des croisées du salon, un journal déplié à la main.

— « Ah, te voilà », cria-t-il à Antoine. « Je suis content que tu aies pu venir. » Il lui parlait toujours avec égard. « Restez dehors, je vous rejoins. »

— « Alors, c'est convenu? » souffla Jacques. « Nous prétexterons une promenade après le dîner? »

M. Thibault n'était jamais revenu sur l'interdiction qu'il avait jadis signifiée à Jacques de renouer la moindre relation avec les Fontanin. Par prudence, le nom maudit n'était jamais prononcé devant lui. Ignorait-il que, depuis longtemps, ses ordres étaient transgressés? Personne n'eût pu l'affirmer. L'orgueil paternel était si aveugle chez lui que, peut-être bien, l'idée ne lui était jamais venue qu'il pût être si constamment désobéi.

— « Eh bien, il est reçu! » dit M. Thibault, en descendant à pas lourds les marches du perron; « nous voilà enfin tranquilles pour l'avenir. » Il ajouta : « Faisons le tour de la pelouse, avant le dîner. » Et, pour expliquer cette proposition insolite, il déclara : « J'ai à vous parler à tous deux. Mais d'abord », demanda-t-il à Antoine, « est-ce que tu as lu les journaux du soir? Qu'est-ce qu'on dit de la faillite de Villebeau? Tu n'as pas vu cela? »

— « Votre coopérative ouvrière? »

— « Oui, mon cher. En pleine déconfiture; avec scandale à la clef. Cela n'a pas été long. » Il eut un petit rire sec qui ressemblait à une toux.

« Comme elle m'a donné sa bouche », songeait Antoine. Il revit le restaurant, Rachel assise en face de lui, éclairée par-dessous, comme à la scène, par les fenêtres au ras du sol. « Pourquoi ce rire bizarre, quand je lui ai proposé un *mixed grill?* »

Il fit un effort pour s'intéresser aux propos de son père. Il était surpris d'ailleurs que M. Thibault acceptât si aisément cette « déconfiture » : car le philanthrope faisait partie de la Société qui avait fourni les fonds aux boutonniers de Villebeau, lorsque, après la dernière grève, afin de prouver qu'ils pouvaient se passer du patronat, ils avaient voulu fonder une coopérative de production.

M. Thibault pérorait déjà :

— « Selon moi, ce n'est pas de l'argent perdu pour la bonne cause. Notre rôle aura été parfait : nous avons pris au sérieux les utopies de la classe ouvrière, nous avons été les premiers à les aider de nos capitaux. Résultat : la faillite en moins de dix-huit mois. Il faut reconnaître, en la circonstance, que nous avons eu, entre les délégués ouvriers et nous, un intermédiaire parfait. Mais tu le connais bien », ajouta-t-il en s'arrêtant et en se penchant vers Jacques : « c'est Faîsme, qui était à Crouy, de ton temps! »

Jacques ne répondit pas.

— « Il tient tous les chefs de file par des lettres dans lesquelles ces bons apôtres nous demandent des subsides; oui, des lettres écrites au pire moment de la grève. Pas un n'osera broncher. » Et, de nouveau, il fit entendre une toux satisfaite. « Mais ce n'est pas là-dessus que je désirais vous consulter », continua-t-il, reprenant sa marche.

Il avançait pesamment, vite essoufflé, traînant les pieds sur le sable, le corps penché en avant, les mains derrière le dos, la jaquette ouverte et flottante. Ses fils l'encadraient en silence. Et Jacques se souvint d'une phrase qu'il avait lue il ne savait plus où : « Quand je rencontre deux hommes, l'un âgé et l'autre jeune, qui cheminent côte à côte sans rien trouver à se dire, je sais que c'est un père et son fils. »

— « Voilà », fit M. Thibault : « je tiens à prendre vos avis sur un projet que j'ai fait pour vous. » Sa voix prit une nuance de mélancolie et un son d'authenticité qui ne lui étaient pas coutumiers : « Vous verrez, mes enfants, quand vous atteindrez mon âge, comme on s'interroge, malgré tout, sur la portée de ce qu'on a fait. Je sais bien — et c'est ce que me dit toujours l'abbé Vécard, — que toutes les forces employées à bien faire concourent au même but, et s'additionnent. Mais est-ce qu'il n'est pas pénible de penser que tout l'effort d'une vie individuelle viendra peut-être se perdre dans les alluvions anonymes d'une génération? Est-ce qu'il n'est pas légitime, pour un père, de désirer que ses enfants, au moins, gardent un souvenir personnel de lui? Ne fût-ce qu'à titre d'exemple? » Il soupira. « En toute conscience, j'ai donc pensé à vous, plus qu'à moi. Je me suis dit que, dans l'avenir, il pourrait vous être agréable, étant mes fils, de ne pas être confondus avec tous les Thibault de France. N'avons-nous pas derrière nous deux siècles de roture, dûment justifiée? C'est quelque chose. Pour ma part, j'ai conscience d'avoir, selon mes moyens, accru ce patrimoine respectable; et j'ai le droit, — ce sera ma récompense — de souhaiter que l'on ne méconnaisse pas votre origine; de désirer que vous portiez mon nom en son entier, pour le transmettre sans mutilation à ceux qui naîtront de mon sang. La chancellerie a prévu de semblables désirs. J'ai donc, depuis plusieurs mois, rempli toutes les formalités nécessaires à la modification de votre état civil; j'aurai sous peu quelques papiers à vous faire signer, à l'un et à l'autre. Et, selon moi, dès la rentrée, — au plus tard vers la Noël, — vous aurez légalement le droit de ne plus être des Thibault quelconques, des Thibault tout court, mais des *Oscar-Thibault*, avec un trait d'union : le *docteur Antoine Oscar-Thibault*. » Il joignit les mains et les frotta l'une contre l'autre. « Voilà ce que j'avais à vous dire. Ne me remerciez pas. N'en parlons plus. Et allons dîner : Mademoiselle nous fait des signes. » Il mit, à la manière des patriarches, un bras sur l'épaule de chacun de ses fils : « S'il advient, par surcroît, que cette distinction vous soit de quelque profit dans votre carrière, tant mieux, mes enfants. Est-ce qu'il n'est pas juste, en conscience, qu'un homme, qui n'a jamais rien demandé au temporel, fasse bénéficier sa descendance de la considération qu'il s'est acquise? »

Sa voix tremblait. Pour ne pas s'attendrir, il quitta brusquement l'allée où ils étaient, et seul, hâtant le pas, trébuchant à travers les mottes du gazon, il regagna la villa. Antoine et Jacques ne se souvenaient pas de l'avoir jamais vu si troublé.

— « On n'inventerait pas ces choses-là! » murmura Antoine. Il jubilait.

— « Tais-toi donc! » fit Jacques; il eut l'impression que son frère lui touchait le cœur avec des mains sales. Il était rare que Jacques parlât de M. Thibault sans une sorte de respect; il évitait de le juger : sa propre clairvoyance lui était pénible lorsqu'elle s'exerçait, — et le plus souvent sans qu'il l'eût cherché, — contre son père. Mais ce soir, il avait été douloureusement frappé par ce qui perçait d'angoisse dans ce besoin de se survivre : lui-même, malgré ses vingt ans, ne pouvait songer à la mort sans une soudaine défaillance.

« Pourquoi ai-je emmené Antoine là-bas? » se demandait Jacques, une heure plus tard, tandis qu'il suivait avec son frère la verte avenue, plantée d'un double rang de tilleuls séculaires, qui menait du château à la forêt. Sa nuque lui faisait mal : Mademoiselle avait insisté pour qu'Antoine examinât le furoncle, et celui-ci avait jugé bon d'y donner un coup de bistouri, malgré les protestations du patient, qui se souciait fort peu d'être obligé de sortir avec un pansement.

Antoine, las, mais bavard, ne pouvait songer qu'à Rachel; hier, à cette heure-ci, il ne la connaissait pas encore; et, maintenant, elle occupait chaque minute de sa vie.

Son exaltation contrastait avec les sentiments qui animaient Jacques, après cette paisible journée, et surtout à cet instant, sur ce chemin, au seuil de cette visite dont la pensée éveillait en lui une changeante émotion, assez semblable, par moments, à de l'espérance. Il marchait à côté d'Antoine; il se sentait mécontent, soupçonneux; il éprouvait ce soir contre son frère une prévention instinctive, qui ne s'exprimait pas, mais qui le murait dans une sorte de silence, bien que la conversation entre eux fût amicale autant qu'à l'ordinaire. En réalité, ils jetaient devant eux des mots, des phrases, des sourires, comme deux adversaires jetteraient des pelletées de terre afin d'élever un retranchement entre deux positions. Ils n'étaient, ni l'un ni l'autre, dupes de cette manœuvre. La fraternité créait en eux une telle sensibilité qu'ils ne parvenaient plus à rien se cacher d'important. Une simple intonation d'Antoine vantant le parfum d'un tilleul tardif, — qui venait de lui rappeler en secret l'odorante chevelure de Rachel, — sans précisément renseigner Jacques, lui en disait pourtant presque aussi long qu'une confidence. Et il ne fut guère surpris lorsque Antoine, cédant à son obsession, lui saisit le bras, et, l'entraînant d'un pas plus rapide, se mit à lui conter son étrange veillée et tout ce qui s'en était suivi. Le ton d'Antoine, son rire, son attitude d'homme fait, certains détails trop crus qui contrastaient avec son habituelle réserve d'aîné, provoquaient chez Jacques un malaise tout nouveau. Il faisait bonne contenance, il souriait, approuvait de la tête; mais il souffrait. Il en voulait à son frère de lui causer cette souffrance; il ne pardonnait pas à Antoine cette désapprobation qu'Antoine lui-même venait de susciter. Et, plus l'autre lui laissait entrevoir l'état d'ivresse dans lequel il avait vécu depuis douze heures, plus Jacques se réfugiait dans une résistance hautaine et sentait croître en lui une soif de pureté. Lorsque Antoine, parlant de son après-midi, se permit les mots « journée d'amour », Jacques eut un tel sursaut qu'il ne put le réprimer, et qu'il se révolta :

— « Ah non, Antoine, non! L'amour, c'est autre chose que ça! »

Antoine sourit, non sans fatuité; et, surpris malgré tout, se tut.

Les Fontanin possédaient à l'extrémité du parc, à la lisière de la forêt, contre la muraille de l'ancienne enceinte, une vieille habitation que Mme de Fontanin avait héritée de sa mère. Une route bordée d'acacias, et si peu fréquentée qu'elle était toujours envahie de hautes herbes, reliait à l'avenue la petite porte d'entrée, percée dans le mur du jardin.

La nuit tombait lorsqu'ils en franchirent le seuil. Une clochette tinta, et l'on entendit, à l'autre bout de l'enclos, près de la maison dont plusieurs fenêtres étaient déjà éclairées, l'aboiement de Puce, la chienne de Jenny. On se tenait, après les repas, de l'autre côté de la maison, où le terrain, ombragé par deux platanes, surplombait en terrasse le fossé de l'ancien saut de loup. Les deux frères durent contourner une auto, dont la masse immobile barrait l'allée.

— « Ils ont des visites », murmura Jacques, pris d'un subit regret d'être venu.

Mais, déjà, Mme de Fontanin s'avançait au-devant d'eux :

— « Je l'avais deviné! » s'écria-t-elle, dès qu'elle put les reconnaître. Elle accourait à petits pas joyeux, les mains ouvertes, un sourire accueillant sur le visage. « Nous avons été si contentes, ce matin, en ouvrant la dépêche de Daniel! » (Jacques ne broncha pas.) « Mais *je savais* que vous seriez reçu », continua-t-elle, regardant Jacques avec sérieux : « quelque chose me l'avait dit, ce dimanche de juin où vous êtes venu avec Daniel. Ce cher Daniel! Il a dû être si content, si fier! Et Jenny aussi a été bien contente! »

— « Daniel n'est donc pas ici ce soir? » demanda Antoine.

Ils arrivaient au cercle des fauteuils. On entendait causer avec animation. Jacques distingua aussitôt, parmi d'autres, une voix qui avait un timbre spécial, vibrant et pourtant voilé : celle de Jenny. Elle était restée assise près de sa cousine Nicole et d'un homme d'une quarantaine d'années, vers lequel Antoine s'avança avec surprise : c'était un jeune chirurgien dont il avait été le collègue à l'hôpital Necker. Les deux hommes se serrèrent la main avec sympathie.

— « Vous vous connaissez déjà? » s'écria Mme de Fontanin, ravie. « Antoine et Jacques Thibault sont de grands amis, de Daniel », expliqua-t-elle au docteur Héquet. « Vous voulez bien qu'ils soient dans la confidence? » Puis, se tournant vers Antoine : « Ma petite Nicole me permettra de vous annoncer ses fiançailles; n'est-ce pas, ma chérie? Ce n'est pas encore officiel; mais, vous voyez : Nicole amène déjà son fiancé chez tante, et il suffit de les regarder pour deviner leur secret! »

Jenny n'était pas venue au-devant des deux frères; elle avait attendu qu'ils fussent devant elle pour se lever; elle échangea avec eux une froide poignée de mains.

— « Mon petit Nico, viens que je te montre mes pigeons », dit-elle à Nicole, avant que l'on fût rassis. « J'en ai huit petits qui... »

— « ...qui tettent encore? » lança Jacques, sur un ton qui visait à l'insolence, mais qui n'était que désobligeant et incongru. Il le sentit aussitôt, et serra les mâchoires.

Jenny ne parut pas entendre.

— « ...qui commencent à voler », acheva-t-elle.

— « Mais ils sont couchés, à cette heure-ci », insinua Mme de Fontanin pour la retenir.

— « Raison de plus, maman. Dans la journée, on ne peut pas les approcher. Vous venez avec nous, Félix? » Le docteur Héquet, qui causait déjà avec Antoine, s'empressa de rejoindre les jeunes filles.

— « C'est un petit mariage ravissant », confia Mme de Fontanin, en se penchant vers Antoine et vers Jacques, dès que les fiancés se furent éloignés. « Ma pauvre

Nicole, qui n'a aucune fortune, avait l'idée fixe de n'être à la charge de personne. Depuis trois ans, elle gagnait sa vie comme infirmière. Eh bien, voyez comme elle est récompensée! Le docteur Héquet l'a rencontrée au chevet d'une de ses malades, et il l'a trouvée si intelligente, si dévouée, si courageuse devant la vie, qu'il s'est épris d'elle. Et voilà! N'est-ce pas que c'est tout à fait ravissant? »

Elle savourait ingénument le romanesque de cet épisode, où il n'y avait que de nobles sentiments, où triomphait la vertu; son visage resplendissait de foi. Elle s'adressait de préférence à Antoine, lui parlant sur un ton amical qui semblait présupposer entre eux une invariable conformité de vues; elle aimait son front, son regard pénétrant, sans penser jamais qu'elle était de seize ans son aînée, qu'elle eût pu, à peu de chose près, avoir un fils de son âge. Il l'enchanta en assurant que Félix Héquet était un chirurgien de valeur, un homme d'avenir.

Jacques ne se mêlait pas à l'entretien. « Qui tettent encore! » se répétait-il rageusement. Tout l'exaspérait depuis son arrivée, même l'affable verbiage de Mme de Fontanin. Il n'avait pu supporter jusqu'au bout ses félicitations, et s'était détourné, honteux pour elle qu'elle pût paraître attacher quelque prix à cette réussite, — dont il avait pourtant pris soin de lui télégraphier la nouvelle. « Jenny au moins m'a fait grâce de ses compliments », remarqua-t-il. « Se serait-elle rendu compte que je suis supérieur à ce succès? Non. Pure indifférence. Ma supériorité... Qui tettent encore!... Imbécile!... D'ailleurs, sait-elle seulement ce que c'est qu'un normalien? Et que lui importe mon avenir? A peine si elle m'a dit bonjour. Et moi... Mais aussi pourquoi ai-je lâché cette absurdité? » Il rougit, et de nouveau serra les dents. « En me disant bonjour, elle continuait à écouter sa cousine. Ses yeux... Ils sont indéchiffrables. Tout le visage est encore d'une enfant; mais les yeux... » Le furoncle, à tout instant, se rappelait à son souvenir par des élancements aigus; et, plus encore que de son clou, il souffrait de ce pansement qui lui avait été imposé par tous, par Mademoiselle, par Gise elle-même! Il devait avoir un aspect répugnant...

Antoine souriait, causait, sans s'occuper de Jacques.

— « ...au point de vue moral... », disait-il.

« Antoine parle, il n'y en a que pour lui!... » songea Jacques. Et tout à coup l'amabilité mondaine de son frère, ce « point de vue moral », surtout après les confidences licencieuses qu'Antoine venait de lui faire, l'offensèrent comme une impardonnable hypocrisie. Ah, comme ils étaient différents l'un de l'autre! Jacques se jetait d'un coup à l'extrême et ne voyait plus rien de commun entre son frère et lui. Oui, tôt ou tard, ils se sépareraient, c'était fatal : leurs deux forces étaient incompatibles et, toutes deux, exclusives! Alors, une amère tristesse le gagna, à penser que cinq années d'entente ne suffisaient pas à les prémunir contre la désaffection imminente, ne les empêcheraient pas de devenir l'un pour l'autre des étrangers, peut-être des ennemis! Il fut sur le point de se lever, de s'en aller sous un prétexte quelconque. Errer, dans la nuit, n'importe où, à travers la forêt! Un seul être au monde avait jamais su lui sourire : c'était Gise. Il eût de bon cœur renoncé à son succès de la veille pour se retrouver, à l'instant même, près d'elle sur la pelouse, près de son visage, près de ses yeux, — des yeux sans mystère, ceux-là! — lorsqu'elle s'était écriée : « Tu voudras bien, dis? » et qu'elle avait ri, de son rire de tourterelle! Jenny, il ne se souvenait pas de l'avoir jamais entendue rire, et son sourire même avait une expression désenchantée! « Qu'ai-je donc? » se dit-il, tâchant de se ressaisir. Mais elle était plus forte que sa volonté, cette nostalgie qui avait un goût de rancune, et qui lui faisait tout haïr en bloc, les paroles de Mme de Fontanin, l'avilissement d'Antoine, les gens, sa jeunesse stérile, tout, — et Jenny, qui semblait vivre à l'aise parmi la médiocrité universelle!

— « Qu'allez-vous faire de vos vacances, Jacques? » demanda Mme de Fontanin. « Vous devriez bien décider mon Daniel à quitter Paris quelques semaines : un voyage à deux, ce pourrait être si amusant, si instructif! »

(Elle était un peu attristée de ne pas voir se dessiner plus nettement l'avenir exceptionnel sur lequel elle comptait pour son fils; et, sans vouloir s'y attarder, elle s'inquiétait parfois de la vie qu'il menait, trop libre, trop peu régulière, — elle n'osait penser : dissolue.)

Lorsqu'elle apprit que Jacques avait l'intention de rester tout l'été à Maisons :

— « Que je suis contente ! J'espère bien que vous allez attirer un peu Daniel; il ne prend jamais de vacances, il finira par s'abîmer la santé... Jenny ! » annonça-t-elle à la jeune fille qui revenait avec ses hôtes, « une bonne nouvelle : Jacques est des nôtres pour tout l'été ! Cela promet quelques bonnes parties de tennis, j'imagine ?... Jenny est enragée, cette année, elle passe toutes ses matinées au club. Il y a maintenant ici un cercle de tennis renommé », expliqua-t-elle au docteur Héquet, qui vint s'asseoir auprès d'elle : « Toute une ravissante jeunesse, qui se retrouve là-bas, le matin; des courts excellents, avec une organisation de matches, de championnats... Je n'y entends pas grand-chose », avoua-t-elle en riant, « mais il paraît que c'est passionnant. Et ils se plaignent toujours de la pénurie de jeunes gens ! Vous faites toujours partie du club, Jacques ? »

— « Oui, Madame. »

— « A la bonne heure !... Nicole, il faudra que tu viennes cet été avec ton fiancé passer une grande semaine chez nous. N'est-ce pas, Jenny ? Je suis sûre que le docteur Héquet est un bon joueur, lui aussi ? »

Jacques se tourna vers Héquet. La lampe du salon, par la baie ouverte, éclairait la figure allongée et sérieuse du jeune chirurgien, sa barbe châtaine assez courte, ses tempes qui s'argentaient déjà. Il devait avoir une dizaine d'années de plus que Nicole. Le reflet qui jouait sur les verres de son binocle empêchait d'observer la qualité de son regard; mais son attitude réfléchie était sympathique. « Oui », se dit Jacques, « moi je suis un enfant; et voilà un homme. Un homme qu'on peut aimer. Tandis que moi... »

Antoine s'était levé; il se sentait fatigué et ne voulait pas manquer son train. Jacques lui jeta un regard courroucé. Lui qui songeait, quelques minutes auparavant, à partir sous n'importe quel prétexte, il ne pouvait se résoudre à terminer là cette soirée; pourtant, il fallait bien qu'il accompagnât son frère.

Il s'approcha de Jenny :

— « Avec qui jouez-vous cette année, au club? »

Elle le regarda, et la ligne mince de ses sourcils se contracta légèrement.

— « Avec ceux que je trouve », répondit-elle.

— « Les deux Casin, Fauquet, la bande des Périgault? »

— « Naturellement. »

— « Toujours les mêmes et toujours aussi spirituels? »

— « Que voulez-vous? Tout le monde ne passe pas par Normale. »

— « Après tout, il est peut-être indispensable d'être un imbécile pour bien jouer au tennis. »

— « C'est possible. » Elle leva la tête avec impertinence : « Vous devez le savoir mieux que personne; vous étiez une excellente raquette, autrefois. » Puis, rompant les chiens, et se tournant vers sa cousine : « Tu ne pars pas encore, petit Nico? »

— « Demande à Félix. »

— « Qu'est-ce qu'il faut demander à Félix? » dit Héquet, rejoignant les jeunes filles.

« Cette petite a un teint éblouissant », songeait Antoine, les yeux fixés sur Nicole. « Mais, en comparaison de Rachel... » Et, soudain, son cœur se gonfla.

— « Alors, Jacques, on vous reverra bientôt? » dit Mme de Fontanin. « Iras-tu jouer demain, Jenny? »

— « Je ne sais pas, maman; je ne pense pas. »

— « Enfin, si ce n'est pas demain, vous vous retrouverez toujours un de ces matins », reprit Mme de Fontanin, conciliante. Et, malgré les protestations d'Antoine, elle reconduisit les deux frères jusqu'à la petite porte du jardin.

— « Vraiment, chérie, tu n'as guère été aimable avec tes amis! » s'écria Nicole, dès que les Thibault eurent pris quelque distance.

— « D'abord, ce ne sont pas mes amis », répliqua la jeune fille.

— « Thibault, avec qui j'ai travaillé », intervint Héquet, « est un garçon extrêmement remarquable, et déjà très coté. Son frère, je ne sais pas; mais », ajouta-t-il, — et son regard gris eut, sous le lorgnon, une lueur malicieuse, car il avait entendu le court dialogue de Jacques et de Jenny —, « il est rare qu'un imbécile soit, du premier coup, reçu à Normale, et dans les premiers... »

Le visage de Jenny s'empourpra. Nicole se hâta d'intervenir. Elle avait assez longtemps vécu auprès de sa cousine pour bien connaître certains travers du caractère de Jenny, cette timidité sans cesse en lutte contre l'orgueil, et qui dégénérait parfois en une susceptibilité extravagante.

— « Le pauvre avait un clou à la nuque », remarqua-t-elle avec indulgence. « Cela ne dispose pas à faire beaucoup de frais. »

Jenny ne répondit rien. Héquet n'insista pas; il se tourna vers sa fiancée :

— « Nicole, il va falloir nous apprêter », fit-il, sur le ton d'un homme habitué à diriger sa vie avec exactitude.

La réapparition de Mme de Fontanin acheva de faire diversion.

Jenny accompagna sa cousine dans la chambre où celle-ci avait déposé son manteau; et là, après un silence assez long, elle murmura :

— « Voilà mon été absolument gâté. »

Nicole, assise devant le miroir, arrangeait sa coiffure avec l'unique souci de plaire à son fiancé; elle se sentait jolie, se demandait ce qu'il disait en bas à tante, songeait à ce retour dans l'auto du jeune médecin, à travers la nuit silencieuse; et elle ne prêtait pas grande attention à la mauvaise humeur de Jenny. Mais elle sourit en apercevant l'expression farouche de son amie :

— « Es-tu enfant! » dit-elle.

Elle ne vit pas le regard que Jenny lui décocha.

La corne de l'auto se fit entendre. Nicole se retourna gaiement, et, avec ce mélange de tendresse, d'innocence et de coquetterie, qui avait chez elle tant de séduction, elle bondit vers sa cousine et voulut lui entourer la taille. Mais Jenny poussa un cri involontaire et fit un bond de côté. Elle ne pouvait supporter qu'on la touchât; elle n'avait jamais voulu apprendre à danser, tant le contact d'un bras étranger lui semblait physiquement intolérable; et, lorsqu'elle était encore une toute petite fille, un après-midi qu'elle s'était foulé la cheville au Luxembourg et qu'il avait fallu la ramener en voiture, elle avait préféré monter l'escalier en traînant son pied meurtri, plutôt que de laisser le concierge la prendre dans ses bras pour la porter jusqu'à son étage.

— « Es-tu chatouilleuse! » fit Nicole. Puis, avec un regard clair, faisant allusion au moment qu'elles avaient passé seules, avant le dîner, dans l'allée des roses : « Je suis contente d'avoir pu te parler, ma chérie. Il y a des jours où mon bonheur m'étouffe. Avec toi, vois-tu, j'ai toujours été *vraie*. Comme je suis avec toi, c'est comme ça que je suis, dans le vrai de moi-même! Je voudrais tant, chérie, que toi aussi, bientôt... »

Le jardin, métamorphosé par les phares, était féerique et théâtral. Héquet, le capot levé, resserrait une bougie avec des gestes disciplinés de praticien. Nicole voulut garder son manteau plié sur ses genoux; mais son fiancé l'obligea à se couvrir. Il la traitait un peu en fillette dont il aurait eu la garde. Peut-être traitait-il toutes les femmes comme des enfants? Nicole céda d'ailleurs avec une bonne grâce qui surprit Jenny, et qui éveilla en elle une sorte de ressentiment contre les deux fiancés. « Non », songeait-elle, secouant son petit front, « ce bonheur-là... Moi, non. »

Longtemps elle suivit des yeux, parmi les arbres, la traînée lumineuse qui devançait la voiture dans la nuit. Et, appuyée au mur du jardin, serrant la chienne entre ses bras, elle éprouvait une si poignante mélancolie, tant de rancœur contre elle ne savait quoi, tant d'espérance sans but, qu'elle leva la tête vers le ciel constellé, et souhaita, pendant quelques secondes, de mourir avant d'avoir essayé de vivre.

VI

Gisèle se demandait pourquoi, depuis quelques jours, les journées étaient si brèves, l'été si glorieux, et pourquoi le matin, en faisant sa toilette près de la croisée grande ouverte, elle ne pouvait se retenir de chanter et de sourire à tout ce qu'elle voyait : à sa glace, au ciel limpide, au jardin, aux pois de senteur qu'elle arrosait sur l'appui de sa fenêtre, aux orangers de la terrasse qui lui semblaient s'être mis en boule comme des hérissons afin de mieux se défendre des rayons du soleil.

M. Thibault ne séjournait guère à Maisons-Laffitte plus de deux ou trois jours sans retourner vingt-quatre heures à Paris pour ses affaires. Durant ses absences, un air plus léger circulait dans la villa. Les repas étaient comme des jeux : Jacques et Gise retrouvaient leurs absurdes fous rires d'enfants. Mademoiselle, plus allègre, trottinait de l'office à la lingerie, et de la cuisine au séchoir, fredonnant des cantiques démodés qui ressemblaient à des couplets de Nadaud. Ces jours-là, Jacques, détendu, l'esprit vivace et plein de projets contradictoires, s'abandonnait sans réticence à sa vocation, et passait l'après-midi dans un coin du jardin, s'asseyant, se levant, griffonnant des notes. Gisèle, gagnée elle aussi par le désir de bien employer son temps, s'installait sur le palier, d'où elle pouvait apercevoir les allées et venues de Jacquot sous les arbres; et là, plongée dans les *Great Expectations* de Dickens, dont Mademoiselle, sur les instances de Jacques, avait autorisé la lecture comme une occasion de faire des progrès en anglais, elle pleurait avec délices, parce qu'elle avait, dès le début, deviné que Pip délaisserait la pauvre Biddy pour la cruelle et fantasque Miss Estelle.

Une courte absence que dut faire Jacques dans la seconde semaine d'août, pour assister, en Touraine, au mariage de Battaincourt dont il n'avait pu refuser d'être le témoin, suffit à rompre le charme.

Le lendemain de son retour à Maisons, éveillé tôt après un sommeil énervé, comme il se rasait avec soin et constatait que son teint n'offrait plus la moindre rougeur et qu'à la place de son clou il ne restait qu'une invisible cicatrice, la perspective de reprendre cette existence tout unie lui parut si décevante qu'il quitta sa toilette pour se jeter rageusement en travers de son lit. « Et les semaines passent », songea-t-il. Etait-ce là les vacances qu'il avait espérées? Brusquement, il sauta à terre. « Je devrais prendre un peu d'exercice », se dit-il sur un ton raisonnable qui contrastait avec la fébrilité de ses gestes. Il choisit dans son armoire une chemise à col ouvert, vérifia si ses souliers, si sa raquette, étaient valides; et, quelques instants plus tard, il enfourchait sa bicyclette pour être plus vite au club.

Deux des courts étaient occupés. Jenny jouait. Elle n'eut pas l'air de remarquer l'arrivée de Jacques qui ne se hâta pas d'aller lui dire bonjour. Un remaniement des équipes les rassembla dans la même partie, d'abord en adversaires, puis en partenaires. Ils étaient de même force.

Ils reprirent d'emblée le ton discourtois de leur camaraderie passée. Jacques s'occupait beaucoup de Jenny, mais toujours d'une façon tracassière, voire blessante, raillant ses fautes de jeu, et prenant un visible plaisir à la contredire. Jenny répondait du tac au tac avec une voix de tête qui ne lui était pas naturelle. Il lui eût été facile d'éviter un partenaire aussi désobligeant; pourtant elle ne paraissait pas chercher à l'évincer; au contraire, elle s'obstinait à avoir le dernier mot. Et, lorsque les autres joueurs commencèrent à se disperser pour le déjeuner, elle interpella Jacques sur un ton qui ne désarmait pas :

— « Je vous fais un simple en quatre jeux! »

Elle y déploya une surexcitation si combative, qu'il fut battu par quatre-zéro.

Le triomphe la rendit généreuse :

— « Ça ne compte pas, vous n'êtes pas entraîné. Vous prendrez votre revanche un de ces jours. »

Sa voix avait retrouvé l'intonation voilée qui lui était coutumière. « Nous sommes deux enfants », se dit Jacques. Il était heureux de partager une faiblesse avec elle. Ce fut comme une lueur d'espoir. Il fut saisi de honte en songeant à son attitude envers Jenny; mais lorsqu'il chercha quelle autre attitude adopter, il n'en trouva aucune; jamais, vis-à-vis d'elle, il ne saurait être naturel; et il n'y avait personne avec qui plus ardemment il eût désiré l'être.

Midi sonnait lorsqu'ils sortirent ensemble du club, leurs bicyclettes à la main.

— « Au revoir », dit-elle. « Passez devant. J'ai tellement chaud que je crains d'attraper du mal, en machine. »

Il ne répondit pas, et continua de cheminer près d'elle.

Jenny n'aimait pas que l'on s'imposât; elle eut un sentiment d'impatience à ne pouvoir se défaire de son compagnon au moment qu'elle le souhaitait. Jacques ne s'en douta pas; il pensait à revenir jouer dès le lendemain et cherchait une phrase qui lui permît de motiver cette assiduité imprévue.

— « Maintenant que je suis revenu de Touraine », commença-t-il avec embarras... Il avait renoncé à son ton moqueur. (D'ailleurs, elle avait déjà remarqué l'an dernier qu'il cessait presque toujours de la taquiner lorsqu'il leur arrivait d'être seuls.)

— « Vous étiez en Touraine? » dit-elle, pour dire quelque chose.

— « Oui. Un mariage d'ami. Mais vous le connaissez : c'est chez vous que je l'ai rencontré : Battaincourt? »

— « Simon de Battaincourt? » Elle parut rassembler quelques souvenirs, et sur un ton catégorique : « Il ne me plaisait pas. »

— « Tiens! Pourquoi? »

Elle supportait mal ce genre d'interrogation.

— « Vous êtes trop sévère, c'est un gentil garçon »,

reprit Jacques, voyant qu'elle ne répondait pas. Mais il se ravisa : « Non, au fond, vous avez raison : il est très quelconque. » Elle approuva d'un signe de tête et il en fut tout heureux.

— « Je ne savais pas que vous vous étiez lié avec lui », dit-elle.

— « Pardon. C'est lui qui s'est lié avec moi », rectifia-t-il, en souriant. « Cela s'est fait un soir que nous revenions, je ne sais plus d'où. Il était très tard. Daniel nous avait quittés. Alors Battaincourt m'a pris pour confident, sans crier gare. Il m'a raconté toute sa vie, comme on confie sa fortune à un banquier en lui disant : Occupez-vous de mes affaires, je m'en rapporte à vous. »

Elle l'écoutait avec une certaine curiosité, et ne songeait plus, pour l'instant, à se débarrasser de lui.

— « Il vous arrive souvent d'être pris pour confident? » demanda-t-elle.

— « Non. Pourquoi?... Si, peut-être. » Il sourit : « Oui, au fond, ça m'arrive assez souvent. » Il ajouta, non sans quelque défi : « Ça vous étonne? »

Il fut ému de l'entendre répondre, sur un ton sage :

— « Non, pas du tout. »

Des bouffées de vent chaud leur soufflaient au visage l'haleine des jardins qu'ils longeaient, un fumet de terreau mouillé, une odeur sourde de fleurs au soleil, d'œillets d'Inde, d'héliotropes. Jacques se taisait. Ce fut elle qui le relança :

— « Et, de confidence en confidence, vous l'avez marié? »

— « Oh non : bien au contraire. J'ai tout fait pour empêcher ce mariage inepte. Une veuve de quatorze ans plus vieille que lui, et qui a un enfant! Les parents de Battaincourt se sont brouillés avec leur fils. Mais il n'y a rien eu à faire. » Il ajouta, se souvenant qu'il avait déjà, au sujet de son ami, employé avec bonheur le mot *possédé* dans le sens liturgique : « Battaincourt est absolument possédé de cette femme. »

— « Jolie? » fit-elle, sans autrement remarquer la force de l'expression.

Il réfléchit tant, qu'elle pinça les lèvres et ajouta :

— « Je ne pensais pas vous poser une question si embarrassante! »

Il réfléchissait toujours et ne souriait pas :

— « Je ne peux pas dire qu'elle soit jolie. Elle est terrible. Je ne trouve pas d'autre mot. » Et, après une pause, il s'écria : « C'est si curieux, les êtres! » Il leva les yeux vers Jenny et vit qu'elle semblait surprise. « C'est vrai », reprit-il, « tous les êtres sont si curieux! Même ceux qui n'intéressent personne. Avez-vous remarqué, lorsqu'on parle de gens qu'on connaît à d'autres qui les connaissent aussi, combien de choses significatives, révélatrices, leur ont échappé? C'est pour ça que les gens se comprennent si mal entre eux. »

Il la regarda de nouveau et sentit qu'elle l'avait bien écouté, qu'elle se répétait à elle-même ce qu'il venait de dire. La défiance qu'il gardait toujours vis-à-vis de Jenny fit subitement place à un abandon joyeux; il eut envie de capter davantage cette attention inaccoutumée, d'émouvoir la jeune fille, en lui racontant certains détails de la cérémonie, qu'il avait encore présents à la mémoire.

— « Où en étais-je? » dit-il étourdiment. « J'aimerais tant écrire un jour la vie de cette femme, d'après le peu que je sais d'elle! On dit qu'elle a commencé par être vendeuse dans un bazar. L'ascension opiniâtre de cette femme », reprit-il, répétant la formule qu'il avait inscrite sur un carnet de poche. « Une sœur de Julien Sorel. Vous aimez *Le Rouge et le Noir?* »

— « Non, pas du tout. »

— « Tiens? » fit-il. « Oui, je comprends bien ce que vous voulez dire. » Il réfléchit un instant et sourit. « Mais, si nous commençons à ouvrir des parenthèses, je n'en finirai jamais. Je n'abuse pas de votre temps, au moins? »

Pour se défendre de paraître trop intriguée, elle lança étourdiment :

— « Non, nous ne déjeunons qu'à la demie, à cause de Daniel. »

— « Daniel est là? »

Elle se trouvait acculée au mensonge :

— « Il a dit qu'il viendrait peut-être », dit-elle en rougissant. « Mais vous? »

— « Je ne suis pas pressé, mon père est à Paris. Prenons le côté de l'ombre, voulez-vous?... Ce que je veux vous raconter, c'est seulement le repas qui a eu lieu après le mariage. Oh, ce n'est rien, mais ç'a été tout de même très pénible, je vous assure. Voyons. D'abord, comme cadre, un château genre historique, avec un donjon restauré par Goupillot. Goupillot, c'est le premier mari, un bonhomme extraordinaire, un ancien commis mercier qui s'est découvert le génie du bazar, et qui est mort multimillionnaire, après avoir doté toutes nos villes de province d'un *Bazar du XX*e *siècle*. Vous en avez vu certainement. Car la veuve, soit dit en passant, est excessivement riche. Je ne lui avais jamais été présenté. Comment vous la décrire? Une femme maigre, souple, trop élégante; une tête pas commode, un profil fier; des yeux gris, dans un teint de brune, un peu brouillé; des yeux gris taupe, d'une nuance assez trouble : l'eau qui dort. Vous voyez ça. Des attitudes d'enfant gâté; des attitudes qui sont sensiblement plus jeunes que sa figure; elle parle haut, elle rit; et, par moments, — je ne sais comment vous expliquer ça, — son regard gris galope entre ses paupières, le long de ses cils; et alors, brusquement, les enfantillages qu'elle débite prennent une portée inquiétante; et on pense malgré soi au bruit, qui a couru après son veuvage, qu'elle aurait empoisonné lentement Goupillot. »

— « Elle me fait peur », dit Jenny, cessant de résister à l'intérêt que Jacques faisait naître en elle. Il le sentit et en fut agréablement stimulé.

— « Oui, c'est bien ça », répéta-t-il : « une femme qui fait un peu peur. Je me rappelle que c'est tout à fait la sensation que j'ai eue, au moment où l'on s'est mis à table; je la regardais; elle était debout, le masque dur, devant la table garnie de fleurs blanches... »

— « Elle était en blanc? »

— « Presque; pas tout à fait une robe de mariée : une robe de jardin, si vous voulez, assez théâtre, d'un blanc foncé, crémeux. Le déjeuner était servi par petites tables. Elle invitait des gens à la sienne, sans s'inquiéter du nombre des places, à tort et à travers. Battaincourt était auprès d'elle. Il avait l'air nerveux; il lui a dit : " Vous voyez bien que vous embrouillez tout. " Ils ont échangé un regard... Ah! un bien étrange regard! J'ai eu l'impression qu'entre eux, il n'y avait plus rien de jeune, déjà; plus rien de vivace : du passé seulement. »

« Peut-être », se disait Jenny, « peut-être n'est-il pas aussi pervers que je pensais, ni aussi sec, ni aussi... » Et, au même moment, elle s'aperçut qu'elle savait depuis longtemps que Jacques était sensible et bon. Elle en demeura troublée, et, tout en suivant le récit de Jacques, elle ne put s'empêcher de retenir au passage ce qui motivait davantage le jugement favorable qu'elle venait de porter sur lui.

— « Simon a voulu que je sois assis à sa gauche », continua-t-il. « J'étais le seul présent de tous ses amis. Daniel avait promis de venir : mais il s'était défilé. Et pas un membre de la famille Battaincourt, pas même le cousin germain de Simon, avec lequel il a été élevé et sur lequel il avait compté jusqu'à l'heure du dernier train. Le pauvre diable faisait pitié. C'est une nature sensible, assez fine; je vous assure ; je sais de lui des choses très bien. Il regardait tous ces gens autour de lui : tous des étrangers. Il pensait à ses parents. Il m'a dit : " Jamais je n'aurais cru qu'ils me tiendraient rigueur à ce point-là. Faut-il qu'ils m'en veuillent ! " Et, à un autre moment du repas, il m'a dit : " Pas un mot, pas même un télégramme ! Je n'existe donc plus pour eux. Dis ? " Je ne savais que lui répondre. Alors il s'est dépêché d'ajouter : " Oh ! ce n'est pas pour moi que je dis ça; moi, je m'en fiche. C'est pour Anna. " Justement la terrible Anna décachetait une dépêche qu'on venait d'apporter. Battaincourt est devenu tout pâle. Mais la dépêche était bien pour elle : des félicitations d'une amie. Alors il n'a pas pu y tenir : malgré tous les gens qui le regardaient, malgré Anna et son visage fermé, et ce regard froid qui le surveillait, il s'est mis à pleurer. Elle était furieuse. Il s'en est rendu compte. Il était à côté d'elle, naturellement. Il lui a posé la main sur le bras, et il lui a dit, à mi-voix, comme un gosse : " Je vous demande pardon. " C'était affreux à entendre. Elle n'a pas bronché. Alors, — et c'était plus pénible encore que de le voir pleurer, — il a commencé à parler avec animation, à plaisanter; et, par moments, tout en disant n'importe quoi sur un ton forcé, on voyait les larmes venir à ses yeux, et il les essuyait, sans s'arrêter de parler, du revers de sa main. »

Le trouble de Jacques prêtait tant d'émotion à cette scène, que Jenny murmura :

— « C'est affreux... »

Il eut une joie d'auteur, la première peut-être. Intense. Mais qu'il dissimula hypocritement :

— « Je ne vous ennuie pas? » fit-il, comme s'il n'avait pas entendu. Et il reprit aussitôt : « Ce n'est pas tout. Au dessert, les autres tables ont réclamé : " Les mariés! " Battaincourt et sa femme ont dû se lever, sourire, faire le tour de la salle, une coupe de champagne à la main. C'est là qu'il y a eu un petit détail poignant. Dans leur promenade autour des tables, ils avaient oublié la fille du premier mari, une enfant de huit ou neuf ans. La gamine a couru derrière eux. Ils étaient déjà revenus à leurs places. Sa mère l'a embrassée, à la diable, en défripant la collerette de la petite robe. Et puis elle a poussé sa fille vers Battaincourt. Mais lui, après cette tournée où il n'avait pas rencontré le regard d'un ami, il avait les yeux pleins de larmes, et il ne voyait rien : il a fallu lui mettre la fillette sur les genoux. Ce faux sourire qu'il a eu, en se penchant vers l'enfant de l'autre! La petite tendait sa joue : elle avait des yeux tristes, cette enfant, je n'oublierai jamais ça. Enfin, il l'a embrassée. Et, comme elle ne s'en allait pas, il lui flattait le menton, bêtement, comme ça, avec un doigt, vous comprenez? Je vous assure que c'était lamentable. Mais c'est tout de même une belle histoire... Vous ne trouvez pas?... »

Elle se tourna vers lui, frappée de la façon dont il avait prononcé : « une belle histoire ». Elle fit la remarque que le regard de Jacques n'avait plus cette lourdeur brutale qu'elle trouvait si antipathique, et même que ses prunelles, claires, mobiles, expressives, étaient, en ce moment, d'une eau très pure. « Pourquoi n'est-il pas toujours ainsi? » songea-t-elle.

Jacques souriait maintenant. La mélancolie de ces

souvenirs comptait peu au prix de ce goût qu'il avait pour la vie d'autrui, pour tout ce qui révélait la pensée, le sentiment des êtres. Jenny aussi ressentait ce plaisir; et peut-être, chez elle comme chez lui, ce plaisir était-il pour l'instant accru de n'être pas solitaire.

Ils atteignaient le bout de l'avenue; ils apercevaient déjà la bordure de la forêt. Le soleil sur l'herbe étendait devant eux une nappe éblouissante. Jacques s'arrêta :

— « Je bavarde », fit-il, « je vous ennuie ».

Elle ne protesta pas.

Pourtant, au lieu de prendre congé, il proposa :

— « Puisque je suis venu jusqu'ici, j'ai envie d'aller dire bonjour à votre frère. »

C'était lui rappeler bien mal à propos son mensonge. Elle en fut d'autant plus agacée qu'il n'avait pas hésité à la croire. Elle ne répondit pas, et Jacques comprit seulement qu'elle avait assez de lui et ne désirait pas être accompagnée plus loin.

Il en fut mortifié. Cependant, il ne pouvait se résoudre à la quitter en la laissant sous une fâcheuse impression, surtout ce matin où il avait cru sentir naître entre eux quelque chose qu'il souhaitait confusément depuis des mois, peut-être des années!

Ils parcoururent en silence le chemin bordé d'acacias qui menait à la petite porte. Un peu en retrait derrière Jenny, Jacques apercevait la courbe gracieuse et triste de sa joue.

Plus il avançait, moins il était plausible qu'il changeât d'avis et la laissât seule. Les minutes s'enchaînaient. Ils arrivèrent à la porte. Elle l'ouvrit. Il la suivait. Ils traversèrent le jardin.

La terrasse était déserte; le salon vide.

— « Maman? » appela Jenny.

Personne ne répondit. Elle se dirigea vers la fenêtre de la cuisine, et, liée par son mensonge, demanda :

— « M. Daniel est-il arrivé? »

— « Non, Mademoiselle... Mais, tout à l'heure, on a apporté un télégramme. »

— « Ne dérangez pas votre mère », dit enfin Jacques. « Je m'en vais. »

Jenny se tenait droite, et son visage avait pris une expression obstinée.

— « Au revoir », murmura Jacques. « A demain, peut-être? »

— « Au revoir », répondit-elle, sans faire un pas pour le reconduire.

Puis, dès que Jacques eut tourné les talons, elle entra dans le vestibule, mit avec brusquerie sa raquette dans le tendeur, et jeta le tout sur un coffre, soulagée de manifester son humeur par un geste brutal.

« Non, pas demain! Sûrement, pas demain! » pensa-t-elle.

Mme de Fontanin avait bien entendu de sa chambre l'appel de sa fille, et reconnu la voix de Jacques. Mais elle était si bouleversée qu'elle n'avait pas eu la force de feindre le calme. La dépêche qu'elle venait de recevoir était de son mari. Jérôme était à Amsterdam, seul et sans ressources, disait-il, auprès de Noémie malade. La décision de Mme de Fontanin avait été prise aussitôt : elle irait à Paris, aujourd'hui même, prendre ce qui lui restait en banque pour l'envoyer à l'adresse que lui donnait Jérôme.

Elle s'habillait, lorsque sa fille entra dans sa chambre. Les traits altérés de Mme de Fontanin, la dépêche ouverte sur la table, bouleversèrent Jenny.

— « Qu'est-ce qu'il y a? » balbutia-t-elle. Elle eut le temps de penser : « Il est arrivé quelque chose. Je n'étais pas là. C'est la faute de Jacques! »

— « Rien de grave, ma chérie », soupira Mme de Fontanin. « Ton père... Ton père a besoin d'un peu d'argent. » Et, honteuse de sa propre faiblesse, honteuse surtout du père devant l'enfant, elle rougit et cacha son visage entre ses mains.

VII

L'aube naissait derrière les vitres embuées du wagon. Tapie dans son coin, Mme de Fontanin contemplait sans les voir les herbages plats de la Hollande.

En arrivant à Paris, la veille, elle avait trouvé chez elle une seconde dépêche de Jérôme : *Médecin déclare Noémie perdue. Ne puis rester seul. Vous supplie venir. Si possible apportez argent.* Elle n'avait pu joindre Daniel avant le train du soir. Mais elle lui avait laissé un mot, pour l'avertir qu'elle partait, et lui confier Jenny.

Le train stoppa. Elle entendit crier :

— « Haarlem! »

C'était le dernier arrêt avant Amsterdam. On éteignit les lampes. Le soleil encore invisible emplissait tout le ciel d'une blancheur de perle, diffuse et multicolorée. Les voyageurs s'éveillaient, s'agitaient, pliaient des manteaux. Mme de Fontanin s'immobilisa afin de prolonger cette torpeur qui la protégeait encore un peu contre la pleine conscience de son acte. Noémie allait mourir? Elle chercha à lire en elle-même. Jalouse? Non. La jalousie, c'était ces flambées soudaines qui la dévoraient, au cours des premières années de ménage, alors qu'elle doutait toujours, et se refusait aux évidences, et luttait contre d'intolérables obsessions visuelles. Depuis longtemps, ce n'était plus de jalousie qu'elle souffrait, c'était de l'injustice qui lui était faite. Et, même, pouvait-elle dire qu'elle souffrait? Elle avait connu de bien autres supplices! D'ailleurs, avait-elle jamais été vraiment une femme jalouse? Sa pire douleur avait toujours été d'apprendre, après coup, qu'elle avait été dupe; le plus souvent, elle n'éprouvait pour les maîtresses de Jérôme qu'une compassion un peu hautaine, quelquefois nuancée de sympathie, comme envers des sœurs imprudentes.

Ses doigts tremblèrent lorsqu'il fallut boucler les courroies. Elle descendit du wagon la dernière. Le coup d'œil rapide, effaré, qu'elle promena autour d'elle ne rencontra pas le regard dont elle attendait le choc. N'avait-il pas reçu son télégramme? L'idée que peut-être deux yeux l'observaient la contraignit à se raidir. Elle suivit la file des arrivants.

Quelqu'un lui toucha le bras. Jérôme était devant elle, le regard hésitant, quoique joyeux, tête nue, à demi incliné, et conservant toujours, malgré son visage maigri et ses épaules un peu voûtées, sa grâce inquiétante de prince oriental. Le flot des voyageurs les bouscula avant qu'il eût trouvé le mot d'accueil; mais il s'empara du sac de Thérèse avec un tendre empressement. « *Elle* n'est pas morte », se dit Mme de Fontanin; et elle eut peur d'être obligée de la voir mourir.

Ils gagnèrent en silence la place de la gare. D'un signe, M. de Fontanin arrêta une voiture libre. Alors, tandis qu'elle y montait, une émotion, qui ressemblait bien à du bonheur, la suffoqua : elle venait d'entendre la voix de Jérôme! Et, pendant qu'il achevait de donner en hollandais ses ordres au cocher, elle demeura une seconde sur le marchepied, immobile et vibrante; puis elle rouvrit les yeux, et s'assit.

Dès qu'il fut à ses côtés dans la voiture découverte, il se tourna vers elle. Elle reconnut l'éclat mordoré et sourd des prunelles; elle fut, une fois encore, tout enveloppée de leur chaude ardeur. Il semblait prêt à prendre la main de Thérèse, à toucher son bras; et cette attitude contrastait tant avec la courtoisie châtiée de ses manières qu'elle en fut choquée comme d'une privauté qu'il se fût permise, mais troublée comme d'une preuve d'amour qu'elle n'espérait plus.

Ce fut elle qui jeta les premiers mots dans le silence :

— « Comment va...? » Elle buta sur le nom; elle ajouta aussitôt : « Est-ce qu'elle souffre? »

— « Non, non », fit-il, « plus du tout. »

Bien qu'elle évitât de regarder son visage, elle comprit

au ton de sa réponse que Noémie allait beaucoup mieux, et crut sentir qu'il était assez confus d'avoir appelé sa femme au chevet de sa maîtresse malade. Un cuisant regret la saisit. Elle ne concevait plus quel sortilège avait pu la décider à accourir aussi vite. Puisque Noémie allait revivre, puisque tout allait reprendre et continuer, que venait-elle faire ici? Elle résolut de repartir sur-le-champ.

Jérôme murmura :

— « Je vous remercie, Thérèse... »

Le timbre de la voix était tendre, respectueux, timide. Elle apercevait, sur le genou de Jérôme, sa main, un peu maigrie, sa longue main veinée, qui tremblait imperceptiblement, et le large camée branlant à l'annulaire. Elle se retenait de lever la tête; mais elle appuyait son regard sur cette main nue, et elle ne parvenait plus à regretter son voyage. Pourquoi partir? Elle était venue librement, dans un élan que lui avait inspiré la prière : aucun mal ne pouvait en résulter. Sitôt que, pour repousser toute intention de départ, elle eut pris ce point d'appui sur sa foi, elle se sentit redevenue forte. Jamais le souffle divin ne l'avait longtemps abandonnée dans l'incertitude.

La voiture s'engageait dans une grande ville aérée, aux vastes perspectives. Les volets des boutiques n'étaient pas encore retirés, mais, sur les trottoirs, des travailleurs se rendaient déjà aux chantiers. Le cocher prit une voie moins large, tronçons successifs de chaussée, reliés par des ponts en dos d'âne : la rue coupait une suite de canaux parallèles bordés de maisons dont les façades sans relief, hautes, étroites, et pour la plupart rouges avec des croisées blanches, se reflétaient dans l'eau semi-stagnante, entre les branches des ormes penchés au bord des quais. Mme de Fontanin se sentit loin de France.

— « Comment vont les enfants? » demanda Jérôme.

Elle remarqua qu'il avait hésité à poser cette question, qu'il était ému et, pour une fois, ne cherchait pas à dissimuler son trouble.

— « Très bien. »

— « Daniel? »

— « Il est à Paris, il travaille. Il vient à Maisons quand il est libre. »

— « Vous étiez à Maisons? »

— « Oui. »

Il se tut; évidemment, il évoquait le parc, la demeure connue au bord de la forêt.

— « Et... Jenny? »

— « Elle va bien. » Il semblait l'interroger du regard, l'implorer; elle ajouta : « Elle a beaucoup grandi, elle est très changée. »

Les paupières de Jérôme battirent. Il murmura d'une voix faussée par l'effort :

— « Oui, n'est-ce pas? Elle a dû beaucoup changer... » Puis il se tut de nouveau, détourna la tête, et tout à coup, passant la main sur son front : « Ah, tout ça, c'est affreux », s'écria-t-il sourdement. Et, sans transition, il déclara : « Je suis presque sans argent, Thérèse. »

— « J'en ai apporté », dit-elle très vite. Elle avait perçu tant de détresse dans ce cri, qu'elle eut d'abord, à pouvoir rassurer Jérôme, un mouvement de joie. Mais immédiatement une idée blessante s'implanta : Noémie n'avait jamais été aussi malade qu'on le lui avait fait croire, et ils ne l'avaient fait venir que pour cet argent! Aussi frémit-elle, révoltée, lorsque Jérôme, après avoir attendu quelques instants, ne put se retenir de demander, avec une intonation honteuse :

— « Combien? »

Elle fut, une seconde, effleurée par la tentation de réduire le chiffre.

— « Tout ce que j'ai pu réunir », dit-elle; « un peu plus de trois mille francs. »

Il balbutia :

— « Ah, merci... Merci!... Si vous pouviez savoir, Thérèse!... L'important, c'est d'avoir cinq cents florins à donner au médecin... »

La voiture avait franchi, sur un pont de pierre, une sorte de grand fleuve encombré de bateaux, puis, après avoir tourné dans les ruelles d'un faubourg, atteignait une petite place déserte et s'arrêtait devant le perron d'une chapelle.

Jérôme descendit, paya, prit le sac, et, de l'air le plus naturel, faisant passer Thérèse devant lui, il gravit les marches et poussa le battant de la porte. Ce n'était ni une église ni un temple; une synagogue, peut-être?

— « Je vous demande pardon », souffla-t-il. « C'est pour éviter d'arriver en voiture jusqu'à la maison. Les étrangers sont très surveillés; je vous expliquerai. » Et, changeant de voix, avec un sourire engageant d'homme du monde, il poursuivit : « D'ailleurs, quelques pas à pied ne seront pas désagréables? Il fait si doux, ce matin!... Je vous montre la route. »

Elle le suivit sans répondre. La voiture n'était plus sur la place. Jérôme prit un passage voûté qui accédait, par des degrés, à l'unique quai d'un canal : sur l'autre bord, les soubassements des maisons s'alignaient dans l'eau. Le soleil jouait sur les briques, sur les vitres brillantes des fenêtres qu'égayaient des capucines et des géraniums. Le quai était encombré de gens, de tréteaux, de paniers; on dressait une sorte de marché en plein air; parmi la friperie et le bric-à-brac, on déchargeait de petites péniches chargées de fleurs dont les parfums se mêlaient au relent un peu croupi de l'eau.

Jérôme se retourna :

— « Pas trop fatiguée, Amie? »

Il avait toujours la même façon chantante de prononcer « Ami...e ». Elle baissa la tête sans répondre.

Il ne soupçonna rien de l'émotion qu'il avait provoquée; il désignait sur l'autre bord un pignon d'angle, auquel aboutissait une passerelle :

— « C'est là », fit-il. « Oh, c'est très modeste... Vous m'excuserez de vous recevoir si simplement. »

La maison était, en effet, de pauvre apparence; mais son récent badigeon acajou et ses bois peints en blanc faisaient penser à un yacht bien tenu. Sur les stores oranges du premier étage, qui tous étaient baissés, Thérèse lut en lettres discrètes :

Pension Roosje-Mathilda.

Jérôme habitait donc une sorte d'hôtel, un logis anonyme où elle n'aurait pas trop l'impression d'être reçue chez *eux*. Elle en éprouva un soulagement.

Ils s'engagèrent sur la passerelle. Un des stores du premier étage bougea. Noémie guettait donc?... Mme de Fontanin se redressa. Alors seulement elle remarqua, entre deux fenêtres du rez-de-chaussée, une enseigne de tôle peinturlurée, représentant une cigogne près d'un nid d'où sortait un bébé nu.

Ils prirent un couloir, puis un escalier qui embaumait l'encaustique. Jérôme s'arrêta sur le palier et sonna deux coups. On entendit un remue-ménage à l'intérieur, le judas glissa derrière son grillage, enfin la porte s'entrouvrit juste assez pour livrer passage à Jérôme.

— « Vous permettez? » dit-il. « Je vais prévenir. »

Mme de Fontanin perçut une courte discussion en hollandais. Presque aussitôt, Jérôme rouvrit toute grande la porte d'entrée. Il était seul. Ils suivirent un long corridor ciré qui faisait des coudes; Mme de Fontanin était oppressée, et, craignant à tout instant de se trouver en présence de Noémie, elle faisait appel à sa dignité pour conserver son sang-froid. Mais la pièce où ils pénétrèrent était inhabitée; c'était une chambre propre et gaie, donnant sur le canal.

— « Vous voilà chez vous, Amie », fit Jérôme.

Elle se retenait de questionner : « Et Noémie? »

Il devina sa pensée :

— « Je vous quitte un instant », dit-il; « je vais voir si l'on n'a pas besoin de moi. »

Avant de sortir, il avança vers sa femme et saisit sa main :

— « Ah, Thérèse, laissez-moi vous dire... Si vous saviez par quelles angoisses j'ai passé! Mais vous voilà, vous voilà... » Il posait sur la main de Mme de Fontanin ses lèvres, sa joue. Elle recula d'un pas; il ne fit rien pour la retenir. « Je viendrai dans un moment vous chercher », dit-il, en s'écartant. « Vous voulez bien... la revoir? »

Oui, elle reverrait Noémie, puisque aussi bien elle avait accompli de plein gré ce voyage! Mais après, aussitôt après, quoi qu'il advînt, elle partirait! Elle fit signe que oui, n'écouta pas le « merci » qu'il balbutia, et, se penchant vers son sac, fit mine d'y fouiller jusqu'à ce que Jérôme eût quitté la chambre.

Alors elle se retrouva seule en face d'elle-même, et

son assurance tomba. Elle retira son chapeau, jeta dans la glace un coup d'œil vers son visage fatigué, et passa la main sur son front. Comment se pouvait-il qu'elle fût là? Elle avait honte.

Elle n'eut pas le temps de s'abandonner : on frappait. Avant qu'elle eût répondu, la porte s'ouvrit devant une femme vêtue d'un peignoir rouge, et qui paraissait d'un certain âge, malgré ses cheveux trop noirs et son visage fait. Elle prononça quelques mots interrogatifs dans une langue que Mme de Fontanin ne comprit pas, eut un geste d'impatience, et fit entrer une autre femme, plus jeune, également en peignoir, mais bleu ciel, qui semblait attendre dans le couloir, et qui salua Mme de Fontanin d'un guttural :

— « *Dag*, Madame! Bonjour! »

Il y eut un court colloque entre les nouvelles venues. La plus âgée expliquait à l'autre ce qu'il fallait dire. Celle-ci se recueillit une seconde, se tourna gracieusement, et commença, avec des pauses :

— « La dame dit vous devez emporter la dame malade. Payer la facture et changer pour une autre maison. *Verstaat U*[1] ? Vous comprenez mon langage? »

Mme de Fontanin fit un geste évasif; tout cela ne la regardait pas. La femme âgée intervint alors de nouveau, d'un air soucieux et obstiné.

— « La dame dit », reprit la plus jeune, « même sans payer la facture tout de suite, vous devez d'abord changer, partir, emmener la dame malade dans une chambre d'hôtel autre part. *Verstaat U?* C'est mieux pour la *Politie.* »

A ce moment, la porte s'ouvrit avec précipitation, et Jérôme parut. Il s'avança vers le peignoir rouge, et se mit à invectiver contre lui en hollandais, tout en le poussant dehors. Le peignoir bleu se taisait, regardant tour à tour Jérôme et Mme de Fontanin avec des yeux effrontés. Cependant la vieille semblait au comble de l'irritation, levait son poing cliquetant de bracelets comme celui d'une romanichelle, et vociférait des phrases hachées où revenaient sans cesse les mêmes mots :

1. « Comprenez-vous? »

« *Morgen... morgen... Politie!* »

Enfin Jérôme parvint à les faire sortir et poussa le loquet.

— « Je vous demande pardon », fit-il en se tournant vers sa femme d'un air contrarié.

Thérèse s'aperçut alors que, au lieu de se rendre auprès de Noémie, il avait dû s'aller changer, car il était rasé de frais, légèrement poudré, rajeuni. « Et moi », se dit-elle, « comment suis-je, après cette nuit de voyage? »

— « J'aurais dû vous dire de vous enfermer », continua-t-il en s'approchant. « Cette vieille logeuse est une brave femme, mais bavarde et d'un sans-gêne... »

— « Que me voulait-elle donc? » dit Thérèse distraitement. Elle venait de reconnaître cet arôme de cédrat qui flottait toujours autour de Jérôme après sa toilette. Elle en demeura quelques secondes les lèvres entrouvertes, le regard troublé.

— « Je n'ai rien compris à son jargon », dit-il. « Elle a dû vous prendre pour une autre locataire. »

— « La bleue a répété plusieurs fois qu'il fallait payer la note et aller ailleurs. »

Jérôme haussa les épaules, et Mme de Fontanin saisit comme un écho de son ancien rire, ce rire un peu factice, un peu fat, qui lui faisait renverser la tête en arrière :

— « Ah, ah, ah!... Que c'est bête! » s'écria-t-il. « La vieille a peut-être craint que je ne la paye pas! » Il semblait considérer comme une supposition folle qu'il pût jamais être en peine d'acquitter ses dettes. « Est-ce ma faute? » reprit-il, assombri soudain. « J'ai bien essayé. Aucun hôtel n'a souci de nous prendre. »

— « Mais elle me disait : à cause de la police? »

— « Elle vous a dit : la police? », répéta-t-il avec étonnement.

— « Je crois. » Elle distingua une fois de plus sur les traits de Jérôme cette expression d'ingénuité douteuse, dont le souvenir restait lié aux pires crises de sa vie, et qui aussitôt l'oppressait, comme si l'air se fût chargé de pestilence.

— « Des idées de bonnes femmes! Pourquoi ferait-on une enquête? Parce qu'il y a une clinique au rez-de-chaussée? Non. L'important est de pouvoir donner cinq cents florins à ce petit médecin. »

Mme de Fontanin ne comprenait pas bien, et elle en souffrait, car elle avait un constant besoin de clarté. Elle souffrait surtout de retrouver Jérôme empêtré, compromis comme toujours dans des combinaisons dont elle ne savait que trop penser.

— « Depuis quand êtes-vous ici? » demanda-t-elle, décidée à obtenir quelques éclaircissements.

— « Quinze jours. Non... Pas autant : douze, dix peut-être. Je ne sais plus comment je vis. »

— « Mais... cette maladie? » reprit-elle; et elle termina sur un ton si interrogatif qu'il ne put se dérober.

— « Eh bien, justement », répliqua-t-il, sans paraître hésiter : « Avec ces médecins étrangers, on a tant de peine à se comprendre! C'est un mal de ce pays-ci, une de ces fièvres... hollandaises, vous savez? Les émanations des canaux... » Il réfléchit une seconde : « Il y a du paludisme dans cette ville, toutes sortes de miasmes encore mal connus... »

Elle ne l'écoutait qu'à demi. Elle ne pouvait s'empêcher de remarquer que, chaque fois qu'il était question de Noémie, l'attitude de Jérôme, ses haussements d'épaule, et, jusqu'à la façon apathique dont il parlait de cette maladie, n'exprimaient pas une passion bien vivace. Elle se défendit néanmoins d'y voir l'aveu d'un détachement.

Il ne surprit pas le regard investigateur qu'elle posa sur lui : il s'était approché de la fenêtre, et, sans lever le store, inspectait soigneusement le quai. Lorsqu'il revint vers elle, il avait cette expression grave, désabusée et sincère, qu'elle connaissait bien, qu'elle redoutait tant.

— « Je vous remercie, vous êtes bonne », dit-il, sans transition. « Vous êtes venue, malgré toute la peine que je vous fais... Thérèse... Amie... »

Elle s'était reculée et ne le regardait pas. Mais elle était tellement accessible aux sentiments d'autrui, à ceux de Jérôme surtout, qu'elle ne pouvait nier à ce moment qu'il fût ému ni que cet hommage fût véridique. Pourtant elle se refusait à lui répondre, elle se refusait même à prolonger l'entretien.

— « Menez-moi... là-bas », fit-elle.

Il hésita une seconde, et consentit :

— « Venez. »

Le moment terrible approchait.

« Du courage ! » se répétait Mme de Fontanin, en suivant derrière Jérôme le long couloir obscur. « Est-elle encore couchée ? Convalescente ? Que vais-je lui dire ? » Elle pensa tout à coup à son propre visage fripé de fatigue, et regretta de n'avoir pas au moins remis son chapeau.

Jérôme s'arrêta devant une porte fermée. D'un geste tremblant, Mme de Fontanin passa la main sur ses cheveux blancs. « Ce qu'elle va me trouver vieillie », songea-t-elle. Son énergie l'abandonnait.

Jérôme avait ouvert la porte sans bruit. « Elle est couchée », se dit Mme de Fontanin.

La pièce était dans la pénombre, les rideaux de perse à ramages bleus étaient tirés. Deux inconnues étaient là, qui se levèrent. L'une, petite, devait être une servante ou bien une garde; elle avait un tablier et tricotait; l'autre, une forte matrone de cinquante ans, qui portait un serre-tête violacé, comme une villageoise italienne, exécuta un mouvement de retraite pendant que Mme de Fontanin avançait au milieu de la chambre, glissa quelques mots à l'oreille de Jérôme, et s'esquiva.

Thérèse ne remarqua ni le départ de la femme, ni le désordre de la chambre, ni la cuvette et les serviettes tachées qui traînaient sur le lit. Elle n'avait d'attention que pour la malade, étendue à plat, sans oreiller. Noémie allait-elle tourner la tête ? Elle dormait sans doute, car on l'entendait ronfler; et déjà Mme de Fontanin songeait lâchement à se retirer afin de ne pas troubler ce sommeil, lorsque Jérôme lui fit signe d'approcher jusqu'au pied du lit. Elle n'osa refuser. Elle vit alors que les yeux étaient ouverts, et que le ronflement s'échappait par saccades de la bouche béante. S'habituant à l'obscurité, elle apercevait maintenant la tête exsangue, et ces pupilles dépolies, bleuâtres comme celles d'un animal abattu. Elle comprit en un instant que ce qui gisait là allait mourir, et son saisissement fut tel qu'elle se retourna, prête à appeler au secours. Mais Jérôme était près d'elle, et, bien qu'il contemplât la moribonde avec un visage ravagé de chagrin, elle vit bien qu'elle n'avait rien à lui apprendre.

— « Depuis la dernière hémorragie », expliqua-t-il à voix basse, « et c'était la quatrième, elle n'a plus repris connaissance. Hier soir, ce râle a commencé. » Deux larmes gonflèrent lentement le bord de ses paupières, tremblèrent une seconde parmi les cils et roulèrent sur ses joues bistrées.

Mme de Fontanin faisait de vains efforts pour se ressaisir, et ne parvenait pas à accepter le spectacle qui s'imposait à sa vue.

Ainsi, elle allait mourir, elle allait enfin disparaître de leur vie, cette Noémie qu'à l'instant même elle pensait trouver triomphante? Elle n'osait pas détacher les yeux de cette face où tout déjà était immobilisé : le regard, les ailes durcies du nez, et ces lèvres blanches entre lesquelles s'échappait un souffle venu de très loin, rauque, intermittent, et qui renaissait sans cesse. Elle examinait ces traits un à un, sans pouvoir rassasier une curiosité chargée d'effroi. Etait-ce bien Noémie, cette chair mate, vidée de sang, cette mèche brune collée sur ce front sec et brillant? Dans cette physionomie sans couleur et sans expression, elle ne reconnaissait rien. Depuis quand donc ne l'avait-elle pas vue? Alors, elle se souvint de cette visite qu'elle lui avait faite, cinq ou six années auparavant, lorsqu'elle était accourue vers Noémie pour lui crier : « Rends-moi mon mari! » Elle crut entendre le rire excessif de sa cousine, et, tout à coup, sans pouvoir réprimer un haut-le-corps, elle crut apercevoir la belle créature étalée sur le divan, et ce coin d'épaule charnue qui palpitait sous la dentelle. C'est ce jour-là que, dans le vestibule, Nicole...

— « Et Nicole? » fit-elle vivement.

— « Eh bien? »

— « L'avez-vous prévenue? »

— « Non. »

Comment n'y avait-elle pas songé elle-même en quittant Paris ? Elle entraîna Jérôme à l'écart :

— « Il le faut, Jérôme. C'est sa mère. »

Elle lut toute la faiblesse de cet homme dans son regard suppliant, et elle-même hésita. L'arrivée de Nicole dans cette horrible maison, l'entrée de Nicole dans cette chambre, la rencontre de Nicole et de Jérôme au chevet de ce lit ! Elle reprit cependant, quoique d'une voix moins ferme :

— « Il le faut. »

Elle remarqua cette nuance terreuse qui fonçait davantage le teint de Jérôme lorsqu'il était violenté dans ses projets, et ce rictus qui faisait voir, comme un trait cruel, ses dents entre les lèvres amincies.

— « Jérôme, il faut que Nicole vienne », répéta-t-elle doucement.

Les fins sourcils se rejoignirent, s'abaissèrent. Il résistait encore. Enfin, il releva sur elle son regard dur : il cédait.

— « Donnez-moi son adresse », dit-il.

Lorsqu'il fut parti pour le télégraphe, elle revint près de Noémie. Il lui était impossible de s'éloigner de ce lit.

Elle restait debout, les bras tombants, les mains jointes. Comment donc avait-elle pu croire que la malade était sauvée ? Et comment Jérôme ne semblait-il pas souffrir davantage ?... Qu'allait-il devenir ? Reviendrait-il vivre auprès d'elle ? Ah, certes, elle ne le lui proposerait pas ; mais elle ne lui refuserait pas non plus cet asile...

Une sorte de joie, ou plutôt un sentiment très doux de paix, un sentiment dont elle eut aussitôt honte, naissait en elle, malgré elle. Elle s'efforça de le chasser. De prier. De prier pour cette âme qui allait s'en retourner vers l'Esprit. Pauvre âme, songeait-elle, son bagage n'était pas lourd ! Mais, dans cette progression inéluctable des êtres vers le mieux, à travers ces étapes successives que marquent les incarnations terrestres, chaque effort, si petit soit-il, ne reste-t-il pas au bénéfice de celui qui l'accomplit? Chaque souffrance n'est-elle pas fatalement un degré de plus vers la perfection?... Thérèse ne doutait pas que Noémie eût souffert. Malgré sa vie brillante, la malheureuse n'avait sans doute pas cessé de traîner avec elle une amère inquiétude, cette contrainte des consciences qui s'ignorent, mais s'alarment quand même en secret de leur profanation. Et ce tourment-là, pauvre âme, lui serait compté pour une réincarnation meilleure, comme aussi son amour, bien qu'il fût criminel et qu'il eût causé tant de mal! Ce mal, Thérèse, en cette minute, le pardonnait sans peine. Elle réfléchit qu'elle n'y avait pas grande vertu. Elle dut convenir qu'elle ne réussissait pas à penser que la mort de Noémie fût un grand malheur. Pour personne. Elle aussi, comme Jérôme, s'habituait à l'idée de cette disparition. Ses sentiments évoluaient avec une impitoyable rapidité. Il n'y avait pas une heure qu'elle *savait*, — et, déjà, elle ne faisait plus seulement que de se résigner...

Lorsque, deux jours après, Nicole descendit du rapide de Paris, il y avait trente-six heures que sa mère était morte, et l'enterrement devait avoir lieu dès le matin suivant.

Tout le monde semblait pressé d'en finir : la logeuse, Jérôme, et surtout le jeune docteur aux cinq cents florins, lequel avait délivré un certificat pour l'inhumation sans seulement monter jusqu'à l'étage de la morte après un bref conciliabule dans une pièce du rez-de-chaussée.

Bien que ce devoir lui fût pénible à l'excès, Thérèse avait manifesté le désir d'aider à la dernière toilette de Noémie, pour pouvoir dire à Nicole qu'elle l'avait remplacée dans cette pieuse besogne. Mais, au dernier moment, sous un mauvais prétexte, on l'écarta de la chambre mortuaire; et ce fut la sage-femme — « elle a l'habitude », expliqua Jérôme, — qui tint à assumer cette tâche, sans autre témoin que la garde.

La présence de Nicole fit diversion.

Il était temps : les rencontres, dans les couloirs, de la matrone, de la logeuse, du médecin, devenaient d'heure en heure plus intolérables à Mme de Fontanin; depuis son arrivée, la pauvre femme n'avait pas trouvé, dans cette maison, une bouffée d'air qui lui fût respirable. Le visage ouvert de Nicole, sa santé, sa jeunesse, apportèrent enfin dans ce lieu une atmosphère purificatrice. Cependant, l'explosion de sa douleur, — qui bouleversa Jérôme, réfugié dans la chambre voisine, — parut à Mme de Fontanin sans proportion avec les sentiments que la jeune fille pouvait réellement éprouver envers cette mère destituée; et ce chagrin d'enfant, violent, irréfléchi, confirma son opinion sur la nature de sa nièce : nature généreuse, pensait-elle, mais sans véritable densité.

Nicole eût désiré ramener le corps en France; comme elle ne voulait pas adresser la parole à Jérôme, qu'elle continuait à rendre responsable de l'inconduite maternelle, tante Thérèse se chargea de poser la question. Elle se heurta à une résistance générale et formelle; on lui opposa le prix exorbitant de ces sortes de transports, les formalités sans nombre auxquelles il eût fallu se soumettre, enfin l'enquête, à tout le moins inutile, que n'eût pas manqué d'ordonner la police hollandaise, si tracassière, affirmait Jérôme, pour les étrangers. Il fallut y renoncer.

Bien qu'épuisée par l'émotion et le voyage, Nicole voulut veiller près de la bière. Ils passèrent tous trois cette dernière nuit, seuls et silencieux, dans la chambre de Noémie. Le cercueil posait sur deux chaises, sous les fleurs. Le parfum des roses et des jasmins était si capiteux qu'il avait fallu ouvrir toute grande la fenêtre. La nuit était chaude et très pure; l'éclat de la lune, aveuglant. On entendait par intervalles clapoter l'eau contre les piles de la maison. Les heures sonnaient à un carillon voisin. Un rayon lunaire, glissant sur le parquet, s'allongeait, s'étirait de minute en minute vers une rose blanche à demi défaite, tombée au pied du cercueil, et qui devenait transparente, presque bleue. Nicole examinait d'un œil hostile le désordre de la pièce. C'était là, peut-être, que sa mère avait vécu; là, sans doute qu'elle avait souffert. C'est en dénombrant les bouquets de cette tenture que, peut-être, elle avait perçu l'avertissement de la fin, et peut-être passé désespérément en revue les folies de son existence gâchée. Avait-elle eu pour sa fille une tardive pensée?

L'enterrement eut lieu de très bonne heure.

Ni la logeuse ni la sage-femme ne se montrèrent derrière le convoi. Tante Thérèse marchait entre Nicole et Jérôme; et il n'y avait personne d'autre qu'un vieux pasteur auquel Mme de Fontanin avait fait demander d'accompagner le corps et de réciter les dernières prières.

Puis, pour épargner à Nicole de revoir l'odieuse maison du canal, Mme de Fontanin décida qu'elle emmènerait directement la jeune fille à la gare, en sortant du cimetière; Jérôme devait les rejoindre avec les bagages. D'ailleurs, Nicole avait refusé d'emporter quoi que ce fût qui eût été témoin de la vie de sa mère à l'étranger; et cet abandon des malles de Noémie facilita singulièrement la discussion des derniers règlements avec la logeuse.

Lorsque Jérôme se trouva seul, tous comptes soldés, dans le fiacre qui devait le conduire au train, comme il lui restait un long temps à passer avant l'heure du départ, cédant à une impulsion subite, il fit rebrousser chemin à la voiture pour retourner une dernière fois au cimetière.

Il erra un peu avant de retrouver l'emplacement de la tombe. Dès qu'il la reconnut, de loin, à la terre remuée, il se découvrit, et s'avança à pas compassés. Là gisaient maintenant six années de vie commune, de ruptures, de jalousies et de reprises, six années de souvenirs et de secrets, jusqu'au dernier de tous, le plus tragique, et qui aboutissait là.

« Après tout », songea-t-il, « cela pouvait se terminer plus mal encore... Je souffre peu », constata-t-il, tandis que son front crispé et ses yeux noyés de larmes semblaient attester le contraire. Etait-ce sa faute, si la joie que lui causait la présence de sa femme était plus forte que son chagrin? Thérèse, seul être qu'il eût aimé! Le saurait-elle jamais? Comprendrait-elle jamais, dans sa froideur sévère, qu'elle seule, en dépit des apparences, emplissait cette vie d'homme à bonnes fortunes où il n'y avait cependant jamais eu qu'un grand amour? Comprendrait-elle jamais que, à côté de l'attachement total qu'il lui avait voué, tout autre penchant ne pouvait qu'être éphémère? Et cependant, il en avait, en ce moment même, une preuve nouvelle : la mort de Noémie ne le laissait ni désemparé ni seul. Tant que Thérèse vivait, eût-elle été plus éloignée encore, eût-elle cru rompre tous les liens qui l'unissaient à lui, il n'était pas seul. Il voulut imaginer, l'espace d'une seconde, que Thérèse reposait là, sous ce tertre jonché de fleurs : mais il ne put en supporter l'idée. Il ne se faisait presque aucun reproche des chagrins qu'il avait causés à sa femme, tant, à cette minute solennelle, devant cette tombe, il avait conscience de ne lui avoir rien dérobé d'essentiel, de lui avoir consacré le plus rare et le plus durable de son cœur; tant il avait conscience de ne lui avoir jamais un seul instant été infidèle. « Que va-t-elle faire de moi? » songea-t-il, mais avec confiance. « Elle va m'offrir de revenir auprès d'elle, auprès des enfants... » Il restait incliné, le visage trempé de larmes, — le cœur rayonnant d'un insidieux espoir.

« Tout serait bien, s'il n'y avait pas Nicole. »

Il revit l'attitude muette de la jeune fille, son regard implacable. Il la revit, penchée vers la fosse, et il crut entendre de nouveau ce sanglot sec, déchirant, qu'elle n'avait pu retenir.

Ah, la pensée de Nicole lui était une torture. N'était-ce pas à cause de lui que l'enfant, soulevée d'indignation, avait déserté le foyer maternel? Du fond de sa mémoire montèrent des bribes de sermon : *Malheur à celui par qui le scandale arrive...* « Comment racheter? » songea-t-il. « Comment mériter son pardon? Comment reconquérir sa sympathie? » Il ne pouvait supporter la pensée que quelqu'un ne l'aimât pas. Alors une idée merveilleuse lui traversa l'esprit : « Si je l'adoptais? »

Tout s'éclaira. Il aperçut aussitôt Nicole, installée près de lui dans un petit appartement qu'elle parerait pour lui, l'entourant de prévenances, l'aidant à recevoir. L'été, ils pourraient même voyager ensemble. Et tout le monde admirerait son zèle à réparer sa faute. Et Thérèse l'approuverait.

Il remit son chapeau, et, s'éloignant de la tombe, rejoignit à pas rapides la voiture.

Le train était formé depuis quelque temps lorsqu'il arriva à la gare. Les deux femmes avaient déjà pris place dans un compartiment, et Mme de Fontanin s'étonnait que son mari ne l'eût pas encore rejointe. Jérôme avait-il rencontré quelque difficulté à la pension? Tout semblait possible. Jérôme n'allait-il pas pouvoir partir? Ce rêve qu'elle avait fait, de l'emmener à Maisons, de lui rendre faciles son retour au foyer et peut-être son repentir, ce beau rêve allait-il s'évanouir, à peine formé? Ses transes redoublèrent en le voyant s'avancer vers elle à grandes enjambées et la mine inquiète :

— « Où est Nicole? »

— « Elle est là, dans le couloir », répondit-elle, surprise.

Nicole se tenait devant la vitre à demi baissée; son regard glissait indolemment sur l'écheveau luisant des rails. Elle était triste, mais surtout lasse; triste et pourtant heureuse, car tout le chagrin d'aujourd'hui ne pouvait la priver un seul instant de son bonheur. Que sa mère fût vivante ou morte, son fiancé ne l'attendait-il pas? Et elle s'efforçait de chasser une fois de plus, comme une faute, cette idée; que la disparition de sa mère était, pour son fiancé du moins, une délivrance, la suppression du seul point noir qui, jusque-là, avait entaché leur avenir.

Elle n'avait pas entendu Jérôme s'approcher d'elle :

— « Nicole! Je t'en supplie! Au nom de ta mère, pardonne-moi. »

Elle tressaillit, se retourna. Il était devant elle, son chapeau à la main, et fixait sur elle un regard humble et caressant. Ce visage délabré par la douleur, par le remords, ne put, cette fois, lui faire horreur : elle eut pitié. Ce fut comme si, justement, elle eût désiré cette occasion d'être bonne. Oui, elle pardonnait.

Elle ne répondit pas, mais elle lui tendit franchement sa petite main gantée de noir, qu'il prit, qu'il serra, sans pouvoir dominer son émotion.

— « Merci », murmura-t-il. Et il s'éloigna.

Quelques minutes s'écoulèrent. Nicole ne bougeait plus. Elle songeait qu'en effet cela était mieux ainsi, à cause de tante Thérèse; et qu'elle raconterait cette scène touchante à son fiancé. Des gens commençaient à monter, à la frôler de leurs colis. Enfin, le train démarra. La secousse l'aida à sortir de son engourdissement. Elle revint au compartiment. Des inconnus avaient pris les places tout à l'heure inoccupées. Et, dans le fond, elle aperçut, bien installé en face de Mme de Fontanin, un bras dans la boucle de la suspension, et, la tête tournée vers le paysage, l'oncle Jérôme qui mordait dans un pain au jambon.

VIII

Jacques avait passé la soirée à se rappeler mot à mot son entretien avec Jenny. Il ne cherchait pas à analyser ce qui rendait si obsédant ce souvenir, mais il ne pouvait s'en détacher; et, dans la nuit, il s'éveilla plusieurs fois pour y revenir avec un plaisir qui ne s'émoussait pas. Aussi, le lendemain, en arrivant au tennis, sa déception fut-elle grande de ne pas apercevoir la jeune fille.

Il ne voulut pas refuser la partie qu'on lui proposait; il joua mal, regardant sans cesse vers l'entrée. Le temps passait. Jenny ne viendrait pas. Dès qu'il put s'esquiver, il le fit. S'il n'espérait plus, il ne désespérait pas encore.

Tout à coup, il vit Daniel s'avancer vers lui.

— « Et Jenny? » demanda-t-il, sans même s'étonner de la rencontre.

— « Elle ne joue pas ce matin. Tu sortais déjà? Je t'accompagne. Je suis à Maisons depuis hier soir... Oui », poursuivit-il, dès qu'ils furent hors du club, « maman a été obligée de s'absenter, et elle m'a demandé de coucher ici, pour que Jenny ne reste pas seule la nuit; la maison est si loin de tout... Encore une invention de mon père. Ma pauvre maman ne sait rien lui refuser. » Il demeura soucieux une seconde, puis sourit avec décision : il ne s'attardait pas à ce qui lui était pénible. « Et toi? » fit-il, avec une tendre sollicitude dans le regard. « Tu sais, j'ai beaucoup repensé à ta *Confidence brusquée*. Décidément, je continue à aimer ça. De plus en plus, en y réfléchissant. C'est d'une psychologie inattendue, un peu brutale, un peu obscure aussi par endroits. Mais l'idée est belle, et les deux personnages sont toujours très vrais, et neufs. »

— « Non, Daniel », interrompit l'autre avec une impatience qu'il ne put maîtriser. « Ne me juge pas là-dessus. D'abord la forme est détestable! C'est boursouflé, pâteux, chargé de bavardages! » Il pensa rageusement : « L'atavisme... »

— « Et même le fond », reprit-il; « c'est encore bien trop conventionnel, fabriqué... Les dessous d'un être... Ah, je vois bien ce qu'il faudrait, mais... » Et, brusquement, il se tut.

— « Qu'est-ce que tu fais en ce moment? Tu as commencé autre chose? »

— « Oui. » Sans qu'il sût pourquoi, Jacques se sentit rougir. « Je me repose, surtout », reprit-il. « J'étais plus fatigué que je ne le croyais, après cette année de boîte. Et puis je viens d'aller marier ce pauvre Battaincourt. Lâcheur! »

— « Jenny m'a raconté ça », dit Daniel.

Jacques rougit de nouveau. D'abord un bref mécontentement que leur causerie d'hier ne fût plus comme un secret entre Jenny et lui; puis un plaisir très vif à savoir qu'elle y avait attaché quelque prix, qu'elle s'en était souvenue jusqu'à en parler le soir même à son frère.

— « Veux-tu descendre, en causant, jusqu'au bord de la Seine? », proposa-t-il, en passant son bras sous celui de Daniel.

— « Impossible, mon vieux. Je retourne à Paris par 1 h 20. Tu comprends, je veux bien être chien de garde, la nuit : mais le jour... » Son sourire, qui laissait entendre quelle sorte d'obligation le rappelait à Paris, déplut à Jacques qui retira son bras.

— « Mais, sais-tu? », reprit Daniel, pour dissiper cette ombre, « tu vas venir déjeuner avec nous. Ça fera plaisir à Jenny. »

Jacques baissa les yeux pour dissimuler un nouveau trouble. Il fit semblant d'hésiter. Son père n'étant pas de retour, il lui était facile de manquer un repas. La joie qui l'envahit l'étonna lui-même. Il la maîtrisa pour répondre :

— « Si tu veux. Le temps de passer prévenir chez moi. Va devant. Je te rejoindrai sur la place. »

Quelques minutes plus tard, il retrouvait son ami qui l'attendait, couché dans l'herbe, devant le château.

— « Qu'il fait bon! » lui cria Daniel, en allongeant ses jambes dans le soleil. « Que ce parc est beau, ce matin! Tu as de la veine, de vivre dans ce cadre-là! »

— « Il ne tiendrait qu'à toi d'y vivre aussi », répliqua Jacques.

Daniel se releva.

— « Peuh! je sais bien », concéda-t-il, avec une expression rêveuse et gaie. « Mais moi, ce n'est pas la même chose... Oh, mon cher », fit-il en se rapprochant et en changeant de ton, « je crois que je commence une aventure prodigieuse! »

— « La petite aux yeux verts? »

— « Aux yeux verts? »

— « Chez Packmell. »

Daniel s'arrêta; son regard, une seconde, se fixa devant lui; il sourit bizarrement :

— « Rinette? Mais non, du nouveau : et bien mieux encore! » Il se tut, préoccupé. « Ah, cette Rinette », dit-il enfin, « l'étrange fille! Tu sais, c'est elle qui m'a plaqué! Oui, au bout de quelques jours! » Il rit, en homme à qui la chose n'était jamais arrivée auparavant. « Toi, le romancier, elle t'aurait peut-être intéressé. Moi, elle me fatiguait. Je n'ai jamais rencontré une femme aussi indéchiffrable. J'en suis encore à me demander si elle m'a jamais aimé dix minutes de suite; mais, par exemple, pendant qu'elle m'aimait!... Une détraquée!... Elle devait avoir un passé plus ou moins louche, qui la poursuivait. On viendrait me dire qu'elle avait appartenu autrefois à une de ces bandes noires, tu sais? je n'en serais pas autrement surpris. »

— « Tu ne la revois plus du tout? »

— « Non. Je ne sais même pas ce qu'elle est devenue; elle n'a jamais reparu chez Packmell... Parfois je la regrette », ajouta-t-il, après une pause. « Je dis ça; mais, au fond, ça ne pouvait pas durer; elle serait vite devenue insupportable. D'une indiscrétion dont tu n'as pas idée! Elle ne cessait de poser des questions. Des questions sur ma vie privée. Mais oui! Sur ma famille;

sur ma mère, ma sœur; bien mieux : sur mon père! »

Il fit quelques pas en silence, et reprit :

— « Quoi qu'il en soit, j'ai d'elle un souvenir royal : celui de la soirée où je l'ai soufflée à Ludwigson. »

— « Et lui, il ne t'a pas soufflé... les vivres? »

— « Lui? » Le regard de Daniel se mit à briller; le pli de son sourire découvrit les dents : « Je n'avais pas encore eu pareille occasion de juger mon Ludwigson : eh bien, il n'a jamais eu l'air de se souvenir de rien! Pense de lui ce que tu voudras, mon vieux. Moi, je dis : c'est un grand bonhomme. »

Jenny avait passé cette matinée-là sans sortir; et, lorsque Daniel lui avait proposé de l'accompagner au tennis, elle avait refusé avec entêtement, prétextant qu'elle avait affaire. Mais elle n'avait goût à rien, et ne parvenait pas à occuper son temps.

Quand elle vit, de sa fenêtre, les deux jeunes gens traverser le jardin, son premier mouvement fut de contrariété : Jacques lui gâtait ce repas en tête à tête avec son frère, dont elle s'était réjouie. Cependant, son dépit ne put résister à la joyeuse apparition de Daniel dans la porte entrouverte :

— « Devine qui je t'amène pour déjeuner? »

« J'ai le temps de changer de robe », pensa-t-elle.

Jacques se promenait de long en large dans le jardin; mieux que jamais, il goûtait, ce matin, l'attrait du lieu. Au sortir de ce parc à villas, la propriété des Fontanin avait le charme d'une ferme abandonnée à l'orée de la forêt. Des bâtiments disparates étaient venus s'accoler au logis central, ancien pavillon de chasse sans doute, à hautes fenêtres, dix fois remanié; sous un auvent, un escalier de bois pareil à un escalier de grange desservait la plus élevée des deux ailes. Les pigeons de Jenny voletaient perpétuellement sur la pente des toits de tuiles, et les murs étaient restés enduits d'un vieux crépi rose vif qui buvait la lumière comme un badigeon italien. De grands sapins, poussés en désordre, ensevelissaient la maison dans une ombre sèche qui sentait la résine et où l'herbe ne poussait plus.

Le déjeuner fut égayé par l'entrain communicatif de Daniel. Il était ravi de sa matinée, plein d'espoirs pour l'après-midi. Il complimenta Jenny sur sa robe de toile bleu lin, et lui mit au corsage une rose blanche; il l'appelait « petite sœur », riait de tout et se divertissait lui-même de sa verve.

Il voulut que Jacques et Jenny vinssent le conduire à la gare et attendissent avec lui le train.

— « Tu reviendras pour dîner ? » demanda-t-elle. Jacques remarqua, non sans une nuance de tristesse, le ton cassant, à coup sûr involontaire, qui perçait par moments sous ses dehors effacés et doux.

— « Mon Dieu, c'est probable », répondit Daniel. « Je veux dire que je ferai l'impossible pour prendre le train de sept heures. Mais, de toute façon, je reviendrai avant la nuit; je l'ai écrit à maman. » Il avait prononcé ces derniers mots avec une intonation d'enfant docile, si charmante sur ses lèvres d'homme, que Jacques ne put s'empêcher de rire, et que Jenny elle-même, qui se penchait pour attacher la laisse au collier de sa petite chienne, releva la tête avec un regard amusé.

Le train entrait en gare. Daniel les quitta pour courir aux premiers wagons, qui passaient vides; et, de loin, ils le virent, penché à la portière, qui agitait avec gaminerie son mouchoir.

Ils se retrouvèrent seuls, sans avoir eu loisir de s'y préparer, encore étourdis par la bonne humeur de Daniel. Ils gardèrent sans effort le ton de la camaraderie, comme si Daniel continuait à leur servir de lien; et ils se sentirent l'un et l'autre si soulagés par cette nouvelle trêve, qu'ils furent attentifs à ne pas perdre l'accord.

Jenny, attristée un peu par ce départ, songeait aux continuelles absences de son frère.

— « Vous devriez obtenir de Daniel qu'il ne passe pas ainsi les vacances à aller et à venir. Il ne sait pas combien maman s'attriste de voir qu'il vient si peu, cette année. Oh, naturellement, vous allez le défendre », ajouta-t-elle, mais sans la moindre pointe.

— « Non, je n'en ai nullement l'intention », répliqua-t-il. « Croyez-vous que j'approuve la vie qu'il mène? »

— « Le lui dites-vous, au moins? »

— « Bien sûr. »

— « Mais il ne vous écoute pas? »

— « Il m'écoute. C'est plus grave : je crois qu'il ne me comprend pas. »

Elle hasarda, se tournant vers lui :

— « ...qu'il ne vous comprend *plus?* »

— « Peut-être; oui. »

Du premier coup, leur conversation prenait un tour sérieux. A propos de Daniel, ils échangeaient une sympathie, qui, depuis hier, n'était pas entièrement nouvelle entre eux, mais qu'ils n'avaient jamais encore consenti à laisser s'établir aussi ouvertement. Et, comme ils allaient rentrer dans le parc, ce fut elle qui proposa :

— « Si nous prenions la route? Vous me reconduiriez à la maison par la forêt? Il est si tôt, il fait si doux? »

Un grand bonheur, qu'il ne chercha pas à cacher, entrait en lui; il n'osa s'y abandonner : il craignait de laisser s'évanouir le précieux sujet de leur entente, et se hâta de renouer :

— « Il y a en Daniel une telle ivresse de vivre! »

— « Ah, je sais bien », dit-elle. « De vivre sans contrainte. Mais une vie sans contrainte est bien... bien dangereuse. Est impure », ajouta-t-elle, sans le regarder.

Il répéta gravement :

— « Impure. Je pense comme vous, Jenny. »

Ce mot, qu'il hésitait toujours à prononcer, mais qui lui montait si souvent aux lèvres, il le recueillait avec transport sur celles de la jeune fille. Toutes les aventures de Daniel étaient impures. Impure aussi, la passion d'Antoine. Impurs, tous les désirs charnels. Seul était pur ce sentiment innomé qui depuis des mois germait en lui, — qui, depuis hier, s'épanouissait d'heure en heure.

Cependant il poursuivait, avec une apparence de calme :

— « Comme je lui en veux quelquefois de cette attitude qu'il a prise devant la vie! Cette espèce de... »

— « De perversité », dit-elle naïvement; un terme qu'elle employait souvent avec elle-même, synonyme pour elle de tout ce qui semblait suspect à son innocence.

— « Cette espèce de cynisme, plutôt » rectifia-t-il, employant lui aussi le terme impropre qu'il avait adopté pour son usage. Mais aussitôt, l'idée lui vint qu'il se trahissait un peu lui-même; et s'arrêtant, il s'écria : « Ce n'est pas que j'aie de l'estime pour les natures sans cesse en lutte contre elles-mêmes : je préfère... » (Jenny le considérait, attentive à pénétrer sa pensée, et comme si cette dernière phrase eût été spécialement importante à ses yeux) « ...je préfère celles qui ont pris le parti d'être ce qu'elles sont. Encore faut-il pourtant... » Plusieurs exemples dont il n'osait se servir devant la jeune fille se présentèrent à son esprit. Il hésita.

— « Oui », articula-t-elle : « Moi, j'ai peur que Daniel ne finisse par perdre tout à fait le... comment dirai-je?... le sens de la faute. Vous me comprenez? »

Il approuva de la tête et ne put s'empêcher à son tour de la regarder avec insistance, car son visage réfléchi ajoutait beaucoup à ses paroles. « Dans ce qu'elle dit là », songea-t-il, « quelle confession involontaire! »

Elle demeurait maîtresse d'elle-même; mais la contraction de sa bouche et sa respiration oppressée révélaient son effort à étouffer, en ce moment, une de ces brusques ardeurs dont elle était si souvent consumée, et qu'elle s'appliquait à ne jamais laisser paraître.

« Pourquoi donc », se demandait Jacques, « son visage prend-il si aisément cet aspect dur et fermé? Est-ce à cause des sourcils, dont la ligne est trop mince et trop sèche? N'est-ce pas plutôt à cause de ces deux trous noirs que font, en se rétractant, les pupilles, dans le gris bleu, trop clair, de l'iris? » Et, dès cet instant-là Jacques oublia Daniel pour ne plus penser qu'à Jenny.

Pendant quelques minutes, ils marchèrent sans parler. Intervalle relativement long, qui leur parut très court. Pourtant, lorsqu'ils voulurent reprendre l'entretien, ils s'aperçurent que leurs pensées avaient, de part et d'autre, couvert beaucoup de chemin, et peut-être en des sens différents. De sorte qu'aucun d'eux ne savait plus comment rompre le silence.

Par chance, la route longeait une sorte de garage qui encombrait la chaussée d'autos en réparation, et la trépidation des moteurs n'incitait pas à la causerie.

Un vieux chien, galeux, infirme, qui pataugeait dans les flaques de cambouis, vint tourner autour de Puce : Jenny prit sa petite chienne dans ses bras. Ils avaient à peine dépassé la porte de ce chantier, que des cris les firent se retourner : un châssis squelettique, sonnant la ferraille, et que conduisait un apprenti de quinze ans, venait, en sortant de l'atelier, d'exécuter un virage si brusque, que, malgré le cri tardif du gamin, le vieux chien noir n'eut pas le temps de se garer. Jacques et Jenny virent le véhicule prendre la pauvre bête de flanc et les deux roues, l'une après l'autre, lui passer sur le corps.

Jenny, horrifiée, hurla :

— « Il va mourir! Il va mourir! »

— « Non, il marche! »

En effet, l'animal s'était relevé et fuyait au hasard, ensanglanté, braillant, traînant dans la poussière son train de derrière brisé qui le faisait zigzaguer et s'écrouler tous les deux mètres.

Défigurée, Jenny répétait sur le même ton :

— « Il va mourir! Il va mourir! »

Le chien disparut dans la cour d'une maison. Ses gémissements s'espacèrent, puis cessèrent tout à fait. Les ouvriers du garage, égayés par cet intermède, suivaient les traces de sang. L'un d'eux, qui avait été jusqu'à la maison, cria aux autres :

— « Il y est. Il ne remue plus. »

Jenny, comme soulagée, laissa glisser sa chienne à terre, et ils reprirent la direction de la forêt. Mais cette émotion, ressentie ensemble, les avait encore rapprochés.

— « Je n'oublierai jamais », dit Jacques, « votre figure, votre voix, pendant que vous criiez. »

— « On est stupide, c'est nerveux. Qu'est-ce que je criais? »

— « Vous avez crié : *Il va mourir!* Remarquez : vous aviez vu le chien, roulé par l'auto, devenir une bouillie sanglante; c'était ça qui était horrible. Et, pourtant, l'angoisse véritable n'a commencé qu'après ce moment-là, c'est-à-dire à l'instant tragique où l'animal, qui jusque-là était vivant, n'avait plus qu'à s'étendre pour mourir. N'est-ce pas? Parce que la chose la plus pathétique c'est bien ce passage, cette chute insaisissable de la vie au néant. Il y a en nous une terreur de cette minute-là, une espèce de terreur sacrée, qui est toujours prête à s'éveiller... Vous pensez souvent à la mort? »

— « Oui... C'est-à-dire non, pas trop souvent... Et vous? »

— « Oh, moi, presque sans interruption. Je veux dire que la plupart de mes pensées me ramènent à cette idée de la mort. Mais », reprit-il, avec un accent découragé, « on a beau y revenir souvent, c'est une pensée... » Il n'acheva pas. Son visage était ardent, révolté, presque beau, et l'impatience de vivre s'y mêlait à l'épouvante de mourir.

Ils firent encore quelques pas en silence, puis elle commença, d'une voix timide :

— « Tenez, je ne sais pourquoi, — cela n'a aucun rapport, — mais je pense à une chose que Daniel vous a peut-être racontée : ma première rencontre avec la mer? »

— « Non. Dites. »

— « Oh, c'est une vieille histoire... J'avais quatorze ou quinze ans. Voilà : nous étions parties, à la fin des vacances, maman et moi, pour rejoindre Daniel au Tréport. Il nous avait écrit de descendre à je ne sais plus quelle station, et il était venu nous chercher en charrette. Pour m'éviter de découvrir la mer, peu à peu, au hasard des tournants, il m'avait bandé les yeux... C'est stupide, n'est-ce pas?... A un moment, il m'a fait descendre de voiture et m'a conduite par la main. Je butais à chaque pas. Je sentais un vent de tempête me balayer la figure, j'entendais des sifflements, des mugissements, un vacarme infernal. Je mourais de peur, je suppliais Daniel de me laisser. Enfin, quand nous avons atteint le point le plus haut de la falaise, sans rien dire, il a passé derrière moi, et il a dénoué le bandeau. Alors j'ai aperçu toute la mer : la mer déchaînée dans les roches, au-dessous de moi, presque à pic; la mer tout autour de moi, à perte de vue. La respiration m'a manqué; je suis tombée dans les bras de Daniel. Je ne suis revenue à moi que plusieurs minutes après. Alors j'ai sangloté, sangloté... Il a fallu me rentrer, me coucher, j'ai eu de la fièvre. Maman était très mécontente... Eh bien, maintenant, savez-vous? je ne regrette rien. Je crois que je connais bien la mer. »

Jacques ne lui avait jamais vu cette figure d'où la tristesse avait disparu, ce regard émancipé, avec une pointe d'extravagance. Brusquement, ce feu s'éteignit.

Jacques découvrait peu à peu une Jenny inconnue. Ces alternatives de réserve, puis de fougue subite, faisaient songer à une source aveuglée mais copieuse qui, par instants seulement, trouverait issue. Peut-être touchait-il là le secret de cette mélancolie originelle qui donnait à ce visage un tel reflet de vie intérieure, tant de prix à la fugacité de ses sourires? Et soudain il fut saisi d'angoisse, à la pensée qu'une telle promenade pouvait prendre fin.

— « Vous n'êtes pas pressée », insinua-t-il, lorsqu'ils eurent franchi l'arc de l'ancienne porte de la forêt. « Faisons le grand tour. Je parie que vous ne connaissez pas ce petit chemin-là? »

Une allée sablonneuse, douce aux pieds, s'enfonçait dans l'ombre du taillis; elle était, au départ, largement bordée d'herbe; puis elle devenait de plus en plus étroite. Les arbres, dans ce secteur, poussaient mal; leur feuillage souffreteux laissait de tout côté percer le ciel.

Ils avançaient, sans être gênés de leur silence.

« Qu'ai-je donc? » se demandait Jenny. « Il n'est pas ce que je croyais. Non. Il est... Il est... » Mais aucune épithète ne pouvait la satisfaire. « Comme nous nous ressemblons », remarqua-t-elle soudain, avec un sentiment d'évidence et de joie. Puis elle s'inquiéta : « A quoi pense-t-il? »

Il ne pensait à rien. Il s'abandonnait à un bien-être

délicieux et vide; il marchait auprès d'elle sans rien désirer d'autre.

— « C'est un de nos plus vilains coins de la forêt, que je vous montre là », murmura-t-il enfin.

Elle tressaillit au son de sa voix, et ils eurent ensemble cette pensée que ces minutes de silence avaient eu, pour les choses vagues auxquelles ils songeaient tous deux, une importance capitale.

— « Je suis de votre avis », répondit-elle.

— « Ce n'est même pas de l'herbe, c'est une espèce de chiendent », continua Jacques en piétinant le sol.

— « Ma chienne s'en régale, voyez-la. »

Ils disaient n'importe quoi : le sens des mots avait totalement changé de valeur pour eux.

« J'aime le ton bleu de sa robe », se dit Jacques. « Pourquoi ce bleu doux, un peu gris, est-il si bien sa couleur ? » Puis, sans autre préparation, il s'écria :

— « Je vais vous dire : ce qui me rend si stupide, c'est que je n'arrive pas à détacher mon attention de ce que je sens en moi. »

Et Jenny, croyant lui répondre, déclara :

— « C'est comme moi. Je rêve presque tout le temps. J'aime ça. Vous aussi ? Ce à quoi je rêve n'appartient qu'à moi; ça me plaît de n'avoir pas à le partager avec les autres. Vous me comprenez ? »

— « Oh, très bien », fit-il.

Des branches d'églantines, dont l'une portait déjà de petites baies, fleurissaient un buisson en travers du sentier. Jacques fut sur le point de les lui offrir : « *Voici des fleurs, des fruits, des feuilles et des branches. Et puis...* » Il s'arrêterait, il la regarderait... Il n'osa pas. Et, lorsque le buisson fut dépassé, il se dit : « Ce que je suis littéraire ! »

— « Vous aimez Verlaine ? » demanda-t-il.

— « Oui. Surtout *Sagesse*, que Daniel aimait tant autrefois. »

Il murmura :

— « Beauté des femmes, leur faiblesse, et ces mains pâles,
Qui font souvent le bien et peuvent tout le mal...

Et Mallarmé? », reprit-il, après une pause. « J'ai un recueil de poètes modernes qui n'est pas mal fait. Je vous l'apporterai, voulez-vous? »

— « Oui. »

— « Aimez-vous Baudelaire? »

— « Moins. C'est comme Whitman. D'ailleurs, Baudelaire, je le connais peu. »

— « Et Whitman, vous l'avez lu? »

— « Daniel m'en a fait des lectures cet hiver. Je sens bien pourquoi il aime tant Whitman, lui. Mais moi... » (Ils pensèrent tous deux à ce mot d' « impur », qu'ils avaient prononcé tout à l'heure. « Comme elle me ressemble! » se dit Jacques.)

— « Mais vous », reprit-il, « c'est justement pour ça que vous n'aimez pas Whitman autant que lui? »

Elle inclina la tête, heureuse qu'il eût achevé sa pensée.

Le sentier s'élargissait de nouveau pour aboutir à une clairière où s'offrait un banc, entre deux chênes mangés de chenilles. Jenny jeta dans l'herbe son grand chapeau de paille souple, et s'assit.

— « Il y a des moments », confia-t-elle spontanément, comme si elle eût pensé tout haut, « où je suis presque étonnée de votre intimité avec Daniel. »

— « Pourquoi? » Il sourit : « Parce que vous me trouvez différent de lui? »

— « Aujourd'hui, très. »

Il s'étendit, à quelque distance d'elle, sur le talus.

— « Mon amitié avec Daniel », murmura-t-il. « Il vous parlait quelquefois de moi? »

— « Non... C'est-à-dire, oui. Un peu. »

Elle rougit; mais il ne la regardait pas.

— « Ah », reprit-il, mâchant un brin d'herbe, « maintenant c'est une affection stable, une chose pacifiée. Ça n'a pas toujours été ainsi. » Il se tut, et, du doigt, lui montra, dans une flaque de soleil, au bout d'une herbe, un limaçon, transparent comme une agate, qui mouvait avec hésitation dans la lumière ses deux cornes gélatineuses. « Vous savez », reprit-il sans transition, « pendant ma vie d'écolier, il y a eu des semaines entières où j'ai cru devenir fou, tant il y avait de choses en fusion dans ma pauvre tête. Et toujours seul! »

— « Cependant vous viviez avec votre frère? »

— « Heureusement. Et j'étais très libre, heureusement aussi. Sans quoi, je crois bien que je serais devenu fou, pour de bon... Ou bien que je me serais évadé. »

Elle songea à l'escapade de Marseille, et, pour la première fois de sa vie, avec quelque indulgence.

— « Je me sentais incompris », déclara-t-il d'une voix sombre; « incompris de tous; même de mon frère; même de Daniel, souvent. »

« Exactement comme moi », se disait-elle.

— « Pendant ces périodes-là, j'étais incapable de m'intéresser à aucun travail de la boîte. Je lisais, je lisais comme un forcené, tout ce qu'il y avait dans la bibliothèque d'Antoine, tout ce que Daniel pouvait m'apporter. Presque tous les romans modernes, français, anglais, russes, y ont passé. Si vous saviez les élans que ça me donnait! Et, après ça, tout me paraissait d'un ennui mortel : les leçons, les ergotages des textes, la belle morale des honnêtes gens! Je n'étais décidément pas fait pour tout ça, moi! » Il ne mettait à parler de lui aucune suffisance; mais, plein de lui comme tout être jeune et fort, il n'imaginait pas de jouissance plus authentique que de s'analyser ainsi devant ces yeux attentifs; et le plaisir qu'il y prenait était contagieux. « C'est le temps », poursuivit-il, « où j'adressais à Daniel des lettres de trente pages, que je passais une nuit entière à griffonner! Des lettres où je déversais tous mes enthousiasmes de la journée, toutes mes haines, surtout! Ah, je devrais en rire, maintenant... Mais non », dit-il, pressant son front entre ses mains, « tout ça m'a trop fait souffrir je ne peux pas encore pardonner ça!... Ces lettres, je les ai reprises à Daniel. Je les ai relues. Chacune est comme la confession d'un fou dans une lueur de lucidité. Elles se suivaient à quelques jours d'intervalle, à quelques heures parfois; et chacune était comme une explosion, l'explosion d'une crise intérieure, en contradiction le plus souvent avec la crise précédente. Crise religieuse, parce que je venais de me jeter à corps perdu dans les Evangiles, ou bien dans l'Ancien Testament, ou bien dans le positivisme de Comte. Ah, ma lettre après une lecture d'Emerson! J'ai eu toutes les maladies de l'adolescence : une *vincite* aiguë, une *baudelairite* exaspérée! Mais jamais d'affection chronique! Un matin, j'étais classique; le soir, romantique, — et je faisais flamber en cachette dans le laboratoire d'Antoine mon Malherbe et mon Boileau. Je l'ai fait, tout seul, riant comme un démon! Le lendemain, tout ce qui était littérature me semblait également vide, écœurant. Je me mettais à piocher ma géométrie, en recommençant depuis le début; j'étais absolument décidé à découvrir de nouvelles lois qui devaient bouleverser toutes les notions acquises. Et puis je redevenais poète. J'ai composé pour Daniel des odes, des épîtres de deux cents vers, écrites presque sans rature. Mais le plus incroyable de tout », fit-il, se calmant soudain, « c'est que j'ai rédigé, le plus sérieusement du monde, et en anglais, oui, entièrement en anglais, un traité de quatre-vingts pages sur l'*Emancipation de l'individu dans ses rapports avec la Société : The emancipation of the individual in relation to Society!* Je l'ai encore. Attendez, ce n'est pas tout : avec une préface, — courte, je l'avoue, — mais en grec moderne! » (Ce dernier détail était faux; il se souvenait seulement d'avoir voulu composer cette préface.) Il éclata de rire. « Non, je ne suis pas fou », reprit-il après un silence. Il se tut encore un instant, et, moitié grave, moitié riant, sans orgueil toutefois, il constata : « Tout de même j'étais assez différent des autres... »

Jenny caressait la petite chienne et songeait. Que de fois déjà, elle avait eu de Jacques cette vision d'un être inquiétant, presque dangereux! Elle dut pourtant s'avouer qu'il ne l'effrayait plus.

Jacques s'était étendu dans l'herbe et regardait devant lui. Il était heureux d'avoir parlé avec cet abandon.

— « N'est-ce pas qu'on est bien sous ces arbres? » demanda-t-il paresseusement.

— « Oui. Quelle heure est-il? »

Ils n'avaient pas de montre. La lisière du parc était proche; rien ne les pressait; Jenny apercevait, de son banc, les cimes de deux châtaigniers qu'elle connaissait bien, et, plus loin, le cèdre de la maison forestière, qui allongeait ses palmes noires sur le bleu du ciel.

Penchée vers la chienne qui s'était dressée contre sa jupe, elle dit, évitant de se tourner du côté de Jacques :

— « Daniel m'a lu de vos vers. »

Puis, frappée de son mutisme, elle se décida à le regarder : il avait rougi jusqu'à l'épi qui étoilait la naissance des cheveux; son regard rageur errait autour de lui. Elle rougit à son tour, et s'écria :

— « Ah, j'ai eu tort de vous raconter ça! »

Jacques se reprochait déjà son irritation et cherchait à la dompter; mais il ne supportait pas l'idée que quelqu'un — Jenny — pût le juger sur ses balbutiements de jeune homme; et il était d'autant plus ombrageux à ce sujet, qu'il savait bien n'avoir jamais encore donné sa mesure, en rien; ce dont il souffrait tous les jours de sa vie.

— « Mes vers, c'est zéro! » lança-t-il brutalement. (Elle ne protesta pas, ne bougea même pas la main, et il lui en sut gré.) « Ce serait m'estimer bien peu que de... Ceux qui... Ah! » s'écria-t-il enfin, « si on se doutait de ce que je veux faire! » Et ce sujet brûlant, la présence de Jenny, cette solitude soulevaient en lui une telle émotion, que sa voix s'étrangla et que ses yeux le piquèrent comme s'il allait éclater en larmes. « Tenez », continua-t-il après un temps d'arrêt, « c'est comme ceux qui me félicitent de mon admission à Normale! Si vous soupçonniez ce que je pense de ça! J'en suis honteux. Oui, honteux! Non seulement honteux d'être reçu, mais honteux d'avoir accepté le... le jugement de tous ces...! Ah, si vous saviez ce qu'ils sont! Tous fabriqués par le même moule, par les mêmes livres! Les livres, et toujours les livres! Et il a fallu que, moi, j'aille mendier leur... Moi! Je me suis plié à... Ah!... Je... » Les mots lui manquaient. Il sentait bien qu'il ne donnait à son aversion aucun motif valable. Mais les bons arguments, les vrais, étaient trop vivaces, trop intimement enracinés en lui, pour être extirpés sur l'heure et étalés au grand jour. « Ah, je les méprise tous! » cria-t-il. « Et je me méprise encore davantage d'être parmi eux! Et jamais, jamais je ne pourrai... je ne pourrai pardonner tout ça! »

Elle gardait d'autant mieux la maîtrise d'elle-même qu'elle le voyait hors de lui. Elle remarqua, sans d'ailleurs bien saisir quelle était la pensée de Jacques, qu'il exprimait souvent cette rancune indéterminée et ce refus de pardon. Il fallait vraiment qu'il eût beaucoup souffert. Pourtant, — et, en cela, comme il différait d'elle! — sa foi en l'avenir, en un bonheur futur, restait évidente; à travers ses imprécations, circulait un perpétuel souffle d'espérance, de certitude; son ambition paraissait démesurée, n'offrir aucune prise au doute. Jenny n'avait jamais auparavant envisagé quel pourrait être l'avenir de Jacques, mais elle ne ressentit aucune surprise à découvrir qu'il avait placé son but très haut; même au temps où elle considérait Jacques comme un gamin brutal et vulgaire, elle n'avait jamais cessé de reconnaître en lui une force; et, aujourd'hui, ces paroles fiévreuses, la flamme dont elle sentait le cœur de Jacques dévoré, provoquaient en elle un sentiment de vertige, comme si elle se fût trouvée, malgré elle, emportée dans le même tourbillon. Il en résulta une impression d'insécurité si pénible qu'elle se leva.

— « Je vous demande pardon », dit alors Jacques d'une voix étranglée, « c'est que, voyez-vous, tout ça me tient très au cœur. »

Ils prirent le sentier qui suivait, comme un chemin de ronde, les méandres de l'ancien saut de loup, et atteignirent l'autre porte de la forêt sur le parc; elle était fermée par une grille à fers de lance, dont la serrure grinçait comme un verrou de prison.

Le soleil était haut, il n'était pas plus de quatre heures. Rien ne les obligeait à terminer déjà leur promenade. Pourquoi donc avaient-ils pris le chemin du retour?

Dans le parc, quelques promeneurs les croisèrent; et, bien qu'hier encore ils eussent parcouru ensemble, et sans songer à mal, ces mêmes avenues, un pareil sentiment de pudeur leur vint aujourd'hui d'y être rencontrés côte à côte, et seuls.

— « Eh bien », fit tout à coup Jacques, au croisement

de deux allées, « je vais vous quitter là, n'est-ce pas? »
Elle répondit sans hésiter :
— « C'est cela. Me voici presque à la maison. »
Il se tenait devant elle, gêné sans savoir pourquoi, ne pensant même pas à soulever son chapeau. L'embarras restituait à son visage cette expression lourde, fruste, qu'il prenait si souvent, et qu'elle ne lui avait pas vue durant la promenade. Il ne lui tendit pas la main. Il fit un effort pour sourire, et, juste au moment de tourner les talons, avec un timide regard vers elle, il balbutia :
— « Pourquoi... ne suis-je pas toujours... ainsi... avec vous? »

Jenny n'eut pas l'air d'entendre et fila, sans se retourner, en ligne droite, à travers l'herbe. C'était presque les mêmes mots qu'elle s'était plusieurs fois répétés depuis hier. Mais, brusquement, un soupçon l'effleura, un soupçon qu'elle osait à peine formuler : peut-être Jacques avait-il voulu dire : « Pourquoi ne m'est-il pas permis de vivre toujours ainsi, auprès de vous, comme aujourd'hui? » Cette supposition la brûlait. Elle accéléra le pas et, rentrée dans sa chambre, les joues en feu, les jambes vacillantes, elle se défendit de penser.

Toute la fin de cet après-midi, elle l'employa avec fébrilité à agir : elle modifia l'arrangement de sa chambre, déplaça les meubles, mit de l'ordre dans l'armoire à linge du palier, refit tous les bouquets de la maison. Par moments, elle saisissait la petite chienne, l'étreignait, l'accablait de caresses. Quand elle dut constater, en consultant une dernière fois la pendule, que Daniel ne serait pas là pour le dîner, elle fut prise de désespoir; elle ne put se mettre à table seule, dîna d'une assiettée de fraises qu'elle mangea sur la terrasse, et, pour fuir l'interminable agonie du jour, se réfugia dans le salon, alluma toutes les lampes, et prit un recueil de Beethoven. Puis changeant d'idée, elle remit le Beethoven, s'empara d'un cahier d'*Etudes* de Chopin, et courut au piano.

Le jour semblait en effet mourir avec une particulière lenteur, parce que la clarté de la lune, levée déjà mais cachée par les arbres, s'était insensiblement substituée aux dernières lueurs du couchant.

Jacques avait, sans intention précise, glissé dans sa poche ce volume de poètes contemporains qu'il avait proposé à Jenny, et, ne pouvant supporter, ce soir, l'indifférence de la vie familiale, il était sorti pour flâner dans le parc. Sa pensée vagabondait sans qu'il pût la fixer sur rien. Moins d'une demi-heure après, il se trouvait engagé dans le chemin bordé d'acacias. « Pourvu que la porte ne soit pas fermée », songea-t-il.

Elle ne l'était pas. La clochette tinta; il tressaillit comme un intrus. Une senteur chaude et résineuse, à laquelle se mêlait un relent de fourmilière, venait de sous les sapins. Le son étouffé du piano animait à peine le jardin recueilli. Jenny et Daniel faisaient sans doute de la musique. Le salon ouvrait sur la façade opposée. Du côté où se trouvait Jacques, la maison dormait, toutes fenêtres closes; mais le toit était baigné d'une étrange lumière, et il se retourna, surpris : c'était la lune, qui, par-dessus la cime des arbres, blêmissait déjà le faîtage et faisait briller les vitres des lucarnes. Il approchait de la maison, le cœur battant, gêné de n'avoir aucun moyen d'annoncer sa présence, et il éprouva un soulagement lorsque Puce s'élança en jappant. Le son du piano devait couvrir les aboiements, car la musique ne cessa pas. Jacques se baissa, souleva la petite chienne dans ses bras, comme faisait Jenny, et frôla des lèvres le front soyeux. Puis il contourna l'aile de la maison, et se trouva sur la terrasse, devant le salon, dont la baie était ouverte et éclairée. Il approchait toujours. Il cherchait à reconnaître ce que jouait Jenny : la mélodie, comme incertaine, semblait se balancer quelque temps, flotter entre le rire et les larmes, pour s'épanouir enfin dans une région supérieure où la joie et la douleur n'existent plus.

Il était arrivé sur le seuil. Le salon lui parut vide. D'abord, il ne distingua rien que le voile de perse dont le piano était drapé, et les bibelots posés dessus. Tout à coup, dans le trou qui se creusait entre deux potiches, il aperçut un visage, un masque grimaçant, suspendu dans le halo des bougies, une Jenny que la vibration intérieure défigurait. Et l'expression de ce visage était si dépouillée, si nue, qu'il recula d'instinct, comme s'il eût surpris la jeune fille dévêtue.

Serrant toujours la chienne contre son épaule, et tremblant comme un voleur, il attendit à l'écart, dans l'ombre de la maison, que le morceau fût achevé : alors, à haute voix, il appela Puce, et parut arriver à l'instant du jardin.

Jenny avait frémi en reconnaissant sa voix et s'était levée très vite. Elle gardait sur ses traits les stigmates de son émotion solitaire, et son regard effarouché repoussait celui de Jacques comme pour défendre un secret. Il demanda :

— « Je vous ai fait peur? »

Elle fronçait les sourcils sans pouvoir articuler un son. Il continua :

— « Daniel n'est pas encore revenu? » Puis, après une courte pause : « Je vous apportais ces morceaux choisis dont je vous ai parlé tantôt. »

Il sortit gauchement le livre de sa poche. Elle le prit et le feuilleta d'un geste machinal.

Elle ne s'asseyait pas, ne lui offrait pas de s'asseoir. Jacques comprit qu'il devait partir. Il sortit sur la terrasse. Jenny le suivit.

— « Ne vous dérangez pas », bredouilla-t-il.

Elle l'accompagnait parce qu'elle ne savait comment en finir plus vite, qu'elle n'osait pas lui tendre la main, et rompre là. Dégagée des arbres, la lune éclairait tant que, lorsqu'il se tournait vers Jenny, il voyait battre ses cils. Sa robe bleue avait l'inconsistance d'une apparition.

Ils traversèrent tout le jardin sans avoir prononcé un mot.

Jacques ouvrit la petite porte et descendit sur le chemin. Jenny avait, elle aussi, sans y penser, franchi le seuil et se tenait au milieu du sentier, arrêtée devant Jacques et nimbée de lumière. Alors, sur le mur étincelant de lune, il aperçut l'ombre de la jeune fille, son profil, sa nuque, la torsade de ses cheveux, le menton, jusqu'à l'expression de la bouche, — silhouette d'un noir de velours, d'une impeccable netteté. Il la désigna du doigt. Une idée folle traversa son esprit : et, sans vouloir réfléchir, avec cette audace que seuls se permettent les timides, il se pencha vers le mur et baisa l'ombre du visage aimé.

Jenny fit une brusque retraite, comme pour lui arracher son effigie, et disparut dans l'embrasure de la porte. Le carré lumineux du jardin cessa d'être visible : la porte retomba. Jacques entendit Jenny qui s'enfuyait sur le gravier. Alors il prit son élan et partit dans la nuit.

Il riait.

Jenny s'était mise à courir, à courir, comme si l'eussent poursuivie tous les spectres blancs et noirs qui peuplaient le jardin trop silencieux. Elle s'était ruée dans la maison, avait grimpé jusqu'à sa chambre et s'était jetée sur son lit. Une sueur froide la faisait frissonner. Son cœur était douloureux; elle pressait sur son corsage ses mains qui tremblaient, et, de son front, fouillait durement l'oreiller. Toute sa volonté se tendait en un seul effort : ne se souvenir de rien! La honte l'oppressait, empêchait les larmes de monter jusqu'aux yeux. Et elle était dominée par un sentiment nouveau : la peur. La peur d'elle-même.

Puce, oubliée en bas, aboya. Daniel rentrait.

Jenny l'entendit gravir l'escalier en fredonnant, puis s'arrêter une minute près de la porte. Il n'osait frapper, voyant qu'aucune lumière ne passait par la feuillure, croyant que sa sœur dormait déjà. Pourtant, toutes les lampes du salon étaient restées allumées?... Jenny ne fit aucun mouvement; elle voulait demeurer seule, dans l'obscurité. Mais, en entendant le pas de son frère s'éloigner, elle fut saisie d'angoisse et sauta de son lit :

— « Daniel! »

A la lumière de la lampe qu'il tenait, il aperçut le visage ravagé, les prunelles fixes. Il crut que son retard avait alarmé sa sœur; il cherchait déjà des excuses, lorsqu'elle l'interrompit :

— « Non, je suis énervée », fit-elle d'une voix sifflante. « Je n'ai pas pu me débarrasser de ton ami : il m'a suivie, suivie, il ne me quittait pas ! » Elle était pâle de rage, et elle martelait chaque syllabe. Puis une onde brusque de rougeur inonda son visage, et, sanglotant tout à coup, elle s'assit, épuisée, sur son lit : « Je t'assure, Daniel, dis-lui... Chasse-le... Je ne peux pas, je t'assure, je ne peux pas ! »

Il la considérait, interdit, essayant de deviner ce qui avait bien pu se passer entre eux.

— « Mais... quoi ? » murmura-t-il. Une idée l'effleura; il hésitait à lui donner forme. Sa lèvre se releva de biais, en un sourire gêné : « Ce pauvre Jacques », insinua-t-il enfin, « peut-être bien qu'il t'... »

L'intonation était assez significative pour qu'il n'eût pas à terminer sa phrase. Il fut étonné de voir que Jenny ne tressaillait pas, et, les yeux baissés, semblait devenue indifférente. Elle se ressaisissait. Après une pause, si longue que Daniel n'espérait plus de réponse, elle dit :

— « Peut-être. » Sa voix avait repris son timbre normal.

« Elle l'aime », pensa Daniel; et cette conclusion le prit tellement à l'improviste qu'il demeura muet, frappé de stupeur.

A ce moment, Jenny rencontra le regard de son frère : elle y lut clairement ce qu'il pensait. Elle se rebella : son œil bleu eut un éclair, son visage prit une expression de défi; et, sans élever la voix, ses yeux dans les yeux de Daniel, secouant sa tête énergique, elle répéta trois fois de suite :

— « Jamais ! Jamais ! Jamais ! »

Puis, comme Daniel la considérait, indécis, mais avec une tendresse, une sollicitude d'aîné, qui la cinglait comme une offense, elle alla vers lui, releva sur le front du jeune homme une mèche indocile, et, lui donnant une tape sur la joue :

— « As-tu seulement dîné, grand fou ? »

IX

Antoine, en pyjama, debout devant la cheminée, attaquait avec un criss malais un pavé de plum-cake.

Rachel bâilla.

— « Coupe épais, mon Minou », fit-elle d'une voix paresseuse. Elle était sur le lit, les mains sous la tête, et nue.

La fenêtre était ouverte, mais aveuglée jusqu'en bas par le store de toile qui ne laissait pénétrer dans la chambre qu'une ombre chaude de tente au soleil. Paris cuisait au feu d'un dimanche d'août. Aucun bruit ne montait de la rue. La maison, elle aussi, était silencieuse, vide peut-être, sauf à l'étage au-dessus, où sans doute Aline lisait tout haut le journal pour distraire Mme Chasle et la petite convalescente, condamnée plusieurs semaines encore à la position horizontale.

— « J'ai faim », constata Rachel, ouvrant une gueule rose de chatte.

— « L'eau ne peut pas bouillir encore. »

— « Tant pis ! Donne. »

Il mit une large tranche de cake dans l'assiette, qu'il vint poser sur le bord du lit. Elle tourna lentement le haut du torse, sans quitter la pose étendue, et, s'appuyant sur le coude, la tête renversée, elle commença de goûter, pinçant entre deux doigts des fragments de gâteau, qu'elle faisait tomber dans sa bouche.

— « Et toi, chéri ? »

— « J'attends le thé », dit-il, en se laissant choir dans les coussins de la bergère.

— « Fatigué ? »

Il lui sourit.

Le lit était bas, entièrement découvert. La soie rose des rideaux s'arrondissait au fond de l'alcôve, où la nudité de Rachel, glorieusement étalée, semblait reposer, comme une figure allégorique, au creux d'une coquille transparente.

— « Si j'étais peintre... », murmura Antoine.

— « Tu vois que tu es fatigué », observa Rachel avec un sourire rapide. « Quand tu deviens artiste, c'est que tu es fatigué. »

Elle rejeta la tête en arrière, et son visage se perdit dans l'ombre, sur la litière flamboyante des cheveux. Une lumière rayonnait de ce corps nacré. La jambe droite, mollement abandonnée en faucille, s'enfonçait dans le matelas; l'autre, relevée au contraire et pliée, faisait saillir la courbe de la cuisse, et dressait dans le jour sa rotule d'ivoire.

— « J'ai faim », gémit-elle. Et comme il s'approchait pour prendre l'assiette vide, elle lui lança autour du cou ses deux bras virils, et attira son visage.

— « Oh! cette barbe », fit-elle, sans le repousser, « quand donc nous en délivreras-tu? »

Il se releva, jeta vers la glace un œil inquiet, et fut chercher un second morceau de cake.

— « Ce qui me plaît tant chez toi, c'est ça », déclara-t-il, tandis qu'elle mordait la tranche à belles dents.

— « Mon appétit? »

— « Ta santé. Ce corps où le sang circule bien. Tu es tonique!... Moi aussi, la carcasse est bonne », ajouta-t-il cherchant de nouveau la glace pour s'y mirer : il carrait les épaules, redressait et dilatait le buste, sans s'apercevoir à quel point ses membres restaient grêles pour le volume de la tête; il s'imaginait toujours que sa structure physique avait la même apparence de vigueur que l'expression voulue de ses traits. Cette sensation de force, de plénitude, s'était, depuis deux semaines, accrue jusqu'à l'outrecuidance, de tout ce que l'amour exaltait en lui. « Sais-tu? » conclut-il, « nous sommes l'un et l'autre bâtis pour vivre un siècle. »

— « Ensemble? » murmura-t-elle, les yeux tendres, à demi clos. Et ce fut une pensée triste qui l'effleura : la crainte de ne pas conserver toujours ce goût qu'elle avait de lui et qui la rendait si heureuse.

Elle ouvrit les yeux, palpa ses jambes, glissa ses mains tout le long de sa chair élastique, et affirma :

— « Oh! moi, si on ne me tue pas, je suis sûre de vivre très vieille. Mon père avait soixante-douze ans quand je l'ai perdu, et il était solide comme un homme de cinquante. Il est mort des suites d'un coup de soleil, par accident. D'ailleurs, on meurt d'accident, chez nous. Mon frère est mort noyé. Et moi aussi, je mourrai d'accident : d'un coup de revolver. J'ai toujours eu cette idée-là. »

— « Et ta mère? »

— « Ma mère? Elle n'est pas morte. Chaque fois, je la trouve rajeunie. C'est vrai, aussi, que la vie qu'elle mène... » Elle ajouta, sans intonation particulière : « Elle est enfermée à Sainte-Anne. »

— « A l'asile des...? »

— « Je ne t'avais pas dit ça? » Elle sourit comme pour s'excuser, et reprit complaisamment : « Voilà dix-sept ans qu'elle est là-dedans. Je me souviens à peine d'elle. A neuf ans, tu penses! Elle est gaie, elle ne paraît souffrir de rien, elle chante... Nous sommes résistants dans la famille... Ton eau bout. »

Il se hâta vers le réchaud, et, tandis que le thé infusait, il se pencha vers la coiffeuse, cachant sa barbe d'une main et cherchant à imaginer l'aspect de son visage rasé. Non. Elle lui plaisait, cette masse sombre à la base de sa figure : elle laissait tant d'importance au rectangle clair du front, au pli des sourcils, au regard! Et puis, il craignait instinctivement de démasquer la bouche, comme si c'eût été un aveu compromettant.

Rachel s'assit sur le lit pour boire son thé, alluma une cigarette, et se renversa de nouveau.

— « Viens près de moi. Qu'est-ce que tu fais à bouder là-bas? »

Gaiement il se glissa près d'elle et se pencha sur son visage. L'odeur de la chevelure dénouée montait vers lui dans la tiédeur de l'alcôve : une odeur excitante à la fois et douce, une odeur tenace, un peu écœurante, que tour à tour il recherchait et redoutait, parce que, après l'avoir trop longtemps respirée, il en demeurait imprégné jusqu'au fond de la gorge.

— « Qu'est-ce que tu veux? » dit-elle.

— « Je te regarde. »

— « Mon Minou... »

Dès qu'il se fut détaché de ses lèvres, il reprit sa pose : il plongeait curieusement dans les yeux de Rachel.

— « Qu'est-ce que tu regardes donc? »

— « Je cherche tes prunelles. »

— « Elles sont donc bien difficiles à trouver? »

— « Oui, à cause de tes cils. Ça fait comme un brouillard doré devant tes yeux. C'est ça qui te donne cet air... »

— « Quel air? »

— « Enigmatique. »

Elle haussa les épaules et déclara :

— « Elles sont bleues, mes prunelles. »

— « Tu crois ça? »

— « Bleu argent. »

— « Pas du tout », fit-il, posant de nouveau ses lèvres sur celles de Rachel et les retirant aussitôt par jeu. « Elles sont tantôt grises et tantôt mauves, tes prunelles. Une couleur trouble, pas franche. »

— « Merci. » Elle riait et faisait virer ses yeux de droite et de gauche.

Lui, songeait, la contemplant : « Quinze jours... Il me semble qu'il y a des mois. Pourtant, je n'aurais pas pu dire la couleur de ses yeux. Et, de sa vie, qu'est-ce que je connais? Vingt-six années vécues sans moi, dans un univers si différent du mien! Vécues : c'est-à-dire pleines de choses, d'expériences De choses mystérieuses, d'ailleurs; et que je commence à découvrir peu à peu... » Il ne s'avouait pas à lui-même tout le plaisir qu'il prenait à ces découvertes. Encore moins le lui laissait-il voir, à elle : il ne lui demandait jamais rien. Mais elle bavardait volontiers. Il l'écoutait, réfléchissait, rapprochait des détails, des dates, cherchait à comprendre, s'étonnait surtout, s'étonnait sans cesse, et s'appliquait à n'en rien montrer jamais. — Par dissimulation? — Non. Mais, depuis si longtemps, son attitude devant les autres était de paraître savoir! Il n'avait appris à interroger que ses malades. La curiosité, la surprise, étaient au nombre des sentiments que son orgueil l'avait habitué à masquer le mieux sous des airs entendus et attentifs.

— « Tu me regardes aujourd'hui comme si tu ne me connaissais pas », dit-elle. « Non, assez, laisse donc! »

Elle s'impatientait. Elle avait fermé les yeux pour se dérober à cette investigation. Il voulut soulever les paupières avec ses doigts.

— « Assez, non, c'est fini, je ne veux plus te laisser regarder dans mon regard », déclara-t-elle, pliant son bras nu devant ses yeux.

— « Tu veux donc me cacher des choses, petit sphinx? » Il baisa, depuis l'épaule jusqu'à l'attache du poignet, le beau bras luisant.

« Est-elle cachottière? » se demanda-t-il. « Non... Une certaine réserve; mais pas de cachotterie. Au contraire, elle se raconte avec plaisir. Elle devient même de jour en jour plus loquace... Parce qu'elle m'aime », songea-t-il, ravi, « parce qu'elle m'aime! »

Elle lui passa le bras autour du cou, l'attira une fois encore contre son visage, puis soudain, sur un ton sérieux :

— « C'est vrai, tu sais : on n'imagine pas du tout ce qu'on peut laisser voir, rien que dans un regard! » Elle se tut. Il entendit au fond de la gorge ce petit rire silencieux qui lui échappait souvent lorsqu'elle évoquait le passé. « Tiens, je me rappelle : c'est par un regard, un simple regard, que j'ai découvert le secret d'un homme avec lequel je vivais depuis des mois. A table. Dans un restaurant, à Bordeaux. Nous étions l'un en face de l'autre. Nous causions. Nos yeux allaient et venaient de nos assiettes à nos visages, ou bien parcouraient rapidement la salle. Tout à coup, — je n'oublierai jamais ça —, j'ai surpris, mais à peine l'espace d'une seconde, j'ai saisi son regard qui se fixait derrière moi, avec une expression... C'était si fort que je me suis retournée d'un seul coup, malgré moi, pour voir... »

— « Eh bien? »

— « Eh bien, c'est pour te dire », reprit-elle d'un autre ton, « il faut se méfier de ses regards. »

Antoine fut sur le point d'insister : « Mais ce secret? » Il n'osa pas. Il avait une peur extrême de paraître naïf en risquant des questions oiseuses; deux ou trois fois déjà, il s'était hasardé à solliciter une explication de ce genre, et Rachel l'avait regardé, surprise, amusée, riant d'un petit air moqueur qui l'avait profondément humilié.

Il se tut donc. Ce fut elle qui reprit :

— « Ça m'attriste, ces vieilles histoires... Embrasse. Encore. Mieux que ça. » Mais elle n'avait pas fini d'y songer, car elle ajouta : « D'ailleurs, quand je dis *son* secret, c'est *un de ses* secrets que je devrais dire! Avec ce bonhomme-là, on n'en aura jamais fini de tout découvrir. »

Et, pour échapper à ses souvenirs, peut-être aussi à l'interrogation muette d'Antoine, elle se détourna tout entière d'un mouvement si lent, si onduleux, que son corps semblait annelé.

— « Es-tu souple! » dit-il, en la caressant comme on flatte une bête de sang.

— « Vraiment? Savez-vous que j'ai fait dix ans de classes à l'Opéra? »

— « Toi? A Paris? »

— « Oui, monsieur. J'étais même premier sujet quand j'ai quitté. »

— « Il y a longtemps? »

— « Six ans. »

— « Et pourquoi as-tu quitté? »

— « Les jambes. » Son visage s'assombrit un instant. « Après ça, j'ai failli devenir écuyère », reprit-elle presque aussitôt. « Dans un cirque. Ça t'étonne? »

— « Non », déclara-t-il résolument. « Dans quel cirque? »

— « Oh, pas en France. Dans un grand truc international que Hirsch, en ce temps-là, promenait à travers le monde. Tu sais, Hirsch, l'ami dont je t'ai parlé, le type qui est au Soudan égyptien. Il voulait tirer parti de mes dispositions; mais je n'ai pas marché! » Elle s'amusait, tout en parlant, à plier et à allonger l'une et l'autre de ses jambes, avec une dextérité retenue de gymnasiarque. « Une idée qu'il avait », poursuivit-elle; « parce qu'il m'avait fait faire un peu de voltige, autrefois, à Neuilly. J'adorais ça. Nous avions des chevaux superbes, et dame! on en profitait. »

— « Vous habitiez Neuilly? »

— « Pas moi. Lui. Il était propriétaire du manège de Neuilly, à cette époque-là. Il a toujours eu la passion des chevaux. Moi aussi. Et toi? »

— « Je monte un peu », dit-il en se redressant. « Mais les occasions m'ont manqué. Le temps aussi. »

— « Moi, des occasions, j'en ai eu. Quelques-unes! Nous sommes restés une fois vingt-deux jours en selle! »

— « Où ça ? »

— « En plein bled, au Maroc. »

— « Tu as été au Maroc? »

— « Deux fois. Hirsch vendait d'anciens fusils Gras aux harkas du Sud. Une vraie expédition. Un jour, notre douar a été attaqué pour de bon. On s'est battu une nuit et un jour... non, une nuit entière, sans rien voir, c'était effrayant, et toute la matinée du lendemain. C'est rare qu'ils attaquent de nuit. Ils nous ont tué dix-sept porteurs et ils en ont blessé plus de trente. Je me couchais entre les caisses à chaque fusillade. Mais j'ai tout de même écopé un peu. »

— « Ecopé? »

— « Oui », dit-elle en riant. « Un rien, une éraflure. » Elle désignait, sous les côtes, au pli de la taille, une cicatrice soyeuse.

— « Pourquoi m'as-tu dit que tu avais fait une chute de voiture? » demanda Antoine, qui ne souriait pas.

— « Oh! » fit-elle avec un haussement d'épaules, « c'était notre premier jour. Tu aurais cru que je voulais me rendre intéressante. »

Ils se turent.

« Elle est donc capable de me mentir? », se dit Antoine.

Les yeux de Rachel devinrent rêveurs, puis brillèrent à nouveau, mais d'une lueur haineuse qui s'éteignit très vite :

— « Il s'imaginait alors que je le suivrais partout et toujours. Il se trompait. »

Antoine éprouvait une satisfaction trouble, chaque fois qu'elle lançait vers son passé ce regard de rancune. Il avait envie de lui dire : « Reste avec moi. Toujours. » Il mit sa joue contre la cicatrice et s'y attarda. Son oreille, professionnelle malgré lui, suivait au fond de la poitrine sonore le moelleux va-et-vient vésiculaire, et percevait, lointain mais net, le tic-tac généreux du cœur. Ses narines palpitèrent. Dans la chaleur du lit, le corps entier de Rachel exhalait la même senteur que sa chevelure, mais plus discrète et comme nuancée : une odeur enivrante et fade, avec des pointes poivrées; un relent de moiteur, qui faisait songer aux arômes les plus disparates, au beurre fin, à la feuille de noyer, au bois blanc, aux pralines à la vanille; moins une odeur, à tout prendre, qu'un effluve, ou même qu'une saveur : car il en restait comme un goût d'épices sur les lèvres.

— « Ne me parle plus de tout cela », reprit-elle; « et passe-moi une cigarette... Non : les nouvelles, sur la petite table... C'est une amie qui me les fabrique : il y a un peu de thé vert mêlé au maryland; ça sent le feu de feuilles, le campement dehors, je ne sais quoi, l'automne et la chasse; tu sais, ce parfum de la poudre, quand on a tiré sous bois, et que la fumée se dissipe mal dans le brouillard? »

Il s'étendit de nouveau le long d'elle, dans les spirales du tabac. Ses mains caressaient le ventre de Rachel, lisse et d'une blancheur presque phosphorescente, à peine rosée : un ventre spacieux, comme une vasque creusée au tour. Elle avait conservé, de ses voyages sans doute, l'habitude des onguents orientaux, et cette chair de femme gardait la fraîcheur, la netteté impubère, d'un corps d'enfant.

— « *Umbilicus sicut crater eburneus* », murmura-t-il, citant de mémoire et tant bien que mal un passage de ce *Cantique des Cantiques* qui l'avait si fort troublé vers sa seizième année. « *Ventur tuus sicut*... euh... *sicut cupa!* »

— « Qu'est-ce que ça veut dire? » demanda-t-elle, se relevant à demi. « Attends, laisse-moi deviner. *Culpa*, je sais : *mea culpa;* ça veut dire faute, péché. Hein? *Ton ventre est un péché?* »

Il éclata de rire. Depuis qu'il vivait près d'elle, il ne refoulait plus sa gaieté.

— « Non : *cupa... Ton ventre est pareil à une coupe* », rectifia-t-il, en appuyant la tête sur le flanc de Rachel. Et continuant ses citations approximatives : « *Quam pulchrae sunt mammae tuae, soror mea!* Qu'ils sont beaux tes seins, ô ma sœur! *Sicut duo* (je ne sais plus quoi) *gemelli qui pascuntur in liliis!* Comme deux petites chèvres broutant parmi les lis! »

Elle les soulevait tour à tour avec sollicitude et les considérait avec un sourire attendri, comme une couple de petits animaux fidèles.

— « C'est très rare, les pointes roses, franchement roses, roses comme des boutons de pommier », affirma-t-elle avec le plus grand sérieux. « Toi, un médecin, tu as dû remarquer ça? »

Il répondit :

— « Ma foi, c'est vrai. Un épiderme sans granulation pigmentaire. Du blanc, du blanc, et puis des ombres roses. » Fermant les yeux, il se blottit le plus près possible d'elle. « Ah, tes épaules... », reprit-il, d'une voix somnolente. « J'ai horreur des petites épaules frileuses des trottins. »

— « Vrai? »

— « Ces rondeurs dodues... Ces beaux plis fermes... Cette chair de savon... J'aime ça. Ne bouge plus. Je suis bien. »

Et tout à coup un souvenir très pénible le cingla. « Chair de savon... » C'était peu de jours après l'accident de Dédette, un soir qu'il avait voyagé avec Daniel en revenant de Maisons. Ils étaient seuls dans leur compartiment, et Antoine, qui ne pouvait penser à autre chose qu'à Rachel, cédant aussi au plaisir de pouvoir enfin conter une aventure à ce connaisseur, n'avait pu se retenir, durant le trajet, de faire à Daniel un récit de la tragique veillée : l'opération *in extremis,* l'attente anxieuse au chevet de la petite, puis son désir subit de la belle fille rousse endormie contre lui sur le divan; et il avait employé ces mêmes termes : « rondeurs dodues... chair de savon... » Mais il n'avait pas osé raconter la suite; et, — lorsqu'il en était venu au moment où, descendant à l'aube l'escalier des Chasle, il avait aperçu, ouverte, la porte de Rachel, — il avait ajouté, moins par discrétion que par un stupide souci de donner au jeune homme une preuve de sa volonté : « M'attendait-elle? Devais-je profiter des circonstances?... Ma foi, j'ai pris sur moi, j'ai fait semblant de ne pas voir, et j'ai passé. Qu'est-ce que vous auriez fait à ma place? » Alors Daniel, qui jusque-là écoutait en silence, l'avait dévisagé, et lui avait assené ceci : « J'aurais fait exactement comme vous, — menteur! »

Antoine avait encore dans l'oreille le ton de la voix de Daniel, gouailleur, sceptique, blessant, mais où restait cependant juste assez de bonhomie pour qu'il fût impossible de le prendre mal. Et ce souvenir, chaque fois, le piquait à vif. Menteur... C'était vrai que, parfois, il lui arrivait de mentir : ou, plus exactement, d'avoir menti.

« Rondeur dodue... », songeait de son côté Rachel.

— « Je vais peut-être devenir une grosse dame », dit-elle. « Les juives, tu sais... Mais ma mère ne l'était pas, je ne suis qu'une demi-portion de yiddish. Ah! si tu m'avais connue il y a seize ans, quand je suis entrée dans la classe préparatoire! Une vraie petite souris rousse... »

Avant qu'il eût pu la retenir, elle avait glissé hors du lit.

— « Qu'est-ce qui te prend? »

— « Une idée. »

— « On prévient. »

— « Mieux vaut pas », fit-elle, riant, et échappant au bras tendu.

— « Loulou... Viens dormir! », murmura-t-il d'une voix fléchissante.

— « Fini dodo. On met les housses », dit-elle, en enfilant son peignoir.

Elle courut à son secrétaire, l'ouvrit, prit un tiroir plein de photographies, et revint s'asseoir au bord du lit, le tiroir sur ses genoux joints.

— « J'adore ça, les vieilles photos. Souvent, le soir, je prends le tas, je me couche avec, et, pendant des heures, je remue ça, je pense... Reste tranquille... Tiens, regarde. Ça ne t'ennuie pas? »

Antoine, ramassé derrière elle en chien de fusil, se redressa, intrigué, et s'accouda confortablement. Il voyait de profil le visage de Rachel penché vers les photos, un visage assagi, où les cils, abaissés sur la joue, bordaient d'un trait de gomme-gutte la boutonnière mince de l'œil. La chevelure, relevée en hâte, et qu'il apercevait à contre-jour, ressemblait à un casque fait d'écheveaux de soie floche, presque orangée; mais, dès qu'elle agitait la tête, sur le coin de la tempe et sur la nuque, des étincelles semblaient crépiter.

— « La voilà, celle que je cherchais. Tu vois, cette petite danseuse? C'est moi. J'ai même dû me faire attraper, ce jour-là, pour avoir chiffonné les volants de mon tutu, en les écrasant comme ça contre le mur. Crois-tu? Ces cheveux sur les épaules, ces coudes pointus, et ce corsage plat, à peine échancré. J'avais pas l'air gai, hein? Et là, tiens, j'étais déjà en troisième année : les mollets devenaient meilleurs. Ça, c'est la classe. Tu nous vois à la barre? M'as-tu trouvée, seulement? Oui, c'est ça. Et celle-ci, c'est Louise. Ça ne te dit rien? Eh bien, c'est la fameuse Phytie Bella, qui a fait ses classes avec moi, et qui, dans ce temps-là, s'appelait Louise tout court. Même Louison. On se disputait les places. Moi aussi, je serais peut-être première étoile aujourd'hui, sans mes phlébites... Tiens, veux-tu voir Hirsch? Ah, ça t'intéresse, ça? Le voilà. Comment le trouves-tu? Tu ne le croyais pas si âgé, je suis sûre? Mais il porte gaillardement sa cinquantaine, je te promets. L'horrible homme! Regarde son cou, cette nuque énorme, engoncée dans les épaules : quand il tourne la tête, tout le reste vient avec. A le voir, au premier abord, on dirait je ne sais quoi : un maquignon, un entraîneur. N'est-ce pas? Sa fille lui disait toujours : " Milord, tu as l'air d'un marchand d'esclaves. " Ça le faisait rire, lui; de son gros rire en dedans. Regarde tout de même son crâne, ce nez large et busqué, le pli de la bouche. Il est laid, mais ce n'est pas n'importe qui. Et les yeux! Il aurait encore plus l'aspect d'une brute, s'il n'avait pas cette sorte d'yeux-là : je ne sais comment dire. A-t-il l'air sûr de lui, prêt à tout, violent? Hein? Violent et sensuel? Ah! s'il aime la vie, celui-là!! J'ai beau le détester, on a envie de dire comme pour certains dogues, tu sais : " Il est beau de laideur. " Tu ne trouves pas, toi?... Tiens : papa! Papa au milieu de ses ouvrières. Il était toujours comme ça, en manches de chemise, avec sa barbiche blanche, ses ciseaux pendus. Il vous faisait un costume avec trois chiffons et quatre épingles. C'est pris dans son atelier, ça. Tu vois les mannequins drapés, au fond, et les maquettes sur le mur? Il était devenu costumier de l'Opéra, il ne travaillait plus pour d'autres. Mais tu peux encore demander aux gens de l'Opéra ce qu'on pensait du père Goepfert. Quand il a fallu enfermer ma mère, qu'il est resté seul avec moi, il a espéré que je travaillerais avec lui, pauvre vieux; qu'il pourrait me laisser sa boîte. Ça rapportait beaucoup d'argent. La preuve, c'est que je peux vivre, sans rien faire. Mais tu sais ce que c'est, une gosse qui voyait toujours l'atelier plein d'actrices! Je n'avais qu'une idée : être danseuse. Il m'a laissée faire. Il m'a remise lui-même entre les mains de la mère Staub. Et, quand il a vu que ça marchait, il a été content. Il me parlait souvent de mon avenir. S'il me voyait aujourd'hui, le pauvre vieux, devenue n'importe qui! Ah, tu sais, j'ai pleuré quand il m'a fallu lâcher tout. Les femmes, en général, elles n'ont pas d'ambition, elles se laissent vivre. Mais nous, au théâtre, on se cramponne pour arriver, on lutte, et on prend vite goût à cette lutte; au moins autant qu'au succès. Alors, ça paraît affreux, quand il faut renoncer, vivre comme tout le monde, ne plus avoir d'avenir devant soi!... Tiens, ça, ce sont des photos de voyages. En vrac. Ça, c'est un déjeuner que nous avons fait, je ne sais plus où, dans les Karpates. Hirsch était venu chasser. Tu vois, il avait laissé pousser de grandes moustaches tombantes, il avait l'air d'un sultan. Le prince l'appelait toujours Mahmoud. Tu vois le type basané, debout, derrière moi? C'est le prince Pierre, qui est devenu roi de Serbie. Il m'avait donné ces deux lévriers blancs, qui sont couchés au premier plan : couchés comme toi, tout à fait comme toi... Et celui-là qui rit, tu ne trouves pas qu'il me ressemble? Regarde bien. Non? C'est pourtant mon frère. Oui, c'est lui. Il était brun comme papa, tandis que moi je suis blonde comme ma mère... — enfin blonde, blond ardent, quoi! Es-tu bête! Rousse, là, si tu veux. Mais, moralement, c'est moi qui tenais de papa, et c'est mon frère qui avait des ressemblances avec ma mère. Tiens : dans celle-là, on le voit encore mieux... De ma mère, je n'ai aucune photo, rien; papa a tout détruit. Il ne m'en parlait jamais. Et jamais il ne m'a emmenée à Sainte-Anne. Pourtant, lui, il y allait deux fois par semaine, et ça, durant neuf années, sans manquer une fois. Les gardiennes me l'ont raconté depuis. Il s'asseyait devant ma mère, et il restait avec elle une heure, quelquefois davantage. Pour rien, puisqu'elle ne le reconnaissait pas; ni lui ni personne. Mais il l'adorait. Il était beaucoup plus vieux qu'elle. Il ne s'est jamais remis de ces histoires. Je me rappelle très bien le soir où on est venu chercher papa à l'atelier parce que ma mère avait été arrêtée. Oui, au Louvre. Elle avait volé de la bonneterie à l'étalage. Crois-tu, Mme Goepfert, la costumière de l'Opéra! On a trouvé dans son manchon des chaussettes d'homme, un tricot d'enfant! On l'a relâchée tout de suite, on a dit qu'elle était cleptomane. Tu connais bien ça, toi? C'était sa maladie qui commençait... Eh bien, mon frère tenait beaucoup d'elle. Il a eu des histoires terribles, des histoires de banque. Hirsch s'en est mêlé. Mais il serait devenu comme elle, un jour ou l'autre, sans son accident... Ça, non laisse... Laisse donc! Puisque je t'affirme que ce n'est pas moi! C'est... une petite filleule. Qui est morte... Regarde plutôt ça. C'est... c'est aux portes... de Tanger... Non, fais pas attention, mon Minou, c'est fini, tu vois, je ne pleure plus... La plaine de Boubana : le campement de la mehalla de Si Guebbas. Et ça, c'est moi, près du marabout de Sidi-Bel-Abbès. Tu vois Marrakech dans le fond?... Tiens, ça, c'est à côté de Missoum-Missoum, ou bien de Dongo, je ne sais plus. Ce sont deux chefs Dzems. J'ai eu du mal à les prendre. Des anthropophages. Mais oui, ça existe encore... Ah, ça, c'est horrible. Tu ne vois rien? Mais si, là, ce petit tas de pierres. Tu vois maintenant? Eh bien, il y a une femme là-dessous. Lapidée! C'est horrible. Figure-toi une brave femme que son mari a abandonnée, sans raisons, pendant trois ans. Il avait disparu. Elle l'a cru mort, elle s'est remariée. Et, deux ans après ce mariage, il est revenu. La bigamie, dans ces tribus-là, c'est un crime inouï. Alors, on l'a lapidée... Hirsch m'avait forcée à venir de Méched, exprès pour voir ça; mais je me suis sauvée au diable, à cinq cents mètres. J'avais vu la femme traînée dans le village, le matin du supplice; ça m'avait déjà rendue malade. Lui, il a tout regardé, il avait voulu être au premier rang... Ecoute : il paraît qu'on avait creusé un trou, une fosse très profonde. Et puis, on a amené la femme. Et elle s'y est couchée, d'elle-même, sans dire un mot. Crois-tu? Elle ne disait rien, mais la foule hurlait : je les entendais crier la mort, j'étais pourtant loin... C'est leur grand-prêtre qui a commencé. Il a d'abord lu la sentence. Et puis, le premier, il a pris un énorme moellon, et il l'a lancé de toutes ses forces dans le trou. Hirsch m'a dit qu'elle n'avait pas crié. Mais ça a déchaîné la foule. Il y avait de gros tas tout préparés, chacun puisait dedans et lançait des blocs de pierre dans le trou. Hirsch m'a juré que, lui, il n'en avait pas jeté. Quand la fosse a été comblée (et même, tu vois, par-dessus bord), ils l'ont piétinée en poussant de grands cris, et puis tout le monde est parti. Alors Hirsch m'a forcée à revenir pour prendre ce cliché, parce que c'est moi qui avais l'appareil. Il a bien fallu que je vienne... Tiens, rien que d'y penser, tu vois si le cœur me saute. Elle était là-dessous... Morte, — probablement... Ah! non, pas ça, pstt!! »

Antoine qui avançait sa tête par-dessus l'épaule de Rachel n'eut pas le temps de distinguer autre chose qu'un enchevêtrement de membres nus. Rachel lui avait brusquement appliqué la main sur les yeux; et la chaleur de cette paume contre ses paupières lui rappela, un peu moins crispé mais exactement le même, le geste qu'elle faisait à l'instant de son plaisir, pour dérober à son amant la vue de son visage pâmé. Il se débattit en jouant. Mais elle s'était levée d'un bond, serrant contre son peignoir une poignée de photographies liées ensemble.

Elle courut au secrétaire, et, riant, glissa la liasse dans un tiroir qu'elle ferma d'un tour de clef...

— « D'abord, ça n'est pas à moi », dit-elle. « Je n'ai pas le droit d'en disposer. »

— « A qui sont-elles ? »

— « A Hirsch. »

Elle revint s'asseoir auprès d'Antoine :

— « Tu vas être sage, maintenant, tu promets ? On continue. Ça ne t'ennuie pas ?... Tiens : ça, c'est encore une expédition... Une expédition à ânes dans les bois de Saint-Cloud. Tu vois, on commençait à porter des manches kimono. Ce qu'il était chic, mon petit costume !... »

X

« Je me mens sans cesse », pensait Mme de Fontanin, « si j'étais franche avec moi-même, je n'espérerais rien. »

Debout près d'une des fenêtres du salon, elle suivit un moment des yeux, sans soulever le rideau de tulle, les allées et venues, dans le jardin, de Jérôme, Daniel et Jenny.

« Comme les êtres les plus droits peuvent vivre à l'aise dans le mensonge! » se dit-elle. Mais, de même qu'il lui arrivait souvent de ne pouvoir s'empêcher de sourire, de même elle ne pouvait empêcher son bonheur de monter par moments en elle, comme un flot.

Elle quitta la croisée et vint sur la terrasse. C'était l'heure où les yeux se fatiguent à vouloir discerner les contours; le ciel était moiré, et de pâles étoiles y paraissaient déjà. Mme de Fontanin s'assit. Ses regards errèrent un instant sur l'horizon familier. Elle soupira. Elle savait bien que Jérôme ne continuerait pas à vivre auprès d'elle, comme il faisait depuis deux semaines : elle savait bien que ce foyer retrouvé serait, une fois de plus, éphémère! Est-ce que, dans l'attitude même de Jérôme à son égard, dans sa tendresse empressée, elle ne retrouvait pas, avec un plaisir mêlé de crainte, celui qu'il avait toujours été? N'était-ce pas une preuve qu'il n'avait pas changé, et qu'il s'en irait bientôt, ainsi qu'il avait toujours fait? Déjà, il n'était plus le Jérôme vieilli, prostré, qu'elle avait ramené de Hollande, et qui s'accrochait à elle comme un naufragé. Déjà, malgré les airs d'enfant puni qu'il prenait dès qu'il était seul avec elle, malgré les soupirs résignés et dignes qu'il laissait échapper dès qu'il se souvenait de son deuil, déjà il avait sorti de sa malle des costumes d'été, et pris, à son insu, une mine rajeunie. Ce matin même, lorsque avant le déjeuner elle lui avait dit : « Allez donc chercher Jenny au club, cela vous promènera un peu », il avait fait semblant de céder avec indifférence à son conseil; mais il s'était levé sans se faire prier et, peu après, elle l'avait vu sortir d'un pas rapide, en pantalon de flanelle blanche, la taille redressée dans un veston clair; même, elle l'avait surpris cueillant au passage un brin de jasmin pour sa boutonnière.

A ce moment, Daniel s'aperçut que sa mère était seule et vint la rejoindre. Depuis le retour de son mari, Mme de Fontanin se sentait un peu gênée devant son fils. Daniel n'était pas sans l'avoir remarqué : aussi multipliait-il ses visites à Maisons et s'efforçait-il d'être plus attentionné que jamais, désirant ainsi faire entendre qu'il devinait bien des choses et ne désapprouvait rien.

Il s'allongea dans un fauteuil de toile, très bas, un fauteuil qu'il affectionnait, et il sourit à sa mère en allumant une cigarette. (Comme il avait les mains, les gestes de son père!)

— « Tu ne repars pas ce soir, mon grand? »

— « Mais si, maman. J'ai un rendez-vous de bonne heure, demain. »

Il se mit à parler de ses travaux, ce qu'il faisait rarement : il préparait pour la rentrée un numéro de *l'Education esthétique*, consacré aux plus jeunes écoles de peinture en Europe, et le choix de nombreuses reproductions, qui devaient illustrer le texte, l'amusait fort. Puis la conversation tomba.

Le silence était plein des murmures du soir, que dominait, sous la terrasse, le crissement des grillons dans le saut de loup de la forêt; un goût d'aromates brûlés passait par moments dans le souffle qui traversait les sapins et qui faisait bruire sur le sable les feuilles fibreuses et les écorces des platanes. Une chauve-souris vint, de son battement d'ailes précipité et mou, frôler les cheveux de Mme de Fontanin; celle-ci ne put retenir un léger cri.

— « Seras-tu là, dimanche? » demanda-t-elle.

— « Oui je viendrai demain pour deux jours. »

— « Tu devrais inviter ton ami à déjeuner... Je l'ai

justement rencontré hier, dans le village. » Elle ajouta, — un peu parce qu'elle le pensait réellement, un peu parce qu'elle attribuait à Jacques les qualités qu'elle croyait remarquer chez Antoine, un peu aussi pour faire plaisir à Daniel — : « Quelle nature sincère et généreuse! Nous avons fait un long bout de chemin ensemble. »

Le visage de Daniel s'assombrit. Il se rappela l'étrange surexcitation de Jenny, le soir de la promenade en forêt avec Jacques.

« Petite âme mal poussée, mal partie, sans équilibre », songea-t-il avec chagrin; « trop mûrie par la réflexion, la solitude, les lectures... Et tellement ignorante de la vie! Qu'y puis-je? Elle se défie un peu de moi, maintenant. Si seulement elle avait une santé solide : mais des nerfs de petite fille! Et ce romantisme! Ce besoin de se croire incomprise, ce perpétuel refus de s'expliquer! Un orgueil silencieux qui envenime tout! A moins que ce ne soit un reste de l'âge ingrat? »

Il changea de siège, vint s'asseoir plus près de sa mère, et, par acquit de conscience :

— « Dis-moi, maman, tu n'as rien remarqué dans l'attitude de Jacques avec vous? Avec Jenny? »

— « Avec Jenny? » répéta Mme de Fontanin. Ces deux mots, jetés par Daniel, cristallisaient soudain en elle une inquiétude latente. Une inquiétude? Moins que cela peut-être : une de ces impressions flottantes dont son extrême sensibilité avait enregistré le message sans le bien traduire. Alors l'angoisse l'étreignit; un élan de ferveur éleva son cœur vers l'Esprit : « Ne nous abandonne pas! » pria-t-elle.

Les promeneurs revenaient.

— « Vous ne mettez rien sur vous, Amie? » s'écria Jérôme. « Méfiez-vous, il fait bien moins chaud ce soir que les autres jours. »

Il pénétra dans le vestibule et revint avec une écharpe dont il enveloppa les épaules de sa femme. Puis, s'apercevant que Jenny traînait sur le sable la chaise-longue d'osier où elle avait ordre de s'étendre après les repas, et qui était restée sous les platanes, il s'empressa d'accourir à son aide, et de l'installer.

Il avait eu quelque peine à apprivoiser cet oiseau farouche. Jenny avait vécu, toute son enfance, si près de sa mère, qu'elle avait subi le contrecoup des souffrances maternelles, et qu'elle avait, très jeune, porté sur son père un jugement sans indulgence. Mais Jérôme, ravi de retrouver une Jenny transformée, presque une femme, avait multiplié les prévenances et déployé auprès d'elle ses plus délicates séductions, avec tant de bonne grâce et de discrétion à la fois, que la jeune fille n'y était pas demeurée insensible. Aujourd'hui, vraiment, le père et la fille avaient causé sans prévention, comme deux amis, et Jérôme en était encore tout remué.

— « Vos roses embaument, ce soir, Amie », déclara-t-il en s'abandonnant au va-et-vient d'un fauteuil à bascule; « les *Gloire de Dijon* du pigeonnier ne sont qu'une fleur. »

Daniel s'était levé.

— « C'est l'heure », dit-il; et s'approchant de sa mère, il l'embrassa sur le front.

Elle prit à deux mains le visage du jeune homme, le considéra un instant de près, et murmura :

— « Mon grand fils! »

— « Eh bien, je t'accompagne jusqu'à la gare », proposa Jérôme. Sa promenade du matin l'incitait à s'évader un peu de ce jardin où il avait vécu deux semaines cloîtré. « Tu ne viens pas, Jenny? »

— « Je vais rester avec maman. »

— « Tiens, passe-moi une cigarette », dit Jérôme en prenant le bras de Daniel. (Depuis son retour, ne voulant pas sortir pour acheter du tabac, il s'était privé de fumer.)

Mme de Fontanin accompagna du regard les deux hommes qui s'éloignaient. Elle entendit la voix de Jérôme qui demandait :

— « Crois-tu que je trouverai du tabac d'Orient à la gare? » Puis ils disparurent dans l'ombre des sapins.

Jérôme serrait contre lui le bras de ce bel adolescent qui était son fils. Quelle attraction tout être jeune exerçait sur lui! Mais quelle attraction empoisonnée de regrets! C'était sa souffrance de chaque jour depuis qu'il était à Maisons : la vue de Jenny éveillait en lui, a tout instant, la nostalgie de sa propre jeunesse. Ce matin encore, au tennis, comme il avait souffert! Tous ces jeunes gens et ces jeunes filles au regard clair, échevelés par le jeu, le col dégrafé, et les vêtements en désordre sans que rien pût altérer le charme triomphant de leur jeunesse; tous ces corps flexibles, baignés de soleil, et dont la transpiration même était fraîche et répandait un parfum de santé! Ah! pendant les dix minutes qu'il avait passées là, comme il avait cruellement mesuré la disqualification de l'âge! Comme il avait eu honte et horreur de cette lutte quotidienne qu'il lui fallait maintenant mener contre lui-même, contre les flétrissures, la malpropreté, l'odeur, de la vieillesse! contre tous les signes avant-coureurs de cette décomposition finale, déjà commencée en lui! Et, comparant sa démarche engourdie, son souffle hâtif, ses efforts pour être encore alerte, aux foulées élastiques de son fils, il quitta brusquement le bras de celui-ci, et ne put retenir ce cri d'envie :

— « Que je voudrais avoir tes vingt ans, mon petit! »

Mme de Fontanin n'avait pas protesté lorsque Jenny avait déclaré qu'elle voulait lui tenir compagnie.

— « Tu as l'air fatiguée, ma chérie? » lui dit-elle, quand elles furent seules. « Ne veux-tu pas monter te coucher? »

— « Bah », fit Jenny, « les nuits sont déjà assez longues. »

— « Tu ne dors pas bien, en ce moment? »

— « Pas très. »

— « Pourquoi donc, ma chérie? »

L'accent que Mme de Fontanin avait donné à ces mots dépassait leur sens courant. Jenny, surprise, regarda sa mère, et elle comprit, à l'instant, que celle-ci avait une arrière-pensée et souhaitait une explication. D'instinct, elle résolut de s'y soustraire; non qu'elle fût dissimulée, mais elle ne se livrait pas, dès qu'on paraissait l'y engager.

Mme de Fontanin était inhabile à feindre : elle s'était tournée vers sa fille et la considérait franchement à travers les cendres du soir, espérant faire céder sous la tendresse de son regard ce roidissement de Jenny, qui mettait tant de distance entre elles.

— « Puisque nous sommes seules, ce soir », repritelle avec une légère insistance, qui sembla demander pardon à l'enfant de la perturbation que le retour paternel avait jetée dans leur intimité, « il y a une chose dont je voudrais te parler, ma chérie... Il s'agit de ce petit Thibault, que j'ai rencontré hier... » Elle s'arrêta : elle avait été sans détours jusqu'au seuil du sujet, et ne savait comment aller plus loin; mais la sollicitude de sa pose penchée prolongeait sa phrase et précisait l'interrogation.

Jenny ne répondit pas; et Mme de Fontanin, redressant peu à peu le buste, se mit à regarder devant elle le jardin qu'envahissait la nuit.

Cinq minutes passèrent.

Le vent fraîchissait. Mme de Fontanin crut remarquer que Jenny avait frissonné.

— « Tu vas prendre froid, rentrons », dit-elle.

Sa voix avait retrouvé son timbre habituel. Elle venait de réfléchir : à quoi bon insister? Elle était heureuse d'avoir parlé, sûre d'avoir été comprise, confiante en l'avenir.

Elles se levèrent, traversèrent le vestibule sans échanger d'autre parole, et s'engagèrent dans l'escalier, où l'obscurité était presque complète. Mme de Fontanin, qui montait la première, s'arrêta sur le palier devant la porte de Jenny, pour embrasser sa fille, comme chaque soir. Bien qu'elle ne distinguât pas le visage de la jeune fille, elle sentit sous son baiser l'insurrection de ce corps contracté, et retint une minute la joue de l'enfant contre la sienne; geste de compassion, qui provoqua chez Jenny un mouvement de résistance. Mme de Fontanin s'écarta avec douceur et continua son chemin vers sa chambre. Cependant elle s'aperçut que Jenny, au lieu d'ouvrir sa porte pour entrer chez elle, la suivait; et, au même instant, elle l'entendit derrière elle qui s'écriait tout d'une haleine et sur un ton exalté :

— « Tu n'as qu'à être plus froide avec lui, maman, si tu trouves qu'il vient trop souvent! »

— « Qui donc? » fit Mme de Fontanin, se retournant. « Jacques? Trop souvent? Mais voilà plus de quinze jours que je ne l'ai vu ici! »

(En effet, ayant appris par Daniel l'arrivée de M. de Fontanin et le bouleversement causé de ce fait dans leur vie de famille, Jacques avait tenu, par discrétion, à ne pas reparaître chez eux.) D'autre part, comme Jenny se rendait beaucoup moins régulièrement au club, qu'elle évitait Jacques le plus possible et attendait souvent qu'il fût engagé dans une partie pour s'esquiver sans presque lui avoir parlé, les deux jeunes gens s'étaient fort peu rencontrés depuis une quinzaine.

Jenny était délibérément entrée dans la chambre de sa mère; elle avait refermé la porte et se tenait debout, muette, dans une attitude intrépide.

Mme de Fontanin eut grand-pitié d'elle, et ne songea qu'à faciliter la confidence :

— « Je t'assure, ma chérie, que je ne vois pas bien ce que tu veux dire. »

— « Pourquoi aussi Daniel a-t-il amené ces Thibault chez nous? », articula Jenny avec feu. « Tout ça ne serait pas arrivé sans l'incompréhensible amitié de Daniel pour ces gens-là! »

— « Mais qu'est-il arrivé, ma chérie? » demanda Mme de Fontanin, dont le cœur battait plus fort.

Jenny se cabra :

— « Il n'est rien arrivé, ce n'est pas ça que j'ai voulu dire! Mais si Daniel, et toi, maman, si vous n'aviez pas toujours attiré ces Thibault à la maison, je ne... je... » Et sa voix se rompit net.

Mme de Fontanin rassembla son courage :

— « Voyons, ma chérie, explique-moi. Est-ce que tu as cru remarquer de la part de... un... un sentiment particulier? »

Jenny n'avait même pas attendu la fin de la question pour abaisser la tête en un signe d'affirmation. Elle revit le jardin plein de lune, la petite porte, sa silhouette sur le mur, le geste outrageant de Jacques; mais le souvenir de cette seconde terrible qui jour et nuit l'obsédait encore, elle était bien résolue à le taire, comme si, en le conservant ainsi enfermé dans son cœur, elle se fût réservé la liberté de s'en faire un sujet d'horreur ou simplement d'émoi.

Mme de Fontanin sentait l'heure décisive et ne voulait pas laisser Jenny se murer à nouveau dans son silence. La pauvre femme s'appuyait d'un bras tremblant à la table qui se trouvait derrière elle et se penchait de tout le corps vers Jenny, dont elle entrevoyait le visage, à peine éclairé par la fenêtre ouverte.

— « Ma chérie », reprit-elle, « cela ne deviendrait grave que si tu... que si, toi aussi, tu... »

Cette fois, ce fut un signe négatif, répété plusieurs fois avec opiniâtreté; et Mme de Fontanin, délivrée d'une anxiété atroce, soupira.

— « J'ai toujours détesté ces Thibault! », cria tout à coup Jenny d'une voix que sa mère ne lui connaissait pas. « L'aîné est une espèce de brute vaniteuse, et l'autre... »

— « Ce n'est pas vrai », interrompit Mme de Fontanin, dont le visage s'empourpra dans l'ombre.

— « ...et l'autre a toujours été le mauvais démon de Daniel! » continua Jenny, reprenant un ancien grief dont elle avait elle-même depuis longtemps fait justice. « Ah, maman, ne les défends pas : tu ne peux pas les aimer, ce sont des gens trop différents de toi! Je t'assure, maman, je ne me trompe pas : ce ne sont pas des gens de notre espèce! Ils sont... Je ne sais pas... Même quand ils ont l'air de penser comme nous, il ne faut pas s'y laisser prendre : c'est toujours d'une autre façon, et pour d'autres motifs! Ah, c'est une race... » Elle hésita : « Exécrable! » lança-t-elle enfin, « Exécrable! » Et, entraînée par le désordre de ses pensées, elle poursuivit, tout d'un trait : « Je ne veux rien te cacher, maman. Non, jamais. Eh bien, quand j'étais petite, je crois que j'ai eu un vilain sentiment... une espèce de jalousie contre Jacques. Je souffrais de voir Daniel entiché de ce garçon! Je me disais : Il n'est pas digne de lui! Un égoïste, un orgueilleux! Et bourru, taquin, mal élevé! Rien que son aspect physique, sa bouche, sa mâchoire... Je cherchais à ne pas penser à lui! Mais je ne pouvais pas : il m'avait toujours lancé quelque chose de blessant, que je me rappelais, qui me mettait en colère! Il venait tout le temps à la maison : on aurait dit qu'il faisait exprès de s'occuper de moi!... Mais ça, c'était autrefois. Je ne sais pas pourquoi j'y reviens toujours... Depuis ce temps-là, je l'ai observé de plus près. Cette année surtout. Ce mois-ci. Et maintenant je le juge autrement. Je tâche d'être juste. Je vois bien ce qu'il y a, malgré tout, de bon en lui. Je vais même te dire une chose, maman : j'ai cru, plusieurs fois, oui, plusieurs fois, que moi aussi, sans m'en rendre compte, je... j'étais comme attirée... Mais non, non! Ce n'est pas vrai! Tout, en lui, m'est antipathique! Presque tout! »

Mme de Fontanin concéda :

— « Jacques, je ne sais pas. Tu as eu mieux que moi l'occasion de le juger. Pour ce qui est d'Antoine, en revanche, je peux t'affirmer... »

— « Mais », interrompit la jeune fille avec vivacité, « pour Jacques je n'ai pas dit... je n'ai jamais nié qu'il ait, lui aussi, de très grandes qualités! » Elle avait peu à peu changé de ton, et parlait posément. « D'abord, tout ce qu'il dit montre qu'il est très intelligent. Je le reconnais. Je vais même plus loin : son caractère n'est pas pervers; il est capable, non seulement de sincérité, mais d'élévation, de noblesse. Tu vois, maman, que je ne suis pas montée contre lui! Et ce n'est pas tout : je crois », ajouta-t-elle, pesant ses mots avec gravité, tandis que Mme de Fontanin, surprise, l'examinait avec attention, « je crois qu'il est appelé à une haute, peut-être à une très haute destinée! Ainsi, tu vois que je tâche d'être juste! Je suis même presque sûre maintenant que cette force qui est en lui, eh bien, c'est ça qu'on appelle le génie : oui, parfaitement, le génie! » répéta-t-elle sur un ton quasi provocant, bien que sa mère ne parût pas songer à la contredire.

Puis tout à coup, avec une violence désespérée, elle cria :

— « Mais tout ça n'empêche rien! Il a la nature d'un Thibault! C'est un Thibault! Et je les hais! »

Mme de Fontanin demeura un instant muette, frappée de stupeur.

— « Mais... Jenny...! » murmura-t-elle enfin.

Et Jenny reconnut dans l'intonation de sa mère cette même pensée qu'elle avait lue si clairement dans le regard de Daniel. Alors, comme une enfant, elle se précipita vers Mme de Fontanin, et lui mit la main sur la bouche :

— « Non! Non! Ça n'est pas vrai! Je te dis que ça n'est pas vrai! »

Puis, pendant que sa mère l'attirait contre elle et l'entourait de ses bras comme pour la protéger, Jenny, délivrée soudain de ce nœud qui lui serrait la gorge, put enfin sangloter, répétant sans répit, de cette voix qu'elle avait jadis dans ses chagrins de petite fille :

— « Maman... Maman... Maman... »

Mme de Fontanin la berçait tendrement contre sa poitrine et balbutiait pour la calmer :

— « Ma chérie... N'aie pas peur... Ne pleure pas... En voilà des idées!... Mais personne ne t'oblige... Heureusement que tu ne... » (Elle se souvint de son unique rencontre avec M. Thibault, le lendemain de la disparition des deux gamins; elle revit le gros homme, entre les deux prêtres, dans son cabinet de travail; elle se l'imagina, refusant son consentement à l'amour de Jacques, infligeant à l'amour de Jenny les pires humiliations.) « Ah, heureusement que cela n'est pas!... Toi, tu n'as rien à te reprocher... Je lui parlerai, moi, à ce petit, je lui ferai comprendre... Ne pleure pas, ma chérie... Tu vas oublier tout ça... C'est fini, fini... Ne pleure pas... »

Mais Jenny sanglotait de plus en plus fort, car chaque parole de sa mère la déchirait davantage. Et longtemps les deux femmes restèrent ainsi, debout, étroitement embrassées dans l'ombre; l'enfant, blottissant sa douleur dans les bras maternels; la mère, psalmodiant ses consolations cruelles, et les yeux grands ouverts d'effroi : car, avec sa prescience coutumière, elle voyait se déployer devant Jenny l'inéluctable destinée, à laquelle ses craintes, ni sa tendresse, ni ses prières, ne pourraient plus arracher son enfant. « Dans l'ascension sans fin des êtres vers l'Esprit », songeait-elle, accablée, « chacun de nous doit s'avancer seul, d'épreuve en épreuve et souvent d'erreur en erreur, sur le chemin qui, de toute éternité, lui est réservé comme sien... »

Ce fut seulement en entendant fermer la porte d'en bas, et en reconnaissant le pas de Jérôme sur le dallage du vestibule, qu'elles tressaillirent toutes les deux. Alors, Jenny, desserrant son étreinte, s'enfuit, sans un mot, chancelant sous cette détresse qui lui était échue et dont personne au monde ne pouvait plus alléger le poids.

XI

Une affiche monumentale arrêtait devant le cinéma les flâneurs du boulevard :

L'AFRIQUE INCONNUE

VOYAGE CHEZ LES OUOLOFFS, LES SÉRÈRES,
LES FOULBÉS, LES MOUNDANGS
ET LES BAGUIRMIENS

— « Ça ne commence qu'à huit heures et demie », soupira Rachel.

— « Tu vois ! »

Pour s'offrir du moins l'illusion d'un tête-à-tête, Antoine, qui n'avait pas renoncé sans regret à l'intimité de la chambre rose, loua une des baignoires treillagées du fond de la salle.

Rachel le rejoignit près du guichet.

— « J'ai déjà découvert une merveille », dit-elle en l'entraînant sous le péristyle où on exposait quelques vues des films : « Regarde. »

Antoine lut d'abord l'inscription : *Jeune fille moundang vannant le mil au bord du fleuve Mayo Kabbi.* Un corps de bronze, entièrement nu, sauf un ruban de paille tressée, en guise de ceinture. La belle moundang se tenait debout, appuyée sur la jambe droite, le visage appliqué, le buste étiré par sa besogne : son bras droit, levé en rond par-dessus sa tête, inclinait une large calebasse pleine de grains qu'elle faisait couler, en un mince filet et d'aussi haut que possible, dans une seconde écuelle en bois, tenue de la main gauche au niveau du genou. Rien de concerté dans sa pose : le port de la tête légèrement rejetée en arrière, la gracieuse courbure des deux bras balancés, le redressement du torse qui soulevait deux jeunes seins au contour ferme, et le pli de la taille, et l'effort de la hanche, et le jet en avant de la jambe libre qui ne touchait au sol que par le bout du pied, toute cette harmonie était naturelle, imposée par le travail, et d'une émouvante beauté.

— « Tiens, regarde ceux-ci ! » reprit-elle, montrant à Antoine une dizaine d'adolescents noirs qui portaient sur leurs épaules une pirogue effilée. « Et ce petit-là est-il beau ! C'est un Ouoloff, tu vois : il a son gri-gri au cou, son boubou bleu, et son tarbouch. » Elle parlait ce soir avec une agitation particulière; elle souriait sans presque entrouvrir les lèvres, comme si les muscles de son visage se fussent, à son insu, contractés; et, dans l'incision des paupières, son regard fiévreux, glissant, avait des lueurs argentées qu'Antoine ne reconnaissait pas.

— « Entrons », dit-elle.

— « Mais nous sommes en avance de plus d'un quart d'heure ! »

— « Ça ne fait rien », répliqua-t-elle, avec une impatience d'enfant : « Entrons. »

La salle était vide. Dans l'antre de l'orchestre, quelques musiciens préparaient leurs instruments. Antoine leva le treillage de la loge. Rachel restait debout contre lui.

— « Desserre donc cette cravate », fit-elle en riant; « tu as toujours l'air d'avoir voulu te pendre, et de t'être sauvé la corde au cou ! » Il eut un imperceptible mouvement d'humeur. « Ah ! » murmura-t-elle aussitôt, « ce que j'ai plaisir à venir voir ça avec toi ! » Elle prit à deux mains le visage d'Antoine et l'attira vers ses lèvres. « Et puis, ce que je t'aime, depuis que tu n'as plus ta barbe ! »

Elle retira son manteau, son chapeau, ses gants. Ils s'assirent. A travers le lattis, qui suffisait à les rendre invisibles, ils assistaient à la métamorphose de la salle qui, en quelques minutes, cessa d'être cette grotte silencieuse, poussiéreuse, rougeoyante, où surnageaient quelques épaves, pour devenir une masse grouillante de figures, dans un doux tumulte de volière, que dominait, par instants, la gamme chromatique d'un instrument à vent.

Malgré la chaleur exceptionnelle de l'été, la seconde moitié de septembre contraignait au retour beaucoup de Parisiens; et, déjà, ce n'était plus ce Paris des vacances, que Rachel aimait, chaque année, comme une ville toujours nouvelle à découvrir.

— « Ecoute... » dit-elle. L'orchestre venait d'entamer un fragment de *la Walkyrie*, le lied du printemps.

Elle avait abandonné sa tête sur l'épaule d'Antoine, assis tout près d'elle; et il entendait, à travers les lèvres de Rachel et ses dents jointes, comme un écho qui doublait le chant des violons.

— « Tu as entendu Zucco? Zucco, le ténor? » fit-elle nonchalamment.

— « Oui, pourquoi? »

Elle continuait à rêvasser et ne répondit pas tout de suite; enfin, à mi-voix, comme si elle avait un scrupule tardif à lui cacher sa pensée :

— « Il a été mon amant », dit-elle.

Antoine éprouvait une vive curiosité pour le passé de Rachel, sans aucune jalousie. Il comprenait fort bien ce qu'elle voulait dire, lorsqu'elle avouait : « Mon corps est sans mémoire. » Cependant, Zucco... Il évoqua une silhouette ridicule, en pourpoint de satin blanc, grimpée sur un cube de bois, au troisième acte des *Maîtres Chanteurs;* un gros, trapu, qui conservait l'aspect d'un tzigane, malgré sa perruque blonde, et qui posait encore la main sur son cœur, dans les duos d'amour. Antoine en voulut un peu à Rachel d'un choix si médiocre.

— « Tu l'as entendu chanter ça? » reprit-elle; son doigt levé dessinait dans l'air l'arabesque de la phrase musicale. « Je ne t'ai jamais raconté Zucco? »

— « Non. »

Il tenait la figure de Rachel contre sa poitrine, et il n'avait qu'à baisser les yeux pour la regarder. Elle n'avait pas cette expression éveillée qu'elle prenait toujours à l'évocation de ses souvenirs : les sourcils étaient un peu froncés, les paupières presque closes, et les coins de la bouche légèrement abaissés. « Le beau masque de douleur qu'elle pourrait avoir », songea-t-il. Puis, remarquant qu'elle se taisait, et pour affirmer une fois de plus qu'il ne prenait nullement ombrage du passé, il insista :

— « Eh bien, ton Zucco? »

Elle tressaillit :

— « Quoi, Zucco? » dit-elle avec un languissant sourire. « Au fond, tu sais, ça n'est pas grand-chose, Zucco. Il a été le premier, voilà tout. »

— « Et moi? », fit-il, se forçant un peu.

— « Mais, le troisième », répondit-elle sans sourciller.

« Zucco, Hirsch et moi... Seulement? » pensa Antoine.

Elle reprit, s'animant davantage :

— « Alors, je raconte?... Tu vas voir si c'est simple. Papa venait de mourir : mon frère travaillait à Hambourg. J'avais bien l'Opéra, qui me prenait toutes mes journées; mais les soirs où je ne dansais pas, je me sentais seule. On est comme ça, à dix-huit ans. Lui, Zucco, il me courait après, depuis longtemps. Moi, je le trouvais quelconque, assez prétentieux. » Elle hésita : « Un peu bête. Oui, je crois qu'à cette époque-là, déjà, je le trouvais un peu bête... Mais je ne savais pas que c'était une brute! » lança-t-elle soudain.

Elle jeta un coup d'œil vers la salle, où la lumière venait de s'éteindre.

— « Par quoi commence-t-on? »

— « Par des actualités. »

— « Et puis? »

— « Un film à grand spectacle, qui doit être idiot. »

— « Et l'Afrique? »

— « En dernier. »

— « Ah bon », fit-elle, remettant sur l'épaule d'Antoine sa chevelure odorante. « Si ça en vaut la peine, tu m'avertiras. Ça ne te fatigue pas, mon Minou? Je suis si bien! »

Il vit sa bouche entrouverte, humide. Leurs lèvres se joignirent.

— « Et Zucco? » répéta-t-il.

Contrairement à ce qu'il attendait, elle ne sourit pas.

— « Je me demande aujourd'hui comment j'ai pu tout supporter. Il me traitait! Un charretier! Il avait conduit des mulets, autrefois, dans la province d'Oran...

Mes amies me plaignaient; personne ne comprenait que je reste avec lui. Moi-même, je ne comprends plus... On dit toujours que certaines femmes aiment à être battues... » Elle se tut un instant, et ajouta : « Non; mais je crois que j'avais peur de me retrouver seule. »

Antoine ne se souvenait pas d'avoir jamais surpris dans la voix de Rachel les inflexions mélancoliques qu'elle avait ce soir. Il ferma son bras autour de la jeune femme comme s'il eût voulu la mettre à l'abri. Puis son étreinte se desserra. Il songeait à cette compassion facile, qui était un des visages de son orgueil; qui était peut-être le secret de son attachement pour son frère; et dont il s'était quelquefois demandé, — avant d'avoir rencontré Rachel, — si ce n'était pas pour lui la seule façon d'aimer.

— « Ensuite? » reprit-il.

— « Ensuite, c'est lui qui m'a quittée. Bien entendu », fit-elle, sans la moindre amertume.

Puis, après une pause, et, d'une voix basse qui semblait appeler le silence autour de cet aveu, elle ajouta :

— « J'étais enceinte. »

Antoine eut un sursaut. Enceinte? Ce n'était pas possible. Lui, un médecin, il n'aurait pas encore aperçu les traces...? Allons donc!

Les actualités défilaient sous son regard distrait et mécontent :

AUX GRANDES MANŒUVRES :

M. Fallières en conversation
avec l'attaché militaire allemand.

L'AVENIR DU SERVICE DE RENSEIGNEMENTS

Atterrissage en monoplan de Latham, qui apporte
de précieuses indications au général en chef.
Le Président de la République se fait présenter
le courageux aviateur.

— « Oh, ce n'est pas seulement pour ça qu'il m'a plaquée », rectifia Rachel. « Si j'avais continué à payer ses dettes... »

Antoine se rappela soudain cette photo de nouveau-né qu'il avait vue chez elle, et qu'elle lui avait enlevée des mains, disant : « C'est une filleule à moi; qui est morte. »

Il était, pour l'instant, plus vexé, plus humilié dans sa conscience professionnelle, qu'il n'était étonné par la confession de Rachel.

— « C'est vrai? » murmura-t-il, « tu as eu un enfant? » Et aussitôt, avec un sourire avisé : « Je m'en doutais depuis longtemps. »

— « Pourtant, on ne s'en aperçoit guère! J'ai tant pris soin de moi, à cause du théâtre! »

— « Un médecin! » répliqua-t-il, avec un mouvement d'épaule.

Elle sourit; elle tirait vanité de la clairvoyance d'Antoine. Elle demeura quelques minutes silencieuse et continua, sans quitter sa pose alanguie :

— « Vois-tu, quand je pense à cette époque-là, mon Minou, je me dis que j'ai vécu le meilleur de toute ma vie. Ce que j'étais fière! Et quand il a fallu demander un congé à l'Opéra, parce que je m'alourdissais, tu ne sais pas où j'ai été? En Normandie! Un petit hameau de sauvages, où je connaissais une vieille femme de ménage à nous, qui nous avait élevés, mon frère et moi. Ah, là-bas, ce que j'ai pu être dorlotée! J'y serais bien restée toute mon existence. J'aurais dû. Seulement, tu sais, le théâtre, quand une fois on y a mordu... J'ai cru bien faire, j'ai laissé la petite en nourrice : je n'avais pas peur. Et puis, huit mois après... Et moi aussi, je suis tombée malade », soupira-t-elle après un court silence. « J'étais détraquée par mes couches. Il m'a fallu lâcher l'Opéra, perdre tout en même temps. Et je me suis retrouvée seule. »

Il se pencha. Elle ne pleurait pas : elle avait les yeux grands ouverts et regardait le plafond de la loge; mais, lentement, ses paupières se gonflaient de larmes. Il n'osa pas l'embrasser, il respectait son émotion. Il songeait à ce qu'il venait d'apprendre. Avec Rachel, il pensait chaque jour être parvenu à un point fixe, d'où il pouvait se faire une opinion d'ensemble sur la vie de son amie; mais, le jour suivant, une confidence, un souvenir, une simple allusion, ouvrait des perspectives insoupçonnées où son regard se perdait de nouveau.

Elle se redressa d'elle-même, et souleva le bras pour se recoiffer. Mais son geste s'arrêta court : sa main se tendit vers l'écran.

— « Oh! » s'écria-t-elle. Et, de ses yeux embués, elle suivit avec une involontaire attention la fuite d'une jeune fille à cheval, poursuivie par une trentaine d'Indiens qui galopaient à ses trousses comme une meute. L'amazone escalada des rochers, se profila une seconde sur la crête, dévala une pente à pic, et, sans hésiter, se jeta dans un torrent; les trente chevaux s'élancèrent derrière elle et disparurent dans des tourbillons d'écume; mais elle avait touché l'autre rive, éperonnait son cheval, et reprenait sa course; vains efforts : ses ravisseurs bondissaient sur ses traces et la serraient de près. Elle allait être happée par les lassos qui déjà fouettaient l'air au-dessus de sa tête, lorsqu'elle atteignit un pont de fer sous lequel un rapide passait comme une trombe : en un instant, elle eut glissé de selle, enjambé le parapet, et sauté dans le vide.

La salle haletait.

Au même instant, la jeune fille réapparut, sur le toit d'un wagon qui l'emportait à toute vitesse, échevelée, la jupe au vent, les poings sur les hanches, tandis que, du haut du pont, les Indiens cherchaient en vain à l'ajuster avec leurs carabines.

— « Tu as vu? » s'écria-t-elle, frémissant de plaisir. « J'adore ça! »

Il l'attira de nouveau, et, cette fois, la prit sur ses genoux. Il la tenait entre ses bras, comme son enfant; il eût voulu la consoler, lui faire oublier tout ce qui n'était pas leur amour. Cependant il ne disait rien; il jouait avec son collier, dont les grains de miel étaient séparés par de petites boules d'ambre gris, couleur de plomb, qui tiédissaient sous les doigts, et exhalaient alors un parfum si tenace qu'il n'était pas rare, deux jours plus tard, d'en retrouver soudain l'arôme au creux des mains. Elle lui laissa dégrafer son corsage et poser la joue contre sa gorge.

— « Entrez! » fit-elle.

C'était une jeune ouvreuse qui se trompait de loge et qui referma vite le battant; non sans avoir eu le temps d'envelopper d'un regard curieux la jeune femme à demi vêtue dans les bras d'Antoine. Il fit un mouvement tardif pour se dégager.

Rachel riait :

— « Es-tu bête! Elle attendait peut-être que... Elle est gentille... »

Il fut si surpris par les mots, par le ton, qu'il chercha l'expression du visage; mais Rachel avait posé le front sur son épaule, et il perçut seulement son rire, ce gloussement énigmatique et presque silencieux qu'il n'entendait jamais sans malaise.

Tout cet inconnu, dont Rachel, par moments, demeurait encore chargée, causait à Antoine une sensation d'abîme entrouvert. Mélange de gêne et aussi de curiosité, que compliquait une secrète mortification : car, jusqu'alors, c'était lui, en qualité de médecin, qui étonnait les autres par des sourires sceptiques et des sous-entendus avertis. Avec Rachel, les rôles étaient renversés : Antoine se découvrait prodigieusement novice; et, sans trop se l'avouer, il se sentait mal assuré sur ces terrains. Une fois, pour prendre sa revanche, il avait bien essayé de mélanger à des souvenirs de clinique certaines conversations de salle de garde, et il avait inventé, pour Rachel, une histoire passionnelle extravagante, à laquelle il laissait entendre qu'il avait été mêlé. Mais elle l'avait interrompu dès les premiers mots par un rire affectueux:

— « Allons, allons! Pour qui, tout ça? Est-ce que je ne t'aime pas comme tu es? » Et il avait rougi, si vexé qu'il n'avait jamais recommencé.

L'entracte se termina sans que l'un ou l'autre songeât à rompre le silence.

On annonça le film africain. L'obscurité se fit. L'orchestre entama un air nègre.

Alors Rachel s'écarta et vint s'asseoir seule au bord de la baignoire.

— « Pourvu que ce soit réussi », murmura-t-elle.

Des paysages défilèrent. Une rivière d'eau morte,

sous des arbres géants, amarrés au sol par l'enchevêtrement des lianes. Un hippopotame à fleur d'eau, pareil au cadavre d'un bœuf noyé. De petits singes noirs, qui avaient l'air de vieux marins, avec leurs colliers de barbe blanche, batifolèrent sur le sable. Puis ce fut un village : une esplanade déserte, craquelée par la chaleur; un horizon clos de huttes et de palissades; une cour où des « jeunes filles » peuhls, le torse nu, les muscles de la croupe tendus sous le pagne, pilaient le grain dans de hauts vases de bois, parmi des négrillons qui se roulaient dans la poussière; d'autres femmes, portant de larges corbeilles; d'autres encore, filant, assises en tailleur, la main gauche tenant la quenouille, la main droite faisant pivoter, dans un godet de bois, le fuseau en forme de toupie sur lequel s'enroulait le coton.

Rachel, un coude sur ses genoux croisés, le menton dans la main, le front en avant, fixait les yeux sur l'écran; et Antoine l'entendait respirer. De temps à autre, sans bouger la tête, elle appelait à voix basse :

— « Minou... Regarde... Regarde... »

Le film s'acheva par un sauvage tam-tam, au crépuscule, sur une place bordée de palmiers. Une foule exclusivement composée de noirs, dont on voyait les masques tendus et les corps se trémoussant de joie, formait cercle autour de deux nègres, presque nus, fort beaux, ivres, luisants de sueur, qui se poursuivaient, se heurtaient, s'écartaient, se jetaient l'un contre l'autre en grinçant des dents, ou bien se cherchaient, se frôlaient, en un délire cadencé, à la fois guerrier et lascif, puisqu'ils mimaient tour à tour l'excitation du combat et les convoitises de l'amour. Les spectateurs noirs, haletants, trépignaient de joie, et resserraient de plus en plus leur cercle autour des deux forcenés, dont ils précipitaient la frénésie en accélérant sans arrêt les battements de leurs paumes et l'accompagnement des tambours. L'orchestre du cinéma s'était tu : dans la coulisse, des claquements de mains, bien réglés, restituaient aux images une vie étourdissante et rendaient plus contagieuse la volupté tendue jusqu'à l'angoisse, que grimaçaient tous les visages de ces fanatiques.

Le spectacle était terminé.

Le public évacua la salle. Des femmes de service déplièrent des toiles sur les fauteuils vides.

Rachel, silencieuse et abattue, ne se décidait pas à se lever; et, comme Antoine, debout, lui tendait son manteau de soirée, elle se dressa et lui donna ses lèvres. Ils sortirent les derniers, sans un mot. Mais, devant le cinéma, au grand air des boulevards, parmi la foule qui s'écoulait de tous les lieux de plaisir à la fois, dans la douceur de cette nuit papillotante de lumières, où tournoyaient déjà quelques feuilles d'automne, lorsque Antoine lui prit le bras et chuchota à son oreille : « Nous rentrons, dis? », elle s'écria :

— « Oh, pas encore. Allons ailleurs. J'ai soif. » Puis, apercevant les vitrines sous le péristyle, elle fit un détour pour revoir la photographie du jeune nègre. « Ah », fit-elle, « c'est étonnant ce qu'il ressemble à un boy qui a descendu toute la Casamance avec nous. Un Ouoloff : Mamadou Dieng. »

— « Où veux-tu aller? » demanda-t-il, sans laisser paraître sa déception.

— « N'importe. Au Britannic? Non : chez Packmell, veux-tu? Allons à pied. Oui, une chartreuse glacée, chez Packmell, et puis nous rentrerons. » Elle se serra contre lui en un abandon plein de promesses.

— « Ça me fait quelque chose de penser à ce petit Mamadou justement ce soir, après ce film », reprit-elle. « Tu sais, je t'ai montré cette photo où Hirsch est assis à l'arrière de la baleinière? Tu as dit qu'il avait l'air d'un bouddha en casque colonial? Eh bien, le boy sur lequel il s'appuie, si noir dans un boubou blanc, tu te rappelles? C'était lui, Mamadou. »

— « Qui te dit que ce n'est pas le même? » suggéra-t-il par complaisance.

Elle resta un moment sans répondre, et frissonna.

— « Pauvre petit, il a été dévoré, devant nous, quelques jours après. Oui, en se baignant. Ou plutôt non, c'est Hirsch... Hirsch avait parié que Mamadou n'oserait pas traverser à la nage un bras de la rivière, pour ramasser une aigrette que je venais de tirer. J'ai bien regretté de l'avoir descendue, cette aigrette! Le petit a voulu essayer, il s'est jeté à l'eau, il nageait, nous le regardions... et tout à coup!... Ah, ç'a été une scène horrible! En quelques secondes, figure-toi! Nous l'avons vu se dresser hors de l'eau, happé par le bas du corps... Ce cri!... Hirsch était merveilleux dans ces cas-là. Il a compris, à la minute même, que le boy était perdu, qu'il allait souffrir horriblement : il a épaulé, et clac! la tête de l'enfant a éclaté comme une calebasse. Dame, ça valait mieux, n'est-ce pas? Mais j'ai cru que j'allais me trouver mal. »

Elle se tut et se blottit contre Antoine.

— « Le lendemain, j'ai voulu prendre un cliché de l'endroit. L'eau était tranquille, tranquille, on n'aurait jamais pu croire... »

Sa voix était altérée. Elle se tut de nouveau, plus longtemps. Puis elle reprit :

— « Ah! pour Hirsch, la vie d'un homme, ce n'est rien! Il l'aimait pourtant, son boy! Eh bien, il n'a pas bronché. Il était comme ça... Même après l'accident, il a tenu bon, il a promis son réveille-matin à qui me rapporterait l'aigrette. Je ne voulais pas. Il m'a imposé silence; et, tu sais, il fallait qu'on lui obéisse... Eh bien, finalement, je l'ai eue, mon aigrette. Un des porteurs y a été, et il a eu plus de chance que le boy. » Elle souriait maintenant. « Je l'ai toujours : je l'avais cet hiver sur un petit toquet de panne bise, un amour. »

Antoine ne disait rien.

— « Ah, que ça te manque, de n'avoir jamais été là-bas! » s'écria-t-elle, se détachant brusquement de lui.

Mais elle se repentit aussitôt et revint s'accrocher à son bras.

— « Fais pas attention, mon Minou : une soirée comme celle-ci me rend malade. Je suis sûre que j'ai un peu de fièvre, tiens... En France, vois-tu, on étouffe. On ne peut vraiment vivre que là-bas! Si tu savais! Cette liberté des blancs au milieu des noirs! Ici, on ne soupçonne même pas ce qu'elle peut être, cette liberté-là! Aucune règle, aucun contrôle! Tu n'as même pas à craindre le jugement d'autrui! Saisis-tu? Peux-tu seulement comprendre ça? Tu as le droit d'être toi-même, partout et toujours. Tu es aussi libre devant tous ces noirs que tu l'es ici, devant ton chien. Et en même temps, tu vis au milieu d'êtres délicieux, pleins d'un tact et de nuances dont tu n'as pas idée! Autour de toi, rien que des sourires jeunes et gais, des yeux ardents qui devinent tes moindres désirs... Je me rappelle... Ça ne t'ennuie pas, mon Minou?... Je me rappelle, un jour, dans le bled, à la fin d'une journée, à l'étape. Hirsch causait avec un chef de tribu, près d'une source où les femmes venaient puiser l'eau. C'était l'heure. Nous avons vu venir deux fillettes délicieuses, qui portaient, à elles deux, une grande outre en peau de bouc. " Ce sont des filles à moi ", nous a expliqué le caïd. Rien d'autre. Le vieux avait compris. Et, le même soir, dans le dar où j'étais avec Hirsch, la natte s'est soulevée sans bruit : c'était les deux petites qui souriaient... Je te dis : les moindres désirs... », reprit-elle, après quelques pas en silence. « Tiens, je me rappelle encore. Ça me soulage tant de pouvoir parler à quelqu'un de tout ça!... Je me rappelle. A Lomé. Au cinéma, justement. Parce que, le soir, tout le monde va au cinéma. C'est une terrasse de café, très éclairée, entourée d'arbustes dans des caisses; et puis on éteint tout, et le ciné commence. On sirote des boissons froides. Tu vois ça? Tous les coloniaux, assis, en toile blanche, à demi éclairés par le reflet de l'écran; et, derrière, dans la nuit d'un bleu inouï, sous les étoiles qui brillent là-bas comme nulle part, tout autour, il y a des indigènes, des garçons et des filles, qui sont là, debout dans l'ombre, la face à peine visible, les yeux brillant comme des prunelles de chats, si beaux!... Eh bien, tu n'as même pas un signe à faire! Ton regard s'appuie sur un de ces visages lisses, vos yeux se croisent un instant... c'est tout. C'est assez. Quelques minutes après, tu te lèves, tu t'en vas sans même te retourner, tu rentres à ton hôtel, dont toutes les portes sont ouvertes exprès... J'habitais au premier... A peine si j'ai eu le temps de me dévêtir... On gratte au volet. J'éteins, j'ouvre : c'était lui! Il avait grimpé au mur, comme un lézard; et, sans un mot, il laissait glisser son boubou le long de son petit corps. Je n'oublierai jamais. Sa bouche était mouillée, fraîche, fraîche... »

« Diable », songea malgré lui Antoine, « un nègre... sans examen préalable... »

— « Ah! cette peau qu'ils ont! » poursuivait Rachel. « Fine comme une pelure de fruit! Vous autres, vous n'avez pas idée de ce que ça peut être! Une peau satinée, glissante et sèche, comme si elle venait toujours d'être frottée de talc; une peau sans un défaut, sans une rugosité, sans une moiteur, et brûlante, mais brûlante en dedans, comme on sent la brûlure de la fièvre à travers une manche de mousseline, saisis-tu? comme le corps chaud d'un oiseau sous ses plumes!... Et, quand on la regarde, cette peau, au plein jour de là-bas, quand la lumière frise l'épaule ou la hanche, il y a, sur cette soie mordorée, des clartés bleues, je ne peux pas t'expliquer, comme une impalpable poudre d'acier, comme un perpétuel reflet de lune... Et leur regard! Tu as bien remarqué, déjà, la caresse de leur regard? Ce blanc de l'œil, un peu caramélé, tu sais, où la prunelle nage si lestement... Et puis... Je ne sais comment te dire... Là-bas, l'amour, non, ça n'est pas du tout le même que le vôtre. Là-bas, c'est un acte silencieux, à la fois sacré et naturel. Profondément naturel. Il ne s'y mêle aucune pensée, d'aucune sorte, jamais. Et la recherche des plaisirs, qui est toujours plus ou moins clandestine ici, eh bien, là-bas, elle est aussi légitime que la vie, et, comme la vie, comme l'amour, elle est naturelle et sacrée. Saisis-tu ça, mon Minou?... Hirsch disait toujours : " En Europe, vous avez ce que vous méritez. Là-bas, ce sont des pays pour nous autres, pour des êtres libres. " Ah! c'est qu'il aime les noirs, lui! » Elle se mit à rire : « Sais-tu comment je m'en suis aperçue, pour la première fois? Je te l'ai dit peut-être? Dans un restaurant de Bordeaux. Il était en face de moi. Nous causions. Tout à coup, son regard s'est fixé derrière moi, une seconde, mais avec une lueur... une lueur si aiguë, que je me suis retournée brusquement : et j'ai vu, près d'une crédence, un petit nègre de quinze ans, beau comme un prince, qui portait un compotier d'oranges. » Elle ajouta, mais sur un ton voilé : « Et c'est peut-être ce jour-là que le désir m'a prise, moi aussi, d'aller là-bas... »

Ils firent quelques pas en silence.

— « Mon rêve », reprit-elle tout à coup, « mon rêve pour quand je serai devenue une vieille, ce serait de tenir une maison... Oui... Ne te scandalise pas, il y en a de toutes espèces; je voudrais tenir une maison bien, naturellement. Mais, enfin, ne pas vieillir au milieu de vieux... Etre sûre d'avoir toujours autour de moi des êtres jeunes, de beaux corps jeunes, et libres, et voluptueux... Tu ne comprends pas ça, mon Minou? »

Ils arrivaient chez Packmell, et Antoine ne répondit rien. Il n'aurait su que dire. Devant l'étrange expérience de Rachel, il était sans cesse frappé d'éblouissement. Il se sentait si différent d'elle, rivé au sol de France par sa naissance bourgeoise, par son travail, par ses ambitions, par tout un avenir organisé! Il apercevait bien les chaînes qui le liaient, mais il ne souhaitait pas un instant de les rompre; et il éprouvait, contre tout ce que Rachel aimait et qui lui était si étranger, la hargne d'un animal domestique contre tout ce qui rôde et menace la sécurité du logis.

Seules, des raies pourpres, filtrant le long des rideaux cramoisis, décelaient derrière la façade endormie l'animation du bar. Le tambour de la porte gémit et tourna, projetant son souffle de bourrasque dans l'atmosphère saturée de chaleur, de poussière, de relents d'alcools.

Il y avait beaucoup de monde. On dansait.

Rachel avisa, près du vestiaire, une petite table inoccupée, et, avant même de laisser choir son manteau de ses épaules, elle réclama sa chartreuse verte à la glace pilée. Puis, dès qu'elle fut servie, elle s'immobilisa, les coudes sur la table, les yeux baissés, joignant les lèvres sur les deux fétus de paille.

— « Triste? » murmura Antoine.

Elle releva un instant les paupières sans cesser de boire, et lui sourit aussi gaiement qu'elle put.

Près d'eux, un Japonais, qui montrait de petites dents rouillées dans un visage d'enfant, palpait avec une inattention polie un bras de boxeur qu'une brune, assise près de lui, étalait impudiquement sur la nappe.

— « Veux-tu? Commande-moi une chartreuse : une autre, pareille », dit Rachel, montrant son verre vide.

Antoine sentit une main légère effleurer son épaule :

— « J'hésitais à vous reconnaître », fit une voix amicale. « Vous avez donc coupé votre barbe? »

Daniel était debout devant eux. Svelte et cambré, son pur ovale cruellement éclairé par le lustre, il tenait entre ses mains nues un éventail-réclame qu'il courbait et laissait se détendre comme un ressort; il souriait d'un air téméraire, et faisait penser à un jeune David éprouvant sa fronde.

Antoine, en le présentant à Rachel, se souvint de la façon dont Daniel lui avait lancé : « J'aurais fait comme vous, — menteur! »; mais, cette fois, ce rappel lui parut moins cuisant; et il surprit avec plaisir le regard que le jeune homme, après s'être incliné pour baiser la main de Rachel, promena sur elle, sur son visage levé, sur ses bras, sur son cou qui paraissait si blanc près de la soie fleur de pêcher du corsage.

Daniel reporta les yeux vers Antoine, puis sourit à la jeune femme, comme s'il la complimentait sur son œuvre :

— « Oui, vraiment », fit-il, « c'est beaucoup mieux. »

— « C'est beaucoup mieux, tant qu'on est vivant », concéda Antoine, sur un ton de carabin gouailleur. « Mais, si vous aviez comme moi l'habitude des cadavres! Au bout de deux jours... »

Rachel frappa sur la table pour le faire taire. Elle oubliait souvent qu'Antoine était médecin. Elle se tourna vers lui, le contempla une seconde, et murmura :

— « Mon toubib! »

Etait-il possible que cette physionomie si familière fût aussi celle qui lui était apparue, la nuit de l'opération, dans l'éclat brutal de la lampe? ce masque héroïque, terriblement beau, à jamais inaccessible? Comme elle connaissait bien, maintenant surtout que le visage était dénudé, tous ses reliefs, tous ses méplats, ses moindres signes! Le rasoir avait révélé cette légère concavité de la joue, — cette défaillance des tissus, pour ainsi dire, — dont la douceur atténuait un peu la rudesse de la mâchoire. Comme elle connaissait bien aussi, et même à la façon des aveugles, pour les avoir tant de fois, la nuit, pressées entre ses paumes, cette forme carrée des maxillaires, et cette courte saillie du menton si plat par-dessous qu'elle lui avait dit, étonnée : « Tu as presque une mâchoire de serpent! » Mais le plus indéchiffrable pour elle, depuis la suppression de la barbe, c'était cette fente longue et sinueuse de la bouche, très souple et cependant figée, dont les coins ne se relevaient presque jamais, s'abaissaient rarement, et qu'un pli de volonté presque inhumaine arrêtait net aux commissures, comme on voit aux lèvres de certaines statues antiques. « Tant de volonté? » songeait-elle, s'interrogeant. Elle pencha la tête, ses prunelles coulèrent malicieusement jusqu'aux extrémités des paupières, et un bref scintillement d'or glissa sur la frange de ses cils.

Antoine se laissait examiner avec l'heureux sourire d'un homme aimé. Depuis qu'il était rasé, il avait acquis une conception de lui-même un peu différente : il tenait beaucoup moins à son regard fatal. Il s'était découvert des possibilités nouvelles qui ne laissaient pas de lui plaire. D'ailleurs, depuis quelques semaines, il se sentait en pleine transformation. Au point que, pour lui, les événements de sa vie qui avaient précédé la rencontre de Rachel s'enfonçaient dans les ténèbres : ils avaient eu lieu *avant*. Il ne précisait pas davantage. — Avant quoi? — Avant la transformation. Car il était changé moralement : comme assoupli; à la fois mûri et cependant plus jeune. Il aimait à se répéter qu'il était devenu plus fort. Et ce n'était pas inexact. Une force peut-être moins réfléchie qu'autrefois, plus puissante pourtant dans sa spontanéité, plus authentique aussi en son élan. Il en apercevait les effets jusque dans son travail, dont sa liaison, au début, avait un moment pu troubler le cours, mais qui avait repris un développement soudain, et qui emplissait de nouveau son existence, pareil à un fleuve coulant à pleins bords.

— « Ne vous occupez pas tant de mon physique », dit Antoine, en offrant une chaise à Daniel. « Nous venons du cinéma. Le film africain, vous savez? »

— « Avez-vous jamais quitté l'Europe? » demanda Rachel.

Daniel fut surpris par la résonance de cette voix.

— « Non, Madame. »

— « Eh bien », reprit-elle, en prenant la chartreuse qu'on lui apportait et en y plongeant avec gourmandise deux pailles neuves, « il faut aller voir ça. Il y a, entre autres, un défilé de porteurs au soleil couchant... N'est-ce pas, Antoine? Et puis, ces gamins, sur le sable pendant que les femmes déchargent les pirogues... »

— « J'irai certainement », dit Daniel en la regardant. Après une pause brève, il ajouta : « Connaissez-vous Anita? »

Elle fit signe que non.

— « C'est une Américaine de couleur, qui est généralement au bar. Tenez, on la voit d'ici, en blanc, derrière Marie-Josèphe, vous savez, cette grande qui a tant de perles. »

Rachel se souleva pour apercevoir, à travers les couples de danseurs, un profil au teint chamois, perdu dans l'ombre d'un grand chapeau.

— « Ce n'est pas une femme noire », dit-elle, sans pouvoir cacher sa déconvenue : « c'est une créole. »

Daniel sourit imperceptiblement :

— « Excusez-moi, Madame », fit-il. Puis se tournant vers Antoine : « Vous venez souvent ici? »

Antoine allait répondre oui, mais la présence de Rachel l'en empêcha.

— « Presque jamais », déclara-t-il.

Rachel suivait des yeux Anita qui s'était mise à danser avec Marie-Josèphe. Le corps flexible de l'Américaine était moulé dans du satin blanc, lustré comme un plumage, et dont les lueurs nacrées accusaient chacun des mouvements de ses longues jambes.

— « Irez-vous à Maisons, demain? » demanda Antoine.

— « J'en arrive ce soir », dit Daniel. Il voulut parler

de Jacques, mais il se leva en apercevant une jeune femme au type espagnol, drapée dans une écharpe soufre, et qui semblait chercher quelqu'un des yeux. « Je vous demande pardon », murmura-t-il aussitôt, en s'éloignant. Il glissa sous l'écharpe un bras soigneux, puis il entraîna la jeune femme, en bostonnant, vers l'angle des musiciens.

Anita s'était arrêtée. Rachel la vit fendre le flot des danseurs avec la grâce paisible d'un beau cygne, et voguer vers le coin où justement Antoine et elle étaient attablés. La créole frôla la chaise du jeune homme, s'approcha de la banquette où Rachel était assise, prit dans son sac quelque chose qu'elle dissimula dans le creux de sa main, et, se croyant isolée (ou peut-être sans se soucier autrement d'être vue), elle posa le pied sur la banquette, releva prestement le bas de sa robe, et se piqua la cuisse. Rachel entrevit une place de chair havane entre deux blancheurs soyeuses, et ne put contenir la palpitation de ses paupières. Anita laissa retomber sa jupe; puis, se redressant avec un mol abandon qui fit étinceler sur sa joue bistrée la pendeloque de cristal qu'une perle fixait au lobe de l'oreille, elle rejoignit sans hâte son amie.

Rachel remit ses coudes sur la nappe, et, fermant presque les yeux, aspira doucement la liqueur glacée. La caresse des violons, l'insistance de leurs longs coups d'archets trop expressifs, étiraient sa langueur jusqu'à l'énervement.

Antoine la regardait.

— « Loulou... », murmura-t-il.

Elle leva les yeux, acheva de décolorer jusqu'à la dernière goutte verte la glace pilée de son verre, et, fixant sur lui un regard inattendu, rieur, presque impertinent, elle demanda :

— « Tu n'as jamais... vu de femme noire, toi? »

— « Non », fit Antoine en secouant bravement la tête.

Elle se tut. Un sourire trouble hésitait à se poser sur ses lèvres.

— « Alors, viens », dit-elle brusquement.

Elle était déjà debout, s'enveloppant dans son manteau de taffetas sombre comme dans un domino de fête nocturne. Et, dans le tambour de la porte où il s'engagea derrière elle, Antoine entendit de nouveau, entre les dents serrées de Rachel, ce petit rire silencieux qui lui faisait peur.

XII

Au temps où Jérôme vivait encore à Paris, il avait donné à son concierge de l'avenue de l'Observatoire l'ordre d'intercepter son courrier; et, de temps à autre, il venait, en personne, chercher sa correspondance à la loge. Puis, il avait cessé de paraître, sans laisser d'adresse; et, deux ans de suite, s'étaient accumulées à son nom des paperasses, que le concierge, dès qu'il eut appris le retour de M. de Fontanin à Maisons-Laffitte, chargea Daniel de remettre en mains propres, à leur destinataire.

Dans ce fatras d'imprimés, Jérôme fut tout surpris de découvrir deux vieilles lettres.

L'une, datant de huit mois, lui annonçait le dépôt, à son crédit, d'une somme de six mille et quelques cents francs, provenant de la liquidation d'une mauvaise affaire, dont, depuis longtemps, il n'espérait plus rien.

Sa figure s'éclaira. L'arrivée de ce reliquat dissipait jusqu'aux dernières traces du malaise qui pesait sur lui depuis son installation à Maisons; malaise qui était causé, non seulement par sa présence dans un foyer où il ne trouvait plus sa place, mais aussi par des soucis d'argent qui tourmentaient sa fierté.

(Le ménage vivait séparé de biens, depuis cinq ans. Mme de Fontanin avait renoncé au divorce, mais elle avait soustrait à son mari la modeste fortune héritée de son père, le pasteur. Cette fortune, bien qu'écornée déjà, lui avait permis jusqu'alors de subsister tant bien que mal, sans abandonner son appartement ni lésiner sur l'éducation des enfants. Quant à Jérôme, qui n'avait pas encore dilapidé la totalité de son patrimoine personnel, il avait continué à faire des affaires : même en Belgique et en Hollande où Noémie l'avait traîné à sa remorque, il jouait à la Bourse, spéculait, commanditait des inventions nouvelles; et, doué d'un certain flair malgré sa légèreté, servi aussi par son esprit d'aventure, il misait parfois sur une entreprise fructueuse. Bon an, mal an, il avait vécu, et le plus souvent en grand seigneur; il trouvait même, de temps à autre, l'occasion de calmer ses scrupules, en faisant porter au compte de sa femme quelques billets de mille francs, afin de contribuer, lui aussi, à l'entretien de Jenny et de Daniel. Néanmoins, pendant les derniers mois de son séjour à l'étranger, sa situation était devenue précaire : il se trouvait, pour l'instant, dans l'impossibilité de toucher à ses capitaux; et, non seulement il ne pouvait songer à rendre l'argent que Thérèse lui avait apporté à Amsterdam, mais il se voyait dans la nécessité de vivre aux dépens de sa femme. Il en souffrait; il souffrait surtout à l'idée qu'elle pût se méprendre sur ses sentiments, et supposer que la gêne dans laquelle il se trouvait fût une des raisons de son retour au foyer.)

Cette somme inattendue rendait donc à Jérôme un peu de sa dignité. Il allait pouvoir se libérer.

Dans sa hâte d'annoncer la nouvelle à sa femme, il se dirigeait déjà vers la porte, tout en décachetant la seconde enveloppe, dont l'écriture vulgaire ne lui rappelait rien, lorsqu'il s'arrêta, stupéfait :

« Monsieur,

« Il faut que je vous dise qu'il m'arrive une chose qui ne fait pas de chagrin pour moi, au contraire, et malgré tout j'en suis bien heureuse, parce que j'en ai trop souffert d'être seule, mais je suis chassée de ma place à cause de ça et désespérée, et je ne crois pas que vous continuerez à m'abandonner sans ressources pour un moment pareil, parce que voilà que je ne peux plus trouver de place, ça commence à se voir trop, et je n'ai plus que 30 francs 10 sous, ni non plus pour élever ensuite l'enfant que je voudrais nourrir moi-même comme ça se doit.

« Aussi je ne vous fais pas reproche, mais j'espère que la présente vous trouvera en bonne posture pour moi, parce qu'il faut venir à mon secours demain ou après-demain ou jeudi sans faute, sans ça qu'est-ce que je deviendrais.

« Celle qui vous aime fidèlement

« V. LE GAD. »

D'abord, il ne comprit pas. « Le Gad? » Et tout à coup : « Victorine... Cricri! »

Alors il revint sur ses pas et s'assit, tournant le feuillet entre ses doigts. « Demain ou après-demain... » Il déchiffra la date du timbrage et calcula : cette lettre attendait depuis deux ans! Pauvre Cricri! Qu'était-elle devenue? Qu'avait-elle pensé de son silence? Qu'était devenu l'enfant? Il se posait ces questions sans émotion véritable, et la physionomie apitoyée qu'il avait prise à son insu était conventionnelle. Cependant un petit corps pudique et frémissant, deux yeux candides, une bouche de fillette, se ranimaient dans son souvenir, avec une précision de plus en plus troublante...

Cricri... Comment donc l'avait-il connue? Ah! chez Noémie, qui l'avait amenée de Bretagne. Et ensuite? Il se souvenait assez mal de cet hôtel de banlieue, où il l'avait cachée une quinzaine de jours. Pourquoi l'avait-il quittée?... Il se rappelait mieux leur rencontre, deux années plus tard, pendant une fugue de Noémie; et il revit très nettement la mansarde de domestique où il était monté à la tombée du jour, puis cet hôtel meublé de la rue Richepanse où il l'avait installée, repris pour elle d'une passion qui avait duré deux ou trois mois, — peut-être davantage?

Il relut le billet, la date. Une chaleur connue envahissait son cerveau, troublait sa vue. Il se leva, but un verre d'eau, glissa dans sa poche la lettre de Cricri, et, tenant à la main l'avis du banquier, il partit à la recherche de sa femme.

Une heure après, il prenait le train pour Paris.

Ses premiers pas hors de la gare Saint-Lazare, à dix heures du matin, dans le soleil de septembre, lui causèrent un joyeux vertige. Il se fit conduire à la banque; il piaffait devant les guichets; et, lorsqu'il eut signé son reçu, plié les billets dans son portefeuille, lorsqu'il put enfin s'élancer dans la voiture qui l'attendait, il eut l'impression qu'il échappait cette fois pour toujours aux ténèbres de ces dernières semaines, qu'il ressuscitait à la vie.

Alors, à travers Paris, de concierge en concierge, il entreprit une série de démarches compliquées et d'abord infructueuses, qui l'amenèrent, vers deux heures de l'après-midi et sans qu'il eût pris le temps de déjeuner, chez une dame Barbin qu'on appelait aussi Mme Juju. Elle était sortie. Mais la bonne, qui était jeune et bavarde, déclara qu'elle connaissait bien cette demoiselle Le Gad, « autrement dit Mlle Rinette » :

— « Seulement, à l'hôtel où elle a sa chambre, elle ne vient jamais que le mercredi : son jour de sortie. »

Jérôme rougit, mais ce fut un trait de lumière :

— « Je sais bien », insinua-t-il, avec un sourire informé. « Aussi est-ce de l'autre adresse, que j'ai besoin. »

Ils se regardaient maintenant en camarades. « Elle est gentille », pensa soudain Jérôme. Mais il ne voulait songer qu'à Cricri.

— « C'est rue de Stockholm », dit enfin la bonne, en souriant.

Jérôme s'y fit conduire, mit pied à terre, et ne fut pas long à trouver l'endroit. Une tristesse insinuante, — et qu'il ne s'avouait pas, quoiqu'il eût déjà à lutter contre elle, — remplaçait tous les sentiments qui, depuis le matin, l'animaient.

Le passage, sans transition, du grand jour extérieur aux savants clairs-obscurs de cette demeure, contribuait à le désorienter. Dans la chambre « japonaise » où on le fit entrer et qui n'avait de japonais qu'un éventail de bazar déployé sur le mur à la tête du lit, il restait debout, son chapeau à la main, en une pose dégagée, qui lui était impitoyablement renvoyée par une glace, de quelque côté qu'il tournât les yeux : il finit par s'asseoir sur l'extrémité du sofa.

Enfin la porte s'ouvrit en coup de vent : une fille, en tunique mauve, parut et s'arrêta net.

— « Ah!... » fit-elle. Il crut qu'elle s'était trompée de chambre. Mais elle balbutia, reculant jusqu'à la porte qu'elle avait machinalement repoussée en entrant : « Vous? »

Il hésitait encore à la reconnaître :

— « C'est toi, Cricri? »

Sans quitter Jérôme du regard, comme si elle se fût attendue à lui voir sortir une arme de sa poche, Rinette avança le bras jusqu'au lit, tira vers elle l'étoffe qui le recouvrait, et s'enroula dedans.

— « Qu'est-ce qu'il y a? Quelqu'un vous envoie? » demanda-t-elle.

Il cherchait désespérément les traits enfantins de Cricri sur le visage maquillé de cette jolie fille, un peu bouffie, aux cheveux coupés courts; il ne retrouvait même pas la voix fraîche et paysanne d'autrefois.

— « Qu'est-ce que vous me voulez? » reprit-elle.

— « Je viens te voir, Cricri. »

Il parlait avec douceur. Elle s'y méprit, demeura perplexe une seconde; puis, cessant de le regarder, elle sembla prendre son parti des événements.

— « Si vous voulez », dit-elle.

Et, sans abandonner encore le couvre-lit dans lequel elle s'était drapée, mais dégageant un peu la poitrine et les bras, elle s'approcha du sofa et s'assit.

— « Qui vous envoie? » répéta-t-elle, le front baissé.

Il ne comprenait pas sa question. Debout, intimidé, il expliqua qu'il rentrait en France après un long séjour à l'étranger, qu'il venait seulement de trouver sa lettre.

— « Ma lettre? » fit-elle, relevant les yeux.

Il reconnut l'éclat gris vert de ses prunelles, restées pures. Il lui tendit l'enveloppe, qu'elle prit et considéra d'un air hébété.

— « Ben vrai! », lança-t-elle, avec un regard de rancune. Un long moment, gardant la lettre à la main, elle secoua la tête de haut en bas. « Tout de même! » reprit-elle. « Dire que vous ne m'avez même pas répondu! »

— « Mais, Cricri, puisque je n'ai décacheté ta lettre que ce matin! »

— « Ça ne fait rien, vous auriez au moins dû répondre », déclara-t-elle, branlant la tête avec obstination.

Il reprit, patiemment :

— « Je suis venu tout de suite, au contraire. » Et, sans plus attendre : « Dis-moi : l'enfant? »

Elle serra les lèvres, avala sa salive, voulut parler, mais se tut, les yeux pleins de larmes.

Enfin elle dit :

— « Il est mort. Il est venu avant terme. »

Jérôme laissa échapper un soupir qui ressemblait à un soupir de soulagement. Il restait, sans un mot, honteux et mortifié, sous le regard implacable que Rinette fixait sur lui.

— « Dire que c'est à cause de vous que tout est arrivé », fit-elle. (Sa voix avait moins de dureté que ses yeux.) « Je n'étais pas une coureuse, moi, vous le saviez bien! Deux fois, j'ai cru tout ce que vous me disiez. Deux fois, j'ai tout quitté, pour vous suivre!... Ah! ce que j'ai pleuré quand vous êtes reparti, la deuxième fois! » Elle continuait à le regarder, en dessous, les épaules soulevées, la bouche un peu tordue; ses yeux brillaient, plus verts à travers les larmes. Et lui, irrité, le cœur gros, ne sachant quelle attitude prendre, souriait avec effort. (Comme ce sourire de côté ressemblait au sourire de Daniel!)

Elle sécha ses yeux, puis, d'une voix calme, inattendue, demanda :

— « Et comment va Madame? »

Jérôme comprit qu'elle parlait de Noémie. En venant, il avait décidé qu'il tairait la mort de Mme Petit-Dutreuil, dans la crainte d'émouvoir Cricri, et d'éveiller en elle des sentiments, des scrupules, qui eussent contrarié les desseins précis qu'il formait alors. Il se conforma donc, sans autre délibération, au mensonge qu'il avait préparé :

— « Madame? Elle fait du théâtre, à l'étranger. » Il

eut cependant une légère émotion à vaincre, pour ajouter : « Je pense qu'elle va bien. »

— « Du théâtre? » répéta Rinette avec respect.

Ils se turent. Elle s'était tournée vers lui, elle avait l'air d'attendre. Elle découvrit davantage sa gorge, son épaule, et sourit :

— « Mais ça n'est pas pour tout ça que vous êtes venu », dit-elle.

Jérôme comprenait bien qu'il n'avait qu'un signe à faire pour trouver Rinette consentante. Hélas! rien ne subsistait, de ce désir éperdu, qui, depuis le matin, lui faisait suivre, comme un lévrier en chasse, la piste de cette proie à travers tous les quartiers de Paris.

— « Pas pour autre chose », répliqua-t-il.

Rinette parut surprise, presque blessée :

— « Vous savez, ici nous n'avons pas le droit de recevoir des... de simples visites... »

Jérôme se hâta de dévier l'entretien :

— « Pourquoi as-tu coupé tes cheveux? »

— « Ici, on aime ça. »

Il souriait, par contenance, et ne trouvait plus rien à lui dire. Pourtant, il ne se décidait pas à s'en aller. Une insatisfaction, qui se cachait au fond de lui, le retenait dans cette chambre, comme s'il avait encore quelque chose d'important à y accomplir. Mais quoi? Pauvre Cricri... Le mal était fait : on n'y pouvait plus rien... Plus rien?

Un peu embarrassée par ce silence, Rinette examinait Jérôme à la dérobée; avec plus de curiosité que de rancune. Pourquoi était-il revenu? Il l'aimait donc toujours un peu? Cette question la troubla; — et, soudain, l'idée l'effleura qu'elle pourrait tirer un autre enfant de lui. Tous ses espoirs déçus se ranimèrent d'un coup. Un fils de Jérôme, un petit frère de Daniel, un enfant qui serait à elle, qui serait pour elle seule... Elle fut sur le point de se laisser glisser à terre, d'étreindre les genoux de Jérôme, de murmurer, en levant vers lui un visage suppliant : « Je voudrais un enfant de toi! » Mais c'était détruire, par un caprice, tout un avenir laborieusement échafaudé. Elle eut un imperceptible frisson, et, les yeux un instant perdus vers son rêve impossible, elle se dit, bouche cousue : « Non. Tout ça, non ! »

— « Et Daniel ? » lança-t-elle brusquement.

— « Qui ? Daniel, mon fils ? » Il ajouta, gêné : « Tu le connais ? »

Rinette, sans bien savoir pourquoi, avait espéré que Daniel était pour quelque chose dans le retour de Jérôme. Elle regretta d'avoir prononcé son nom; elle était bien résolue à ne rien dire : le père, pas plus que le fils, ne saurait jamais de quel amour, de quel amour confondu...

Elle répondit évasivement :

— « Si je le connais ? Tout Paris le connaît. Je l'ai rencontré. »

Jérôme était devenu plus soucieux encore. Cependant il n'osa pas demander : « Ici ? »

— « Où donc ? » fit-il.

— « Un peu partout. Dans les boîtes de nuit. »

— « Ah ! » constata-t-il, « je m'en doutais. Je lui ai déjà dit ce que je pense de son genre d'existence ! »

Elle se hâta d'ajouter :

— « Oh, c'était autrefois... Je ne sais pas s'il y va toujours. Il est peut-être comme moi : maintenant je suis sérieuse. »

Il la regarda, mais ne répondit rien. Il réfléchissait avec une affliction sincère au dévergondage de la jeunesse, au relâchement des mœurs, puis à cette maison, à cette créature livrée au mal...

« Pourquoi la vie est-elle ce qu'elle est ? » songea-t-il; et il se sentit tout à coup accablé et repentant.

Rinette, reprise par les visions d'avenir vers lesquelles désormais son activité était toute tendue, rêvassait tout haut, en faisant claquer sa jarretière :

— « Oui, maintenant, je suis à peu près tirée d'affaire. C'est pour ça que je ne vous en veux plus... Si je continue à être sérieuse, à travailler, dans trois ans, au revoir Paris ! Votre sale Paris de misère ! »

— « Pourquoi trois ans ? »

— « Dame, calculez : il n'y a pas encore un mois plein que je suis entrée ici, et je me fais déjà cinquante, soixante francs net. Quatre cents francs par semaine. Eh bien, dans trois ans, peut-être plus tôt, j'aurai trente mille francs. Ce jour-là, fini, Cricri, Rinette et tout le reste. Victorine prend son magot, ses cliques, ses claques, et hop! dans le train de Lannion! Adieu la compagnie! »

Elle riait.

« Non, je ne suis tout de même pas aussi mauvais que mes actes », se répétait Jérôme, avec une conviction désespérée. « Non. C'est plus compliqué que ça. Je vaux mieux que ma vie. Et pourtant, sans moi, cette petite... Sans moi! » Du fond de sa mémoire, remonta de nouveau la parole sacrée : *Malheur à l'homme par qui le scandale arrive!*

— « Tu as encore tes parents? » questionna-t-il.

Une idée, encore confuse, et que déjà cependant il essayait de refouler, se faisait lentement jour en lui.

— « Le père, il est mort l'an passé à la Saint-Yves. » Elle s'arrêta, hésitant à se signer; elle ne le fit pas. « Je n'ai plus que ma tante. Elle a une petite maison, sur la place, en arrière de l'église. Vous ne connaissez pas Perros-Guirec? La vieille, elle n'a pas d'autre héritière que moi, par le fait. Ça n'est pas qu'elle ait du bien, mais elle a sa maison. Elle vit d'une rente qu'on lui fait. Mille francs l'an. Elle est restée longtemps en service chez des nobles. Et elle est chaisière, ça rapporte aussi un peu... Eh bien », reprit-elle, et son visage s'éclaira, « avec trente mille francs de capital, Mme Juju dit que je peux avoir la même rente, ou presque. Je saurai bien m'employer pour gagner le surplus. Nous vivrons toutes les deux. On s'est toujours bien entendu. Et là-bas », conclut-elle avec un gros soupir, en regardant remuer ses orteils dans son petit soulier de satin, « là-bas, personne n'a jamais rien su de moi : tout sera fini, oublié! »

Jérôme s'était levé. Son idée se développait, le subjuguait. Il fit quelques pas en long, en large. Etre généreux... Racheter...

Il s'arrêta devant Rinette :

— « Vous l'aimez donc bien, votre Bretagne? »

Elle fut si surprise de s'entendre dire « vous », qu'elle ne répondit pas tout de suite.

— « Dame! », dit-elle enfin.

— « Eh bien, vous allez y retourner... Oui... Ecoutez-moi. »

Il se remit à marcher. Une impatience d'enfant gâté s'était emparée de lui. « Si ça ne se fait pas sur l'heure », songea-t-il, « je ne réponds plus de rien. »

— « Ecoutez-moi », reprit-il, d'une voix saccadée : « Vous allez y retourner! » Et, la dévisageant bien en face, il lança : « Ce soir! »

Elle rit :

— « Moi? »

— « Vous. »

— « Ce soir? »

— « Oui. »

— « A Perros? »

— « A Perros. »

Elle ne riait plus; le front bas, elle le dévisageait avec une expression mauvaise. Pourquoi se moquer d'elle, maintenant? Et pourquoi plaisanter là-dessus?

— « Si vous aviez mille francs par an, comme votre tante... », commença-t-il.

Il souriait; son sourire n'était pas méchant. Qu'est-ce qu'il voulait dire, avec ses mille francs? Elle calcula posément, divisa par douze.

Il reprit, cessant de sourire :

— « Comment s'appelle le notaire de chez vous? »

— « Le notaire? Lequel? M. Benic? »

Jérôme cambra la taille :

— « Eh bien, Cricri, je te donne ma parole d'honneur que, tous les ans, le 1er septembre, M. Benic te versera mille francs de ma part. Et, pour cette année, les voici », fit-il en ouvrant son portefeuille. « Et voici mille francs de plus pour votre installation là-bas. Prenez. »

Elle ouvrait les yeux, mordait sa lèvre et ne disait rien. L'argent était là, sous son regard, à portée de sa main... Un tel fond de naïveté subsistait en elle qu'elle était émerveillée, mais non incrédule. Elle prit enfin les billets que Jérôme lui tendait patiemment; elle les plia le plus petit possible, les glissa dans son bas, et regarda Jérôme, ne sachant que lui dire. L'idée de l'embrasser ne se présenta même pas à son esprit. Elle avait oublié ce qu'elle était, et même ce qu'ils avaient été l'un pour l'autre : il était redevenu M. Jérôme, l'ami de Mme Petit-Dutreuil, et il l'intimidait comme aux premiers jours.

— « A une condition », ajouta-t-il, « c'est que vous allez partir dès ce soir. »

Elle s'effara :

— « Ce soir? Aujourd'hui? Ah, Monsieur, ça non! C'est impossible! »

Il eût plutôt renoncé à sa bonne action que d'en différer d'un jour l'exécution :

— « Ce soir même, mon petit, devant moi. »

Elle comprit vite qu'il ne céderait pas, et, du coup, se mit en colère. Ce soir? Ça n'avait pas de bon sens! D'abord, c'était justement l'heure du travail. Et puis, ses affaires, à l'hôtel? Et l'amie qui partageait la location de sa chambre? Et Mme Juju? Et le linge, chez la blanchisseuse? D'abord, ici, on ne la laisserait pas partir comme ça... Elle s'affolait, comme un oiseau pris aux pipeaux.

— « Je vais vous chercher Mme Rose », cria-t-elle enfin, les larmes aux yeux, à bout d'arguments. « Vous verrez bien que c'est impossible! D'abord, je ne veux pas! »

— « Va, va vite. »

Jérôme s'attendait à une discussion emportée et s'apprêtait à élever le ton. Il fut étonné du sourire bénévole de Mme Rose.

— « Mais, bien entendu », répondit-elle, flairant aussitôt un piège de la police. « Toutes nos dames sont libres, nous ne les retenons jamais. » Elle se tourna vers Rinette, et sur un ton sans réplique, claquant l'une contre l'autre ses paumes potelées : « Allez vite vous habiller, mon enfant. Vous voyez bien que Monsieur attend. »

Rinette, abasourdie, joignait les mains et regardait tour à tour Jérôme et la patronne. De grosses larmes délayaient son fard. Vingt idées contradictoires s'enchevêtraient dans sa cervelle. Elle était impuissante, furieuse, consternée. Elle haïssait Jérôme. Elle hésitait aussi à quitter la pièce sans lui avoir fait signe de ne souffler mot des deux billets qu'elle avait dissimulés dans son bas. Mme Rose dut se fâcher tout rouge, saisir Rinette par le bras, la pousser vers l'escalier.

— « Voulez-vous obéir, Mademoiselle ! » (« Et ne t'avise jamais de remettre les pieds ici, la mouche ! » lui souffla-t-elle à voix basse.)

Une demi-heure plus tard, un taxi déposait Jérôme et Rinette à l'hôtel meublé où celle-ci avait sa chambre.

Elle ne pleurait plus. Elle s'habituait, malgré tout, à la précipitation de ce départ, parce que toute initiative lui était épargnée. Cependant, par intervalles, elle répétait comme un refrain :

— « Dans trois ans, je ne dis pas... Mais tout de suite, non ! »

Jérôme lui tapotait la main, sans répondre. Il se répétait tout bas : « Ce soir, ce soir même. » Il se sentait l'énergie de briser toutes les résistances; mais il percevait déjà trop bien les limites de cette énergie : il n'y avait pas de temps à perdre.

Il se fit remettre la note du mois et l'indicateur. Le train était à 19 h 15.

Rinette lui demanda de l'aider à tirer de sous la penderie la vieille malle en bois noir, qui contenait quelques effets roulés en tampon.

— « Mon costume de quand j'étais en place », dit-elle.

Alors Jérôme se souvint de la garde-robe de Noémie, que Nicole avait laissée à la logeuse d'Amsterdam. Il s'assit, attira Rinette sur son genou, et, posément, mais avec une ferveur qui faisait trembler les finales de ses phrases, il lui prêcha l'abandon de ses toilettes de prostituée, le renoncement, le retour total à la simplicité, à la pureté de jadis.

Elle l'écoutait, sagement. Ces paroles trouvaient un écho dans une partie très ancienne d'elle-même. « Et puis », ne pouvait-elle s'empêcher de penser, « ces hardes-là, chez nous? A la grand-messe? Pour qui me prendrait-on? » Elle n'aurait pas pu se résoudre à jeter, ni même à donner ce linge à dentelles, ces vêtements tapageurs qui lui avaient coûté tant d'économies. Mais elle devait deux cents francs à la compagne qui partageait sa chambre; depuis qu'il était question de partir, cette dette n'était pas le moindre souci de Rinette; or, en laissant ses frusques à l'amie, elle payait son dû sans écorner les billets de Jérôme. Tout s'arrangeait.

Aussitôt, l'idée de remettre son costume de serge noire, fripé, la fit battre des mains comme s'il se fût agi d'une mascarade; elle sauta impatiemment à terre et partit d'un éclat de rire nerveux qui la secoua comme une crise de sanglots.

Jérôme s'était détourné pour ne pas la gêner pendant qu'elle s'habillait. Il s'approcha de la fenêtre et se perdit dans la contemplation du mur de la courette.

« Je vaux tout de même mieux qu'on ne croit », se disait-il. Sa bonne action rachetait à ses yeux une faute dont cependant il ne s'était jamais bien franchement reconnu coupable.

Cependant quelque chose manquait encore à sa quiétude. Sans tourner la tête, il s'écria :

— « Dites-moi que vous ne m'en voulez plus! »

— « Oh, non! »

— « Dites-le-moi. Dites-moi : Je vous pardonne. » Elle n'osait pas. « Soyez bonne », supplia-t-il, continuant à regarder dehors : « prononcez seulement ces trois mots. »

Elle s'exécuta :

— « Bien sûr que... que je vous pardonne, Monsieur. »

— « Merci. »

Les larmes lui vinrent aux yeux. Il lui semblait rentrer dans l'accord universel, retrouver, après des années de privation, la paix du cœur. A une fenêtre de l'étage inférieur, un serin s'égosillait. « Je suis bon », se répétait Jérôme. « On me juge mal. On ne sait pas. Je vaux mieux que ma vie. » Son cœur débordait de douceur sans objet, de compassion.

— « Pauvre Cricri », murmura-t-il.

Il se retourna. Rinette achevait de boutonner son corsage en laine noire. Elle avait tiré ses cheveux en arrière et son visage lavé avait retrouvé sa fleur : elle était la petite servante timide et têtue que Noémie, six ans plus tôt, avait ramenée de Bretagne.

Jérôme n'y put tenir, vint à elle et lui mit un bras autour de la taille. « Je suis bon, je suis meilleur qu'on ne croit », se répétait-il, comme un refrain. Ses doigts automatiquement dégrafaient la jupe, tandis que ses lèvres s'appuyaient sur le front de la petite, en un baiser paternel.

Rinette frémit, à peine moins farouche qu'autrefois. Mais il la tenait serrée contre lui.

— « Tiens », soupira-t-elle, « vous avez toujours ce parfum, vous savez? qui sent la limonade... » Elle sourit, tendit sa bouche et ferma les yeux.

N'était-ce pas le seul témoignage de reconnaissance qu'elle pût offrir? Et n'était-ce pas, pour Jérôme, le seul geste capable, en cette seconde d'exaltation mystique, d'exprimer jusqu'à l'épuisement cette pitié religieuse dont son âme était surchargée?

Lorsqu'ils arrivèrent à la gare Montparnasse, le train était à quai. Ce fut seulement en apercevant sur le wagon la pancarte : *Lannion*, que Rinette prit pleine conscience de la réalité. Non, ce n'était pas une « triche ». Elle touchait pour de bon à l'accomplissement de ce rêve qu'elle avait, des années durant, caressé. Comment se pouvait-il, alors, qu'elle fût si triste?

Jérôme choisit une place pour elle, et ils commencèrent à faire les cent pas devant le compartiment. Ils ne parlaient plus. Rinette pensait à quelque chose, à quelqu'un... Mais elle ne se décidait pas à rompre le silence. Et Jérôme aussi semblait tourmenté par quelque souci secret, car, plusieurs fois, il se tourna vers elle comme pour lui parler, et se tut. Enfin, sans la regarder, il avoua :

— « Je ne t'ai pas dit la vérité, Cricri. Mme Petit-Dutreuil est morte. »

Elle ne sollicita aucun détail; mais elle se mit à pleurer, et ce chagrin silencieux fit du bien à Jérôme. « Que nous sommes bons », songeait-il, avec suavité.

Ils n'échangèrent plus une parole jusqu'au moment du départ. Pour un rien, si elle l'avait osé, Rinette aurait rendu l'argent et serait retournée supplier Mme Rose de la reprendre. Et Jérôme, que cette attente agaçait, ne ressentait plus aucune joie d'avoir opéré ce sauvetage.

Quand le train s'ébranla enfin, Rinette rassembla son courage, et, se penchant à la portière :

— « Si Monsieur voulait bien donner le bonjour à M. Daniel... »

Le fracas empêcha Jérôme de comprendre ce qu'elle disait. Elle vit bien qu'il n'avait pas entendu : sa bouche se mit à trembler, et la main qu'elle appuyait sur sa poitrine se crispa. Lui, souriait, heureux de la voir partie, et il agitait gracieusement son chapeau.

Il venait d'avoir une nouvelle idée qui le transportait d'impatience : rentrer à Maisons-Laffitte par le premier train, se jeter aux pieds de sa femme, lui confesser tout, — presque tout.

« Et puis », se dit-il, en allumant une cigarette et en s'éloignant à grands pas de la gare, « pour cette rente annuelle, il vaut mieux que Thérèse soit au courant : elle a tant d'ordre, elle n'y manquera jamais. »

XIII

Plusieurs fois par semaine, Antoine venait chercher Rachel pour l'emmener dîner.

Un soir, au moment de sortir, comme elle s'approchait de la glace et tirait sa boîte à poudre de son sac, elle fit tomber un feuillet plié qu'Antoine ramassa.

— « Ah? merci. »

Il crut surprendre dans sa voix un léger trouble; et Rachel, au même instant, devina sa pensée.

— « Eh bien ? » fit-elle, cherchant à plaisanter : « Qu'est-ce que tu supposes donc? Lis! Ce sont des heures de train. »

Il repoussa le papier, qu'elle remit dans son sac. Mais, presque aussitôt, il demanda :

— « Tu pars en voyage? »

Cette fois, l'involontaire frémissement des cils, le gauchissement du sourire, étaient flagrants.

— « Rachel? »

Elle ne souriait plus. « Ah », songea Antoine avec une angoisse subite, « je ne veux pas... je ne pourrais plus supporter la plus courte absence! »

Il vint à elle et toucha son bras; elle s'abattit sur sa poitrine en sanglotant.

— « Mais quoi?... quoi? » balbutia-t-il.

Elle se hâta de répondre, en phrases hachées :

— « Rien. Rien du tout. Je suis énervée. Ecoute, tu vas voir, ce n'est rien : c'est pour la tombe de la petite, tu sais, au Gué-la-Rozière. Eh bien, il y a si longtemps que je n'ai fait le voyage, il va falloir que j'y aille; saisis-tu? Et je t'ai fait peur! Pardonne-moi. » Mais, le serrant tout à coup dans ses bras, elle gémit : « Mon

Minou, c'est donc vrai que tu tiens à moi, dis? Tu serais donc bien malheureux, si... si un jour...? »

— « Tais-toi », murmura-t-il, effrayé pour la première fois de mesurer la place que Rachel avait prise dans sa vie. Il ajouta timidement : « Tu resteras absente... combien de jours? »

Elle s'était dégagée et, s'efforçant de rire, courait vers la toilette afin de bassiner ses yeux.

— « Ce qu'on est bête de pleurer comme ça », dit-elle. « Tiens, c'était un soir comme aujourd'hui, et justement avant d'aller dîner. J'étais chez moi, avec des amis, — que tu ne connais pas. On sonne : la dépêche : *Enfant malade, état très grave, venez.* J'ai bien compris. J'ai couru à la gare comme j'étais, avec un chapeau de tulle pailleté et des souliers découverts; j'ai sauté dans le premier train. Ce voyage, toute une nuit, seule, transie... Comment ne suis-je pas arrivée folle? » Elle se tourna vers lui : « Patiente un peu, je laisse sécher, ça vaut mieux. » Son visage s'anima soudain : « Sais-tu, si tu étais gentil? Tu viendrais là-bas avec moi! Ecoute : deux jours suffiraient, un samedi et un dimanche. On irait coucher à Rouen ou à Caudebec; et le lendemain, on se ferait conduire jusqu'au cimetière du Gué-la-Rozière. Ce que ça serait bon, une balade, tous les deux! Tu ne crois pas? »

Ils partirent, le dernier samedi de septembre, par un bel après-midi, dans un train à peu près vide : ils étaient seuls dans leur compartiment.

Antoine, ravi de ces deux jours de repos et de tête-à-tête, les nerfs déjà détendus, le regard rajeuni, rieur, s'agitait comme un gamin, plaisantait Rachel sur ses colis qui encombraient le filet, et refusait de s'asseoir à côté d'elle afin de mieux la dévorer des yeux.

— « Laisse donc », finit-elle par dire, comme il se levait encore une fois pour baisser un store. « Je ne vais pas fondre. »

— « Non. Mais moi je suis aveuglé quand tu es au

soleil! » Et c'était vrai : lorsque la lumière baignait à plein la chair du visage et incendiait la chevelure, ce devenait une fatigue pour les yeux de la regarder longtemps.

— « Nous n'avions encore jamais voyagé ensemble », observa-t-il. « Y as-tu pensé? »

Elle ne parvint pas à sourire. Sa bouche, un peu tirée, avait quelque chose d'ardent, de volontaire. Il se pencha :

— « Qu'est-ce qu'il y a? »

— « Rien... Le voyage... »

Il se tut, songeant qu'il avait égoïstement oublié le but du pèlerinage. Mais elle expliqua :

— « Ça me trouble toujours, de partir. Ces paysages qui galopent... Tout cet inconnu, au bout! » Ses yeux s'attardèrent un instant sur l'horizon fuyant : « J'en ai tant pris, de ces trains, de ces bateaux! » Et son visage s'obscurcit.

Antoine se glissa près d'elle, s'étendit sur la banquette et posa la nuque au creux de sa robe.

— « *Umbilicus sicut crater eburneus* », murmura-t-il. Puis, après un instant de silence, sentant bien que la pensée de Rachel n'était pas avec lui, il questionna : « A quoi penses-tu? »

— « A rien. » Elle fit un effort pour prendre un air amusé : « A ta cravate de maître d'école! » s'écria-t-elle, en glissant un doigt sous l'étoffe. « Dire que, même pour voyager, tu ne sais pas faire le nœud un peu lâche, un peu libre! » Elle s'étira, sourit encore : « Quelle chance d'être seuls!... Parle, toi! Raconte-moi des choses. »

Il rit :

— « Mais c'est toujours toi qui racontes! Moi, mes malades, mes examens... Comment pourrais-je avoir quelque chose à raconter? J'ai toujours vécu comme une taupe dans sa taupinière : c'est toi qui m'as fait sortir de mon trou, et regarder l'univers! »

Jamais encore il n'avait fait cet aveu devant elle. Elle s'inclina, prit à deux mains la tête chérie qui reposait sur ses genoux, et la considéra :

— « C'est vrai? Est-ce bien vrai? »

— « Tu sais », reprit-il, sans changer de place, « l'an prochain, on ne restera pas tout l'été à Paris. »

— « Non. »

— « Je n'ai pas demandé de vacances cette année; je m'arrangerai pour avoir quinze jours. »

— « Oui. »

— « Peut-être trois semaines. »

— « Oui. »

— « On s'en ira ensemble, n'importe où... N'est-ce pas? »

— « Oui. »

— « Dans la montagne, si tu veux. Dans les Vosges. Ou en Suisse. Ou même plus loin? »

Rachel demeurait songeuse.

— « A quoi penses-tu? » dit-il.

— « A ça. En Suisse, oui. »

— « Ou bien aux lacs italiens. »

— « Ah, non! »

— « Pourquoi? Tu n'aimes pas les lacs italiens? »

— « Non. »

Toujours allongé et bercé par les cahots du train, il consentit :

— « Eh bien, nous irons ailleurs... Où tu voudras. » Mais, après une pause, il reprit, paresseusement : « Pourquoi n'aimes-tu pas les lacs italiens? »

Elle promenait le bout de ses doigts sur le front d'Antoine, sur ses paupières, sur ses tempes qui étaient un peu creusées, comme ses joues; elle ne répondit pas. Il avait baissé les paupières; mais la même idée stagnait dans son cerveau somnolent :

— « Pourquoi ne veux-tu pas me dire ce que tu as contre les lacs italiens? »

Elle eut un imperceptible mouvement d'humeur :

— « C'est là qu'Aaron est mort, na! Mon frère, tu sais? A Pallanza. »

Il regretta son insistance; pourtant il ajouta :

— « Est-ce qu'il vivait là-bas? »

— « Oh! non; il y était en voyage. En voyage de noces. » Elle fronça les sourcils, puis, au bout d'un instant, comme si elle eût deviné la pensée d'Antoine, elle murmura : « Tout de même, ce que j'en ai vu, déjà, de toutes sortes... »

— « Tu es brouillée avec ta belle-sœur? » demanda-t-il. « Tu n'en parles jamais. »

Le train s'arrêtait. Elle se leva et se pencha à la portière. Cependant, elle avait entendu la question d'Antoine, car elle se retourna :

— « Quoi? Quelle belle-sœur? Clara? »

— « La femme de ton frère : tu dis qu'il est mort pendant son voyage de noces. »

— « Elle est morte avec lui. Je t'ai raconté ça... Non? » Elle continuait à regarder dehors. « Ils se sont noyés dans le lac. Personne n'a jamais su ce qui s'était passé. » Elle hésita : « Personne, — sauf Hirsch, peut-être. »

— « Hirsch? » fit-il, se soulevant sur un coude. « Il était donc là-bas avec eux? Mais... toi aussi, alors? »

— « Ah, ne parlons pas de ça aujourd'hui », supplia-t-elle, en venant se rasseoir. « Passe-moi mon sac. Tu as faim? » Elle dépapillota une croquette de chocolat, la mit entre ses dents, et l'offrit ainsi à Antoine, qui, souriant, se prêta au jeu.

— « Comme ça, c'est meilleur », dit-elle, avec un clin d'œil gourmand. Et, d'une façon inattendue, brusque, elle reprit : « Clara était la fille de Hirsch; saisis-tu, maintenant? C'est par la fille que j'ai connu le père. Je ne t'ai jamais dit ça? »

Il fit signe que non, mais se retint de la questionner davantage, cherchant à relier ces détails nouveaux à ceux qu'il avait recueillis déjà. D'ailleurs, Rachel ne tarda pas à reprendre la parole, comme toujours lorsqu'il cessait de l'interroger :

— « Tu n'as pas vu la photo de Clara? Je te la chercherai. C'était une camarade à moi. Je l'avais connue dans la petite classe. Mais elle n'est restée qu'un an à l'Opéra. Elle n'avait pas la santé. Peut-être aussi Hirsch préférait-il la garder près de lui : c'est bien possible... Je m'étais liée avec elle, j'allais la voir, le dimanche, au manège de Neuilly. C'est comme ça que j'ai pris mes premières leçons d'équitation, en même temps qu'elle.

Et puis, plus tard, nous avons gardé l'habitude de monter ensemble, tous les trois. »

— « Qui ça, tous les trois? »

— « Eh bien, Clara, Hirsch et moi. A partir de Pâques, je venais les prendre à six heures du matin, trois fois par semaine. Il fallait que je sois rentrée à huit heures, pour l'Opéra. A ces heures-là, le Bois était à nous, c'était délicieux. » Elle se tut un instant. Il la regardait, accoudé sur la banquette, et ne bougea pas. « Une fille fantasque », reprit-elle, suivant le fil de ses souvenirs. « Très crâne, très bonne; du charme; un charme un peu voyou; et, par moments, le regard terrible de son père. C'était ma meilleure amie, en ce temps-là. Il y avait des années qu'Aaron s'en était toqué : il ne travaillait que pour pouvoir l'épouser, un jour. Clara ne voulait pas. Hirsch, non plus, naturellement. Enfin, elle s'est décidée, brusquement, sans que je me sois tout d'abord expliqué pourquoi. D'ailleurs, même au moment des fiançailles, je ne me doutais de rien. Quand j'ai su, il était trop tard pour dire quelque chose. » Elle fit une pause. « Et puis, trois semaines après leur mariage, j'ai reçu le télégramme de Hirsch qui m'appelait à Pallanza. J'ignorais qu'il avait été les rejoindre; mais, lorsque j'ai appris qu'il était là-bas, j'ai tout de suite flairé le drame! Au reste, ça n'est pas un secret. On a bien vu qu'il y avait des ecchymoses autour du cou de Clara. Il avait dû l'étrangler. »

— « Qui, il? »

— « Aaron. Son mari. Il avait loué une barque, ce soir-là, pour aller se promener sur le lac, seul. Hirsch l'avait laissé faire : il y trouvait son compte; il avait probablement ses raisons : il savait qu'Aaron voulait se suicider. Et Clara aussi s'en doutait : puisqu'elle a profité d'un moment où Hirsch ne la surveillait pas, pour sauter dans la barque, qui démarrait. Du moins, c'est ce que j'ai deviné peu à peu, car Hirsch... » Un frisson la secoua : « Il est impénétrable », articula-t-elle.

Puis, comme elle se taisait de nouveau, Antoine demanda :

— « Mais pourquoi, se suicider? »

— « Aaron parlait toujours de ça. Une marotte; dès

l'enfance. C'est même pour ça que je n'avais rien osé lui dire, et que je l'avais laissé se marier. Ah! » fit-elle, avec un accent de douleur profonde, « je me le suis tant reproché depuis! Peut-être que, si j'avais parlé, à ce moment-là... » Et, regardant Antoine, comme s'il pouvait la disculper devant sa propre conscience : « J'avais surpris leur secret, oui. Mais était-ce une raison pour le révéler à Aaron? Dis? Il avait plusieurs fois déclaré qu'il se tuerait, si Clara ne l'épousait pas! Il l'aurait fait, si je lui avais appris ce que j'avais découvert, par hasard... Tu ne crois pas, toi? »

Antoine ne pouvait répondre; mais il répéta :

— « Par hasard? »

— « Oh, tout à fait par hasard; un matin que je venais chercher Clara et Hirsch pour aller au Bois. J'étais monté tout droit à la chambre de Clara; en approchant, j'ai entendu un bruit de lutte; j'ai couru... La porte était entrouverte : Clara était sans corsage, les bras nus; elle s'empêtrait dans sa jupe d'amazone; et, au moment où je poussais le battant, je l'ai vue saisir sa cravache qui était sur une chaise, et vlan! un grand coup cinglé à travers la figure de Hirsch! »

— « De son père? »

— « Oui, mon petit! Ah! çà, j'avoue que j'y ai souvent repensé depuis! » s'écria-t-elle avec une explosion de joie rancunière. « J'ai souvent revu sa tête, à lui! Sa face blême! Et la balafre, qui devenait de plus en plus foncée! Ah! il aimait cogner, lui aussi : même qu'il cognait dur! Pourtant, cette fois, ah! ah! c'est lui qui l'avait reçu, le coup de cravache. »

— « Mais... quoi? »

— « Eh bien, je n'ai jamais su au juste ce qui s'était passé ce matin-là... Clara devait se refuser depuis les fiançailles. C'est l'idée qui m'est venue tout de suite. Je me suis rappelé certaines choses qui m'avaient étonnée déjà; et, en un instant, j'ai deviné, j'ai vu clair... Hirsch est sorti de la chambre, en grand seigneur, sans me dire un mot; il avait l'air d'être bien certain que je ne parlerais pas. Il avait raison, tu vois. Moi, j'ai pressé Clara de questions. Elle m'a tout avoué. Mais elle m'a juré, — et ça, elle était sincère, j'en suis sûre, — elle m'a juré que c'était fini pour toujours, qu'elle se mariait justement pour échapper à tout ça. Echapper à Hirsch? Ou bien échapper à... à sa propre passion? Voilà ce que j'aurais dû me demander ce jour-là. J'aurais dû comprendre que ce n'était pas fini du tout, rien qu'à la façon dont elle parlait de lui! » Elle fit une pause, avant d'ajouter, d'une voix sourde : « Tant qu'une femme parle d'un homme avec cette espèce de haine-là, c'est qu'elle l'a toujours dans la peau! »

Elle demeura songeuse, de nouveau, pendant une minute, le front bas, les yeux à terre. Puis elle reprit :

— « J'en ai bien eu la preuve ensuite, puisque c'est elle, Clara, qui, en plein voyage de noces... Saisis-tu? C'est elle qui a fait venir Hirsch en Italie!... Ensuite, il me manque des détails. Mais, sûrement, Aaron a dû les surprendre : sans quoi il n'aurait pas cherché à se noyer... Ce que je n'ai jamais bien éclairci, c'est l'intention de Clara. Pourquoi a-t-elle rejoint son mari dans la barque? Pour l'empêcher de se tuer? Ou bien, pour mourir avec lui? On peut supposer l'un ou l'autre... Quel tête-à-tête, hein, dans ce bateau, en pleine nuit, au milieu du lac? Je me suis cent fois demandé ce qui s'était passé. A-t-elle avoué tout, cyniquement? Elle en était capable... Aaron a-t-il voulu la supprimer, pour être bien sûr que, lui mort, ça ne continuerait pas?... On a retrouvé, le lendemain, leur bateau vide; et plusieurs jours après, les deux cadavres, ensemble... Mais le plus bizarre de tout, pour moi, c'est que Hirsch m'a télégraphié de venir, sans attendre qu'on ait commencé les recherches, le soir même de la promenade, avant la fermeture du bureau! » Elle poursuivit, après quelques secondes de rêverie : « D'ailleurs, tu as dû lire cette histoire dans les journaux de l'époque; seulement ça ne t'a pas frappé. La police italienne a fait des enquêtes; la police française s'en est mêlée aussi : on a perquisitionné à Paris, au domicile d'Aaron, au mien; mais ils n'ont jamais trouvé le mot de l'énigme... J'en sais plus qu'eux! »

— « Et ton Hirsch n'a jamais été inquiété? »

Elle se redressa avec vivacité :

— « Non », articula-t-elle, « mon Hirsch n'a jamais été inquiété! »

Dans sa voix, dans le coup d'œil dont elle enveloppa Antoine, il y avait du défi; mais il n'y fit pas attention, car souvent, lorsqu'elle racontait sa vie passée, elle prenait un accent quelque peu provocant, comme si elle eût éprouvé du plaisir à étonner cet homme qui lui en avait si fort imposé, le premier soir de leur rencontre.

— « Hirsch n'a jamais été inquiété », répéta-t-elle sur un autre ton, en ricanant; « mais il a trouvé plus prudent de ne pas rentrer en France, cette année-là! »

— « Et tu es sûre que c'est elle, la fille, qui, en plein voyage de noces... »

— « Assez », fit-elle en se jetant vers lui, avec cette passion qu'elle manifestait presque toujours lorsqu'il venait d'être question de Hirsch entre eux; et elle lui ferma la bouche d'un baiser impérieux. « Ah, tu n'es pas comme les autres, toi! » murmura-t-elle, en se pelotonnant contre lui. « Tu es bon, toi, tu es généreux! Tu es droit! Ah ce que je t'aime, mon Minou! » Et, comme Antoine, obsédé par ce récit, semblait prêt à la questionner encore, elle répéta : « Assez, assez... Ça m'énerve trop. Je veux oublier tout ça, — le plus longtemps possible... Serre-moi fort, câline-moi... Oui, berce-moi, berce-moi bien, mon Minou, pour que j'oublie... »

Il la pressait entre ses bras. Et soudain, du fond de son inconscient, jaillit, comme un instinct nouveau, un besoin d'aventure : s'évader de cette existence rangée, recommencer tout à neuf, courir des risques, utiliser, pour des actes libres et gratuits, cette force qu'il avait été si fier d'asservir à des fins laborieuses!

— « Si nous partions, tous les deux? Ecoute-moi. Refaire notre vie ensemble, loin, loin... Tu ne sais pas ce dont je serais capable! »

— « Toi? » fit-elle, en riant.

Elle lui tendit ses lèvres. Et lui-même, dégrisé, cherchant à faire croire qu'il avait voulu plaisanter, sourit.

— « Comme je t'aime! », dit-elle en le regardant de tout près, avec une angoisse dont il se souvint plus tard.

Antoine connaissait Rouen. Sa famille paternelle était d'origine normande; M. Thibault comptait encore à Rouen plusieurs parents assez proches. De plus, Antoine y avait fait, huit années plus tôt, son service militaire.

Il fallut que Rachel l'accompagnât, dès avant le dîner, de l'autre côté des ponts, dans un faubourg encombré de soldats, pour longer un interminable mur de caserne.

— « L'infirmerie! » s'écria joyeusement Antoine, désignant à Rachel un bâtiment éclairé. « Tu vois, la deuxième fenêtre? Le bureau. En ai-je passé, des journées, là-dedans, sans rien faire, sans même pouvoir lire, à surveiller deux ou trois tire-au-flanc, et quelques amoureux endommagés! » Il riait, sans rancune, et conclut : « Hein? Ce que je suis heureux aujourd'hui! »

Elle ne répondit rien et passa devant lui; il ne vit pas qu'elle était prête à pleurer.

Un cinéma affichait *l'Afrique inconnue;* Antoine montra l'enseigne à Rachel; elle secoua la tête et l'entraîna vers leur hôtel.

De tout le dîner, il ne parvint pas à la faire rire; et, songeant au mobile de leur voyage, il se reprochait un peu sa gaieté.

Mais dès qu'ils furent dans leur chambre, elle se suspendit à son cou :

— « Il ne faut pas m'en vouloir », fit-elle.

— « De quoi donc? »

— « De te gâter notre balade. »

Il voulut protester. Elle l'étreignit de nouveau, répétant, comme pour elle seule :

— « Ah, que je t'aime! »

Le lendemain, de bonne heure, ils gagnèrent Caudebec.

La chaleur se faisait plus lourde; le fleuve coulait, très large, sous une buée qui scintillait. Antoine traîna les colis jusqu'au petit hôtel qui louait des voitures. Celle qu'ils commandèrent vint, longtemps à l'avance, se ranger devant la fenêtre près de laquelle ils déjeunaient. Rachel écourta le dessert. Elle entassa elle-même tous ses paquets dans la capote, expliqua en détail au cocher l'itinéraire qu'elle voulait suivre, et s'élança gaiement dans la vieille calèche.

Plus elle approchait du moment pénible de son voyage, plus elle semblait retrouver son animation. Le trajet l'enchanta : elle reconnaissait les montées, les descentes, les calvaires, les places des villages. Tout l'étonnait; on eût dit qu'elle n'avait jamais quitté la banlieue :

— « Non, mais, regarde! Ces poules! Et cette vieille paralytique qui se rôtit au soleil! Et cette barrière, avec un bloc de pierre pour faire le contrepoids! Sont-ils retardés par ici! Tu vois, je t'avais prévenu : la vraie brousse! »

Lorsqu'elle aperçut, dans la vallée, les toits éparpillés autour de la petite église du Gué-la-Rozière, elle se leva tout debout dans la voiture, et son visage s'illumina comme si elle eût retrouvé son pays natal.

— « Le cimetière est à gauche, loin du bourg. Derrière ces peupliers. Attends, tu vas le voir... Vous traverserez le village au trot », dit-elle au cocher, quand ils atteignirent les premières maisons du Gué.

Cachées au fond des cours herbues, les façades blanches, rayées de noir et coiffées de chaume, brillaient à travers les pommiers; les volets étaient clos. Ils passèrent devant un toit d'ardoises entre deux ifs.

— « La mairie », fit Rachel, ravie. « Rien n'a changé! C'est là qu'on a dressé les actes... Tu vois, là-bas, derrière? Eh bien, c'est là qu'elle habitait, sa nourrice. De braves gens. Ils ont quitté le pays : sans quoi j'irais tout de même l'embrasser, la vieille... Tiens, j'ai habité ici, une fois. Quand je venais, on me logeait chez ceux qui avaient un lit à prêter. Je prenais mes repas avec eux, je riais de leur patois. Ils me regardaient comme une bête de ménagerie. Les bonnes femmes venaient me voir au lit à cause de mes pyjamas. Des retardés, par ici, ce n'est pas croyable! Mais de braves gens. Ils ont tous été si gentils pour moi, quand la petite est morte! Après, je leur ai envoyé tout et le reste : des fruits confits, des rubans à mettre sur leurs coiffes, des liqueurs pour le curé. » Elle se leva de nouveau. « Le cimetière est là, après la côte. Regarde bien : tu vas voir les tombes, dans le creux. Tiens, mets ta main : sais-tu pourquoi le cœur me saute? J'ai toujours peur de ne pas la retrouver, ma pauvre gosse. Parce que nous n'avons pas voulu payer une perpétuité; dans le pays, ils nous ont tous dit que ça n'est pas la mode. Mais, malgré moi, chaque fois que j'arrive, je me dis : " Et s'ils me l'avaient fichue en l'air? " Ils en auraient le droit, tu sais!... Arrêtez-vous devant l'allée, mon vieux; on ira à pied jusqu'à la porte... Viens, viens vite! »

Elle avait bondi hors de la calèche et se hâtait vers la grille; elle l'ouvrit, disparut derrière un pan de mur, et, presque aussitôt, reparut, pour crier à Antoine :

— « Elle y est toujours! »

Le soleil frappait son visage où il n'y avait que de la joie. Elle s'éclipsa de nouveau.

Antoine la rejoignit. Elle se tenait campée, les mains aux hanches, devant un coin envahi d'herbes folles, à l'angle de deux murailles; des débris de clôture émergeaient à travers les orties.

— « Elle y est toujours, mais dans quel état! Ah, pauvre gosse, tu pourras dire qu'il est bien peigné, ton cimetière! Et je leur envoie vingt francs par an, pour l'entretien! »

Puis, se tournant vers Antoine, avec une légère hésitation dans la voix, comme pour s'excuser d'un caprice :

— « Découvre-toi, mon Minou, tu veux bien? »

Antoine rougit et retira son chapeau.

— « Ma pauvre gosse », fit-elle tout à coup. Elle appuya sa main sur l'épaule d'Antoine, et ses yeux s'emplirent de larmes. « Dire que je ne l'ai même pas vue mourir », murmura-t-elle. « Je suis arrivée trop tard. Un petit ange, un vrai petit ange, pâle... » Soudain elle s'essuya les yeux et sourit : « Drôle de balade que je te fais faire, hein? Que veux-tu, c'est de l'histoire ancienne, mais ça vous remue quand même. Heureusement qu'il y a du travail, ça vous empêche de penser... Viens. »

Il fallut retourner à la voiture, et sans accepter l'aide du cocher, transporter dans le cimetière les paquets que Rachel, agenouillée dans l'herbe, tint à déballer elle-même. Méthodiquement, elle étala sur une dalle voisine une pelle, une serpe, un maillet, puis un vaste carton, qui contenait une couronne en perles blanches et bleues.

— « Je comprends pourquoi c'était si lourd », dit Antoine en souriant.

Elle se releva gaiement :

— « Aide-moi donc, au lieu de goguenarder. Ote ton veston... Tiens, prends la serpe. Il s'agit de couper, d'arracher, ces saletés-là qui dévorent tout. Tu vois, on retrouve dessous les briques qui marquent la place. N'était pas grand, son cercueil, ni lourd, pauvre chou!... Ça, donne! C'est le reste d'une couronne. Elle n'est pas jeune, celle-là : *A notre fille chérie*. C'est Zucco qui l'avait apportée. Je n'étais plus avec lui depuis un an, mais je l'avais fait prévenir tout de même, tu saisis? Il a été convenable d'ailleurs, il est venu, il était en noir. Ma foi, j'étais contente, j'étais moins seule pour l'enterrement... Ce qu'on est bête!... Attends : ça, c'est la croix. Relève-la, on la consolidera tout à l'heure. »

En écartant les herbes, Antoine eut une brusque émotion : il n'avait pas aperçu d'abord l'inscription entière : *Roxane-Rachel Gœpfert*. Le premier prénom était effacé; il n'avait lu que le nom de son amie. Il resta quelques secondes rêveur.

— « Eh bien », fit Rachel, « à l'ouvrage! Commençons par ici. »

Antoine s'y mit franchement; il ne faisait rien à demi. En manches de chemise, maniant serpe et bêche, il transpira bientôt comme un manœuvre.

— « Les couronnes », dit-elle, « passe-les-moi, que je les essuie à mesure... Hé, mais il en manque une! Regarde voir? Celle de Hirsch, la plus belle! En fleurs de porcelaine! Ah, par exemple, ça, c'est raide! »

Antoine la suivait des yeux avec amusement : sans chapeau, ses cheveux ébouriffés rutilant au soleil, la lèvre irritée et moqueuse, la jupe relevée et ses manches retroussées jusqu'aux coudes, elle parcourait en tous sens l'enclos, inspectant chaque tombe et bougonnant, furieuse :

— « Ils me l'auront empruntée, pardi, les voraces! »

Elle revint, découragée :

— « J'y tenais tant! Ils s'en seront fait des breloques. Ils sont si retardés, tu sais!... Mais », reprit-elle, apaisée comme par enchantement, « j'ai découvert là-bas du sable jaune qui va faire coquet. »

De quart d'heure en quart d'heure, la petite sépulture prenait une apparence nouvelle : la croix, redressée, puis enfoncée à coups de maillet, dominait le rectangle de briques, entièrement désherbé; et, tout autour, un étroit chemin sablé achevait de donner à la tombe un air entretenu.

Ils n'avaient pas remarqué que l'horizon s'ennuageait, et ils furent surpris par les premières gouttes. Un orage se formait au-dessus de la vallée. Sous le ciel d'étain, les pierres devinrent plus blanches, l'herbe plus verte.

— « Dépêchons! » cria Rachel. Elle eut vers la tombe un sourire maternel : « Nous avons bien travaillé », murmura-t-elle; « on dirait un petit jardin de villa! »

Antoine avait remarqué, à l'angle des murs, la branche tombante d'un rosier qui balançait dans le vent deux roses au cœur de safran. Il eut l'idée de les offrir, en guise d'adieu, à la petite Roxane. Le respect humain l'arrêta : il préféra laisser à la mère ce geste romantique, cueillit les fleurs et les tendit à Rachel.

Elle les prit, et hâtivement les piqua dans son corsage.

— « Merci », dit-elle. « Mais filons, mon chapeau va être perdu. » Et elle s'enfuit vers la voiture, sans se retourner, tenant à deux mains sa jupe que commençait à fouetter la pluie.

Le cocher avait dételé, et s'abritait, avec son cheval, dans le renfoncement de la haie. Antoine et Rachel se réfugièrent au fond de la calèche, sous la capote, et déplièrent sur leurs genoux le lourd tablier qui puait le cuir moisi. Elle riait, amusée par l'imprévu de cet orage, heureuse aussi du devoir accompli.

Ce n'était qu'une ondée. Déjà la pluie diminuait, les nuages galopaient vers l'est; et bientôt, à travers l'atmosphère purifiée de ses vapeurs, le soleil couchant reparut, aveuglant. L'homme commença d'atteler. Des gamins défilèrent, poussant devant eux une file d'oies mouillées. Le plus petit, qui pouvait avoir neuf ou dix ans, se hissa sur le marchepied pour lancer d'une voix fraîche :

— « C'est bon, l'amour, messieurs dames? » Puis il se sauva en faisant claquer ses soques.

Rachel éclata de rire.

— « Des retardés? » dit Antoine. « La jeune génération promet! »

Enfin l'équipage fut prêt à démarrer. Mais il était trop tard pour attraper le train de Caudebec : il fallait gagner directement la plus proche station de la grande ligne : Antoine n'avait pas voulu se faire remplacer à l'hôpital le lundi matin, et il devait rentrer à Paris dans la nuit.

Le cocher les arrêta, pour souper, à Saint-Ouen-la-Noue. L'auberge était pleine des buveurs du dimanche soir. On servit les nouveaux venus dans une arrière-salle.

Le dîner fut silencieux. Rachel ne plaisantait plus. Elle songeait; elle se souvenait d'avoir été amenée là, le jour de l'enterrement, à la même heure, dans une calèche semblable, peut-être la même, — mais en compagnie du ténor. Elle se rappelait surtout la querelle qui avait éclaté presque tout de suite entre eux; et comment Zucco s'était jeté sur elle et l'avait souffletée, là, devant la huche; et comment elle s'était de nouveau donnée à lui, le soir même, dans une chambre de cette auberge; et comment ensuite, quatre mois durant, elle avait de nouveau supporté sa sottise, ses brutalités... Elle ne lui en voulait guère, d'ailleurs : même, ce soir, elle pensait à lui, à cette gifle, avec un souvenir sensuel. Cependant elle se garda de conter l'aventure à Antoine; elle ne lui avait jamais positivement avoué que le ténor la rossait.

Puis une autre idée, lancinante, surgit dans l'ombre;

et elle comprit que c'était pour échapper à cette obsession qu'elle s'était si longuement attardée à ses souvenirs.

Elle se leva :

— « Veux-tu que nous allions à pied jusqu'à la gare ? » proposa-t-elle. « Le train n'est qu'à 11 heures. Le cocher conduira les bagages. »

— « Huit kilomètres en pleine nuit, dans la boue ? »

— « Pourquoi pas ? »

— « Tu es folle, voyons ! »

— « Ah », gémit-elle, « je serais arrivée fourbue, ça m'aurait fait du bien ! » Et, sans insister davantage, elle le suivit vers la voiture.

L'obscurité était complète, l'air rafraîchi.

A peine assise, elle toucha de son ombrelle le dos du cocher :

— « Tout doucement, au pas, nous avons le temps. » Elle se serra contre Antoine, et murmura : « Il fait si doux, on est si bien... »

Quelques instants plus tard, il voulut caresser la joue appuyée contre lui, et s'aperçut qu'elle était mouillée de larmes.

— « Je suis énervée », expliqua-t-elle, en dégageant son visage. Puis, se blottissant plus étroitement entre ses bras : « Ah retiens-moi, mon Minou, garde-moi près de toi ! »

Ils restèrent muets et pressés l'un contre l'autre. Des arbres, des maisons, touchés par la lueur des lanternes, se dressaient un instant comme des spectres, et s'effaçaient dans la nuit. Au-dessus de leurs têtes, le firmament resplendissait. Le va-et-vient de la guimbarde balançait sur l'épaule d'Antoine la tête abandonnée de Rachel. Et, par instants, soulevant tout le buste pour étreindre son amant, elle soupirait :

— « Comme je t'aime ! »

Sur le quai de la gare d'embranchement, ils étaient les seuls à attendre le train de Paris. Ils cherchèrent refuge sous un auvent. Rachel, toujours silencieuse, tenait le bras d'Antoine.

Des employés couraient dans la nuit, agitant des falots dont les reflets miroitaient sur le trottoir mouillé.

— « Le direct! Reculez! »

Le bondissement d'un rapide, noir et troué de feux, passa comme un cataclysme, soulevant tout ce qui pouvait voler, entraînant avec lui jusqu'à l'air respirable. Puis le silence se rétablit très vite. Et, tout à coup, au-dessus d'eux, le nasillement grêle et harcelant d'un timbre électrique annonça l'express.

Le convoi stoppa trente secondes. Ils eurent à peine le temps de grimper, sans choisir, dans un compartiment où, déjà, trois personnes dormaient; la lampe était gainée d'étoffe bleue. Rachel retira son chapeau et se laissa choir dans le seul coin libre; Antoine s'assit près d'elle; mais, au lieu de s'accoter à lui, elle appuya son front à la vitre noire.

Dans la demi-obscurité du wagon, sa chevelure, orangée et presque rose au plein jour, cessait d'avoir une couleur précise; elle semblait d'une matière fluide, incandescente, soie métallique ou bien verre filé; et la blancheur phosphorescente de la joue donnait une apparence irréelle à sa chair. Sa main était abandonnée sur la banquette; Antoine la saisit; il crut s'apercevoir que Rachel tremblait. A voix basse, il l'interrogea. Elle ne répondit que par une pression fiévreuse, et se détourna davantage. Il ne comprenait pas ce qui se passait en elle; il se rappela l'attitude qu'elle avait eue, au cours de l'après-midi, dans le cimetière : l'ébranlement nerveux de ce soir pouvait-il être la conséquence de ce pèlerinage qu'elle avait, somme toute, accompli presque gaiement? Il se perdait en conjectures.

A l'arrivée, lorsque leurs compagnons de voyage s'ébrouèrent et dévoilèrent la lampe, il remarqua qu'elle tenait la tête obstinément baissée.

Il la suivit à travers la foule, sans lui poser aucune question.

Mais, dès qu'ils furent dans le taxi, il prit ses poignets :

— « Qu'est-ce qu'il y a? »

— « Rien. »

— « Qu'est-ce qu'il y a, Rachel? »

— « Laisse-moi... Tu vois bien, c'est fini. »

— « Non, je ne te laisserai pas. J'ai le droit... Qu'est-ce qu'il y a? »

Elle releva son visage décomposé par les larmes, et, le regardant avec désespoir, elle articula :

— « Je ne peux pas te le dire. » Mais elle n'eut pas l'énergie de se maîtriser jusqu'au bout, et, se jetant contre lui : « Ah, jamais je n'aurai la force, mon Minou, jamais, jamais ! »

Il comprit à l'instant même que son bonheur touchait au terme, que Rachel allait le quitter, le laisser seul, et qu'il n'y aurait rien, absolument rien à faire. Il comprit cela sans qu'elle le lui eût dit, bien avant de savoir pourquoi, avant même d'en souffrir, et comme si depuis toujours il y eût été préparé.

Ils montèrent l'escalier de la rue d'Alger, et pénétrèrent dans l'appartement de Rachel, sans avoir échangé un mot.

Elle le laissa seul, une minute, dans la chambre rose. Il y demeura debout, hébété, regardant le lit au fond de l'alcôve, la coiffeuse, cet intérieur devenu le sien. Elle revint; elle s'était débarrassée de son manteau. Il la regarda entrer, refermer la porte, s'avancer, les prunelles cachées sous les cils d'or, la bouche tirée, énigmatique.

Il perdit tout courage, fit un pas vers elle, et balbutia :

— « Mais ce n'est pas vrai, dis?... Tu ne vas pas me quitter? »

Alors elle s'assit; et, d'une voix lasse, entrecoupée, elle déclara qu'il fallait être calme, qu'elle avait un long voyage à faire, un voyage d'intérêt, dans le Congo belge. Puis elle s'engagea dans des explications. L'héritage de son père, tout son avoir, avait été placé par Hirsch dans une huilerie qui, jusqu'ici, marchait à merveille et servait d'appréciables revenus. Mais l'un des deux directeurs venait de mourir, et elle venait d'apprendre que l'autre, actuellement maître de l'affaire, avait partie liée avec de gros négociants bruxellois, qui venaient de fonder à Kinchassa, c'est-à-dire dans les mêmes parages, une huilerie concurrente, et qui s'employaient par tous les moyens à faire péricliter celle de Rachel. (Elle semblait prendre un peu d'assurance en parlant.) La question se compliquait de détails politiques. Ces Müller étaient soutenus par le gouvernement belge. De si loin, Rachel ne pouvait se fier à personne. Or, il y allait de son unique patrimoine, de sa sécurité matérielle, de tout son avenir. Elle avait réfléchi, cherché des biais. Hirsch vivait en Egypte, et n'avait plus aucune accointance avec le Congo. La seule solution était donc de faire le voyage elle-même, soit pour réorganiser l'huilerie, soit pour la vendre un prix convenable aux Müller.

Gagné par son sang-froid, Antoine, pâle et les sourcils froncés, la considérait sans l'interrompre.

— « Mais », hasarda-t-il enfin, « cela peut être réglé assez vite...? »

— « Oui et non. »

— « Quoi? Un mois?... Plus? Deux? » Sa voix trembla : « Trois mois? »

— « Oui. »

— « Peut-être moins? »

— « Oh, non! Il faut déjà un mois pour y aller! »

— « Et si nous trouvions quelqu'un à envoyer là-bas? Quelqu'un de sûr? »

Elle haussa les épaules :

— « Quelqu'un de sûr? A quatre semaines de tout contrôle? Avec des concurrents qui sont prêts à acheter toutes les complicités? »

C'était si juste qu'il n'insista pas. En réalité, depuis le premier moment, il n'avait qu'un mot au bord des lèvres : « Quand? » Toute autre question pouvait attendre. Il ébaucha un mouvement vers elle, et, d'une voix humble qui contrastait avec sa figure crispée d'homme d'action, il murmura :

— « Loulou... Tu ne partiras pas comme ça, tout de suite?... Dis? »

— « Pas tout de suite, non... Mais bientôt », avoua-t-elle.

Il se raidit :

— « Quand? »

— « Quand tout sera prêt. Je ne peux pas dire. »

Il y eut un silence, pendant lequel leurs deux volontés

vacillèrent. Antoine lut sur les traits dévastés de Rachel qu'elle était à bout de forces; et, lui aussi, toute fermeté l'abandonnait. Il s'approcha d'elle, supplia de nouveau :

— « Ce n'est pas vrai, dis? Tu ne vas pas... partir? »

Elle le reçut contre sa poitrine, l'étreignit, l'entraîna, trébuchant, vers le lit où ils s'abattirent.

— « Tais-toi », chuchota-t-elle. « Ne me demande rien. Plus un mot, plus un seul mot là-dessus, ou bien je pars tout de suite, sans prévenir! »

Il se tut, résigné, vaincu; et, plongeant son visage dans les cheveux défaits, à son tour il se mit à pleurer.

XIV

Rachel tint bon. Un mois de suite, elle éluda toute nouvelle question. Lorsqu'elle rencontrait, dans les yeux d'Antoine, un certain regard anxieux, elle détournait la tête. Ce mois fut atroce. Ils continuaient à vivre; mais tout acte, toute pensée, avait son retentissement dans leur souffrance.

Dès le lendemain de l'explication, Antoine avait fait appel à son énergie; appel si vain, qu'il s'était trouvé surpris de tant souffrir, et honteux d'avoir si peu d'action sur sa douleur. Un doute poignant l'avait traversé : « Suis-je vraiment...? » Et aussitôt : « Que personne ne s'en aperçoive! » Par bonheur, prisonnier de son existence active, il recouvrait, comme un talisman, chaque matin en traversant la cour de l'hôpital, la faculté d'accomplir sa journée de médecin; devant ses malades, il ne pensait qu'à eux. Mais, dès qu'il avait l'occasion de se reprendre, — entre deux visites, ou bien à table pendant les repas (car M. Thibault était revenu à Paris, et depuis octobre la maison familiale avait repris son train), — ce découragement sans remède, qui ne cessait de planer sur lui, s'abattait soudain, et le transformait en un être inattentif, facilement irascible, comme si toute cette force dont il avait été si fier ne connaissait plus d'autre forme que l'irritation.

Il passait auprès de Rachel ses soirées et ses nuits. Sans joie. Leurs paroles, leurs silences, étaient empoisonnés de secrets; et leurs étreintes les épuisaient vite, sans parvenir à apaiser cette soif presque hostile qu'ils avaient l'un de l'autre.

Un soir du début de novembre, en arrivant rue d'Alger, Antoine vit la porte ouverte; et, tout de suite, l'aspect du vestibule, dont le mur était nu et le parquet sans tapis... Il se précipita dans l'appartement : les pièces démeublées et sonores, la chambre rose où l'alcôve n'était plus qu'un renfoncement inutile...

Il entendit remuer dans la cuisine; il y courut, hagard. La concierge, à genoux, fouillait un tas de nippes. Antoine lui arracha des mains la lettre qu'elle avait pour lui. Dès les premières lignes, le sang lui revint au cœur : non. Rachel n'avait pas encore quitté Paris, elle l'attendait dans un hôtel voisin, et c'était seulement le lendemain soir qu'elle prenait le train pour Le Havre. A l'instant même, il échafauda une combinaison de mensonges qui lui permît de s'absenter, d'accompagner Rachel jusqu'au bateau.

Il employa la journée du lendemain à des démarches qui échouaient une à une. Enfin, à six heures du soir, tout étant prévu et son service assuré, il put partir.

Il la rejoignit à la gare. Pâle et vieillie, dans un tailleur qu'il ne lui connaissait pas, elle faisait enregistrer une pyramide de malles neuves.

Ce fut seulement le lendemain matin, au Havre, à l'hôtel, dans la baignoire d'eau brûlante où il cherchait à calmer la surexcitation de ses nerfs, qu'un détail lui revint, le frappa comme un trait de foudre : les bagages de Rachel étaient marqués R. H.

Il bondit hors de l'eau, poussa la porte de la chambre :

— « Tu... Tu vas retrouver Hirsch! »

A sa profonde stupéfaction, Rachel lui sourit tendrement :

— « Oui », murmura-t-elle, si bas qu'il ne perçut qu'un souffle; mais il vit ses paupières s'abaisser en signe d'aveu, et sa tête s'incliner deux fois.

Il s'assit sur un siège qui était là. Quelques instants s'écoulèrent. Aucun mot de reproche ne lui venait aux lèvres, et ce n'était ni le chagrin ni la jalousie qui, à cette minute, lui faisaient plier les épaules, mais le sentiment de son impuissance, de leur irresponsabilité, et le poids même de la vie.

Il s'aperçut, en frissonnant, qu'il était nu et trempé.

— « Tu vas prendre froid », dit-elle. Ils n'avaient pas encore trouvé un mot à se dire.

Antoine s'essuya, sans bien savoir ce qu'il faisait, et commença de s'habiller. Elle demeurait telle qu'il l'avait surprise, debout, appuyée au radiateur, un polissoir entre les doigts. Ils souffraient; mais, malgré tout, ils éprouvaient, l'un presque autant que l'autre, une sorte de soulagement. Combien de fois, depuis un mois, Antoine avait-il eu l'impression qu'il ne savait pas tout! Maintenant, du moins, la réalité s'étalait devant lui, complète. Et Rachel, échappant aux obsessions compliquées du mensonge, sentait sa dignité se redresser en elle, et quelque chose s'épanouir.

Elle rompit enfin le silence :

— « J'ai peut-être eu tort de te mentir », dit-elle, avec un visage d'amour où se lisait de la pitié, sans aucune nuance de remords. « On a toujours sur la jalousie des idées toutes faites, si sottes, si fausses... En tout cas, je t'assure, je n'ai menti que pour toi, pour t'épargner; moi, je n'ai fait qu'en être plus malheureuse. Et maintenant je suis contente de ne pas te quitter sans que tu saches. »

Il ne répondit rien, mais cessa de s'habiller et se rassit.

— « Oui », reprit-elle, « Hirsch me rappelle, et je pars. »

Elle se tut de nouveau. Puis, voyant qu'il ne voulait pas parler, et assaillie par tout ce qu'elle s'était si longtemps contrainte à refouler, elle poursuivit :

— « Tu es bon, mon Minou, tu te tais, merci. Je sais tout ce qu'on peut dire : voilà huit semaines entières que je me débats! Ce que je fais est fou, et rien n'a pu m'empêcher de le faire... Tu vas supposer que c'est l'Afrique qui m'attire. Ah! çà c'est bien vrai, vois-tu : elle m'attire au point que, certains jours, j'ai cru me trouver mal, de désir! Mais, tout de même, ça n'aurait pas suffi... Alors tu croiras peut-être que j'obéis à mon intérêt. C'est vrai aussi. Hirsch va m'épouser; il est riche, très riche; et, à mon âge, quoi qu'on puisse répéter, le mariage, c'est quelque chose : on a du mal à rester toute sa vie en marge... Mais ce n'est pas encore ça. Non, réellement, je suis au-dessus de ces calculs-là, autant qu'une juive, une demi-juive, peut l'être. La preuve, c'est que toi aussi tu es riche, ou tu le seras; eh bien, tu m'offrirais de m'épouser demain, que je ne changerais rien à mon départ.

« Je te fais du chagrin, mon Minou; mais écoute-moi, aie du courage, ça me fait du bien de tout te dire; et pour toi aussi, c'est mieux que tu sois bien au courant de tout. J'ai pensé me tuer. Avec la morphine, c'est vite fait, sans histoires, sans douleur; je m'étais même procuré la dose; je l'ai jetée hier, avant de quitter Paris. Je veux vivre, vois-tu; jamais je n'ai pour de bon désiré mourir... Tu n'as jamais eu l'air jaloux de lui, quand je t'en parlais. Tu avais raison. Comment serais-tu jaloux? C'est lui, tu le sais bien, qui pourrait l'être de toi! Je t'aime, mon Minou, je t'aime, toi, comme je n'ai jamais aimé personne : et lui, je le hais. Pourquoi ne pas le dire? Je le hais. Ce n'est pas un homme, c'est... je ne sais quoi! Je le hais et il me fait peur. Il m'a tant battue! Il me battra encore. Peut-être qu'il me tuera... C'est qu'il est jaloux, lui! Une fois déjà, sur la Côte d'Ivoire, il a payé un de nos porteurs pour me faire étrangler. Sais-tu pourquoi? Parce qu'il avait cru que son boy était venu me retrouver une nuit, dans ma case. Il est capable de tout!...

« Il est capable de tout », reprit-elle d'une voix sombre, « mais on ne lui résiste pas... Ecoute : une chose que je n'ai jamais eu le courage de te dire. Tu sais, à Pallanza, après le drame, quand je suis allée là-bas, appelée par lui? Eh bien, c'est là que ça a commencé! Pourtant, j'avais tout deviné; et je mourais de peur devant lui : un jour, je n'ai pas osé boire une tisane qu'il m'avait préparée, parce qu'il avait eu un sourire bizarre en me l'apportant. Eh bien, malgré tout ça, malgré tout ça...

Saisis-tu? Ah! tu ne peux pas te faire une idée de l'attraction de cet homme! »

Antoine eut un nouveau frisson. Rachel lui jeta un peignoir sur les épaules, et continua, d'une voix sans passion :

— « Oh, il n'a pas eu besoin de me menacer, ni de me prendre de force. Il n'a eu qu'à attendre. Il le savait bien : il connaît son pouvoir. C'est moi qui suis venue frapper à sa porte! Et il ne m'a ouvert que le second soir... Alors, j'ai tout abandonné pour partir avec lui; je ne suis pas rentrée en France; je l'ai suivi comme son chien, comme son ombre. Pendant deux ans, presque trois, j'ai tout supporté, les fatigues, les dangers, les coups, les avanies, la prison, tout. Oui, la prison! Pendant trois ans, je n'ai pas cessé de trembler pour le lendemain! On était quelquefois obligés de se cacher pendant des semaines sans oser sortir... A Salonique, un vrai scandale : nous avons eu toute la police turque à nos trousses : il a fallu changer cinq fois de nom pour gagner la frontière! Toujours des histoires de mœurs. A Londres, dans un faubourg, il avait bien trouvé le moyen d'acheter toute une famille : une fille à soldats, ses deux sœurs, son jeune frère... Il appelait ça son *mixed grill*... Un jour, les policemen ont cerné la maison et nous ont pincés. Que pouvais-je dire? Nous avons fait trois mois de préventive. Mais il est arrivé à nous faire relâcher... Ah, si je voulais tout raconter! J'en ai vu, j'en ai enduré!...

« Tu te dis : " Je saisis maintenant pourquoi elle l'a quitté. " Eh bien, ça n'est pas vrai, ce n'est pas moi qui l'ai quitté! Je t'ai menti. Jamais je n'aurais pu. C'est lui qui m'a chassée! Et il riait! Il m'a dit : " Va-t'en, et, quand je voudrai, tu reviendras. " Je lui ai craché à la figure... Eh bien, veux-tu la vérité? Depuis que je suis revenue, je ne pouvais penser qu'à lui! J'attendais, j'attendais. Et voilà qu'il me rappelle enfin!... Saisis-tu, maintenant, pourquoi je pars? »

Elle se leva, vint s'agenouiller près d'Antoine, mit le front sur ses genoux, et pleura.

Il regardait sa nuque, secouée de sanglots. Ils tremblaient tous les deux.

Elle murmura, les yeux clos :

— « Comme je t'aime, mon Minou... »

De tout le jour, par un accord tacite, ils ne parlèrent plus de rien. A quoi bon? Plusieurs fois, pendant le déjeuner, comme ils n'avaient pu éviter de s'asseoir l'un vis-à-vis de l'autre, leurs regards s'attirèrent, troubles des mêmes pensées, et se détournèrent résolument. A quoi bon?

Elle avait à faire quelques emplettes sans importance, pour lesquelles elle usa beaucoup de temps et feignit de l'intérêt. Des bourrasques de pluie, portées par le vent du large, s'engouffraient dans les rues et sifflaient le long des maisons. Docilement, Antoine la suivit, de magasin en magasin, jusqu'à l'heure du dîner. Elle n'eut même pas à aller retenir sa place sur le paquebot, puisqu'elle voyageait à bord de la *Romania*, un cargo mixte qui venait d'Ostende, touchait Le Havre vers cinq heures du matin et repartait une heure plus tard, sans y faire station. Hirsch l'attendait à Casablanca. Il n'y avait pas un mot de vrai dans l'histoire du Congo belge.

Ils prolongèrent le dîner, éprouvant la même lâcheté devant la minute où ils allaient se retrouver en tête-à-tête dans leur chambre, pour la dernière nuit. Le restaurant où ils avaient échoué, immense hall, plein de monde, de lumières et de bruit, était à la fois une taverne, un dancing, une académie de billard : on pouvait y passer la soirée dans la fumée des cigares, le cliquetis des billes et la langueur des valses. Vers dix heures, une troupe d'Italiens ambulants fit irruption; ils étaient une douzaine, en blouses rouges et pantalons blancs, avec des bonnets de pêcheurs napolitains dont les pompons leur dansaient sur l'épaule; ils avaient tous un instrument, violon, guitare, tambourin, castagnettes, et, tout en jouant, ils chantaient à pleine voix et se démenaient comme des diables. Antoine et Rachel les regardaient, reconnaissants, heureux d'abandonner un instant à ces pitres leur attention épuisée de souffrir; et, quand ces fous eurent fait la quête et chanté leurs derniers couplets, il leur sembla que leur mal redoublait. Alors ils se levèrent, et, frissonnant sous l'averse, ils rentrèrent à l'hôtel.

Il était minuit. On devait réveiller Rachel à trois heures.

Courte nuit, pendant laquelle les rafales de novembre ne cessèrent de rabattre la pluie sur le zinc du balcon, et qu'ils passèrent, sans parole, sans désir, blottis l'un contre l'autre comme deux enfants dévorés de chagrin.

Une seule fois, Antoine demanda :

— « Tu as froid? »

Elle tremblait de tous ses membres.

— « Non », fit-elle, en se pressant contre lui, comme s'il pouvait encore la protéger, la sauver d'elle-même : « j'ai peur... »

Il ne répondit rien; il était presque las de ne pas comprendre.

Au coup frappé à la porte, elle sauta du lit, échappant au dernier embrassement. Il lui en sut gré. Leurs volontés d'être forts s'étayaient l'une sur l'autre.

Ils s'habillèrent en silence; ils affectaient le calme, échangeaient de menus services, prolongeaient jusqu'au bout les habitudes de la vie commune. Il l'aida à fermer une valise trop pleine et dut s'agenouiller dessus, de tout son poids, tandis qu'elle s'accroupissait sur le tapis pour tourner la clef. Enfin, lorsque tout fut prêt, lorsqu'il n'y eut plus un mot banal à dire, plus un geste à faire, lorsqu'elle eut roulé ses couvertures, mis sa toque de voyage, épinglé son voile, enfilé ses gants et boutonné la housse de son sac à main, il y eut encore quelques minutes à attendre avant l'arrivée de la voiture. Elle s'assit près de la porte sur une chaise basse, et, prise d'un froid subit, serrant les mâchoires pour ne pas claquer des dents, elle baissa la tête et étreignit ses genoux entre ses bras. Alors, lui aussi, ne sachant plus que dire ni que faire, n'osant s'approcher d'elle, il s'assit, les mains ballantes, sur la plus haute malle. Quelques instants passèrent dans un silence atroce, précurseur. Moment terrible, d'une telle acuité qu'ils n'auraient pu le supporter sans défaillir, s'ils n'avaient eu la certitude que, dans quelques secondes, il allait prendre fin. Rachel se souvint d'une coutume slave : là-bas, lorsqu'un être aimé va partir pour un très long voyage, tous s'asseyent autour du pèlerin et se recueillent un instant. Elle fut sur le point d'exprimer tout haut sa pensée; mais elle n'était plus assez sûre de sa voix.

Lorsqu'elle entendit, dans le corridor, le pas des garçons qui venaient chercher les bagages, redressant soudain la tête, elle tourna tout son corps vers lui; et son regard reflétait un tel excès de désespoir, de terreur et de tendresse, qu'il tendit les bras :

— « Loulou! »

Mais la porte s'ouvrait. Les hommes envahirent la chambre.

Rachel se leva. Elle avait attendu qu'il y eût des témoins pour pouvoir lui dire adieu. Elle fit un pas et se trouva contre Antoine. Il ne voulut pas l'enlacer, il n'eût pu desserrer les bras pour la laisser partir. Il sentit une dernière fois sous ses lèvres la bouche chaude, amollie, hoquetante. Il devina qu'elle murmurait :

— « Adieu, mon Minou. »

Elle se dégagea très vite, et, par la porte grande ouverte sur le couloir obscur, elle disparut sans se retourner, tandis qu'il restait debout, tordant ses mains, et sans autre sensation qu'une sorte de surprise.

Elle lui avait fait promettre qu'il ne l'accompagnerait pas au paquebot. Mais il était convenu qu'il irait à l'extrémité de la digue nord, au pied du phare, afin d'apercevoir la *Romania* à sa sortie du port. Dès qu'il eut entendu s'éloigner la voiture, il sonna pour faire porter son bagage à la consigne; il ne voulait plus avoir à rentrer dans cette chambre. Puis il se jeta dehors, dans la nuit.

La ville était morte et ruisselait sous le brouillard. De tragiques nuées la couvraient encore; d'autres nuages s'amoncelaient à l'horizon; et, entre ces deux restes d'orage qui cherchaient à se joindre, une pâle tranche de ciel semblait fondre.

Antoine allait, sans connaître son chemin. Sous un réverbère, il lutta contre la tourmente pour déplier un plan de la ville. Puis, perdu dans la brume, mais guidé par le bruit des vagues et l'avertissement lointain de la trompe marine, fendant le vent qui plaquait son manteau contre ses jambes, il traversa des terrains glissants de boue et atteignit un quai mal cimenté où il s'engagea.

La digue se rétrécissait en s'avançant dans la mer. A droite, s'élevait l'ample cadence de l'océan libre, tandis que, à gauche, l'eau captive dans le bassin du port ne faisait entendre qu'un clapotis confus; et, venant on ne savait d'où, mais de plus en plus net, le rauque mugissement de la corne de brume emplissait le ciel : Heuh! heuh! heuh!

Après dix minutes de marche, et sans avoir rencontré un être vivant, Antoine distingua, presque au-dessus de lui, l'éclat du phare que le brouillard lui avait caché jusque-là. Il atteignait le bout de la jetée.

Il s'arrêta au seuil des marches qui conduisaient à la plate-forme et chercha à s'orienter. Il était seul dans les rumeurs mêlées du vent et du large. Juste en face de lui, une lueur crémeuse indiquait l'est, où sans doute, pour d'autres, se levait un soleil d'hiver. A ses pieds, un escalier, taillé dans le granit, s'enfonçait vers l'abîme invisible de l'eau : même en se penchant, il ne pouvait apercevoir les vagues qui battaient le môle; mais il entendait, au-dessous de lui et tout près, leur respiration régulière, faite d'un long soupir suivi d'un sanglot mou.

Le temps s'écoulait sans qu'il en eût conscience. Peu à peu, une plus grande clarté filtrait à travers cette vapeur qui, de toutes parts, l'isolait du monde vivant. Il voyait maintenant scintiller le feu de la digue sud, et il n'osait plus quitter des yeux l'espace argenté qui séparait son phare de l'autre : car c'était là, entre ces deux foyers qu'*elle* allait surgir.

Brusquement, très à gauche du point vers lequel il était tourné, une silhouette émergea en plein milieu de ce halo qui marquait la naissance du jour. Masse étroite et haute, qui se formait à vue d'œil dans l'air laiteux, s'élargissait, devenait un navire, un immense navire décoloré, piqueté de lumières et traînant derrière lui un panache sombre et bas.

La *Romania* virait pour prendre la passe.

Antoine, les poings crispés sur la rampe de fer, le visage fouetté par la pluie, dénombrait machinalement les ponts, les mâts, les cheminées... Rachel! Elle était là, à quelque cent mètres, comme lui penchée sans doute, penchée vers lui, fixant sur lui, sans le voir, des yeux aveuglés de larmes; et tout leur amour mutilé, qui les tendait encore une fois l'un vers l'autre, était impuissant à leur procurer la consolation d'un suprême geste d'adieu. Seul le pinceau lumineux du phare, par-dessus la tête d'Antoine, atteignait de son intermittente caresse cette masse sans visage, qui, déjà, s'évanouissait de nouveau dans la buée, emportant, comme un secret, la dernière et si peu certaine conjonction de leurs regards.

Longtemps Antoine demeura là, sans une larme, l'esprit somnolent, ne songeant pas à repartir. Ses oreilles, accoutumées à la corne de brume, n'entendaient même plus son lancinant appel.

Enfin, il consulta sa montre et revint vers la ville. Il était transi. Il hâtait le pas, et pataugeait dans les flaques, sans les voir. Les chantiers de l'avant-port avaient allumé leurs globes mauves; des coups de maillet sonnaient mat dans l'atmosphère ouatée. Une ville de rêve s'élevait derrière la plage, que battait la marée haute. Des files de tombereaux s'engageaient à travers les galets, menant avec eux un cortège de cris, de claquements de fouets; et ce tapage, après tant de silence, fut un soulagement pour Antoine : il s'arrêta pour écouter les roues ferrées qui crissaient dans les silex.

Puis, tout à coup, il réfléchit que son train n'était qu'à dix heures. Pas une fois, il n'avait envisagé ces trois heures d'attente : tout le prévu cessait pour lui avec le départ de Rachel. Que devenir? Le vide mortel de ces heures sans projets aggravait à tel point sa détresse, qu'il fut incapable de lutter davantage, et, s'adossant contre une palissade, il pleura.

Il repartit, sans s'en apercevoir, cheminant droit devant lui.

Les rues s'animaient. Près des fontaines, une marmaille dépeignée se disputait l'eau. Des camions, qui tenaient la largeur de la chaussée, roulaient bruyamment vers les docks. Antoine marcha longtemps, sans savoir où il allait. Il se retrouva, au plein jour, devant les éventaires fleuris de la place où était leur hôtel : c'était là qu'hier avant d'aller dîner, il avait failli choisir pour Rachel une brassée de chrysanthèmes : mais il s'était abstenu, de même qu'ils avaient évité, d'un tacite accord, et jusqu'à la minute de la séparation, tout geste, toute parole, qui eût pu rompre leurs volontés et faire crever ce chagrin qu'ils contenaient avec tant de peine.

Alors il se souvint qu'il avait à prendre son bulletin de consigne au bureau de l'hôtel, et le désir lui vint de revoir encore une fois leur chambre, ce lit... Mais l'appartement n'était plus vacant; on venait de le donner à deux voyageuses.

Il redescendit le perron, désespéré, erra autour d'un square, reconnut une rue qu'ils avaient prise ensemble, et refit le chemin qui menait à cette taverne où ils avaient entendu les Napolitains. Là, il eut envie d'entrer.

Il chercha la table où ils avaient dîné, le garçon qui les avait servis. Mais il ne reconnaissait rien de ce qu'il croyait avoir vu la veille. Le jour implacable de la verrière transformait ce lieu de plaisir en un vaste hangar, sordide et glacé; les chaises s'entassaient sur les tables; l'estrade des musiciens, — avec ses pupitres renversés, son violoncelle couché dans un cercueil noir, son piano recouvert d'une toile cirée semblable à la dépouille écailleuse d'un pachyderme, — flottait parmi cet océan de poussière comme un radeau chargé de cadavres.

— « Vous permettez, Monsieur? »

Un garçon venait balayer sous la table. Antoine mit ses jambes sur la banquette, et son regard s'attarda au va-et-vient du balai : un bouchon, deux allumettes, une pelure d'orange... non : de mandarine... Un courant d'air traversa la salle, éparpilla les détritus. Le garçon toussa. Antoine se ressaisit : avait-il laissé passer l'heure du train? Il se leva, cherchant des yeux la pendule : hélas, il n'était là que depuis sept minutes.

Se rasseoir? Non. Il sortit; et, mû par cette idée fixe que, une fois dans le wagon, il ne souffrirait plus autant, il se jeta dans un fiacre et gagna la gare, comme un refuge.

Mais là, son bagage enregistré, il fallait attendre de nouveau, attendre plus d'une heure encore!

Il se remit à marcher. Il fuyait le long des quais comme s'il eût été pourchassé. « Qu'est-ce que tu me veux? », pensa-t-il, toisant un mécanicien, qui, du haut de sa machine arrêtée, le regardait. Il se retourna et vit qu'un groupe d'hommes d'équipe le suivait des yeux.

Alors il se raidit, revint sur ses pas, poussa la porte de la salle d'attente, et se laissa choir sur un fauteuil. Il était seul dans la pièce solennelle et obscure. Contre la porte vitrée de la salle, une vieille, accroupie et dont il voyait se balancer la nuque grisonnante, berçait un enfant et psalmodiait, d'une voix presque jeune mais sans timbre, cette ancienne chanson, écœurante de douceur, que Mademoiselle chantait souvent à Gise, autrefois :

> — A la pê-che des mou-les,
> Je ne veux plus aller, ma-man...

Ses yeux s'emplirent de larmes. Ne plus rien entendre, ne plus rien voir!

Il mit son visage dans ses mains. Mais, aussitôt, Rachel fut contre lui : ce parfum d'ambre qui lui restait aux doigts pour avoir, cette nuit, manié le collier de Rachel! Il sentit contre sa poitrine la chair ronde de l'épaule, contre ses lèvres le grain tiède de la peau!... Choc si brutal qu'il rejeta la tête en arrière, et qu'il s'immobilisa, les mains écartées et cramponnées aux bras du fauteuil, la tête durement butée dans le rembourrage du dossier. La phrase de Rachel lui vint à la mémoire : « J'ai pensé me tuer... » Oui; en finir! Le suicide, seule issue à de telles angoisses... Un suicide sans préméditation, presque sans consentement, simplement pour échapper, n'importe comment, avant qu'elle ait atteint son paroxysme, à cette souffrance dont l'étau se resserre!

Tout à coup, il sursauta, et, d'un bond, fut debout : un homme, qu'il n'avait pas vu venir, lui touchait le bras. Il faillit, d'un geste réflexe, le repousser, l'abattre d'un coup de poing.

— « Ben quoi? » fit l'homme.

C'était un vieux, qui poinçonnait les billets.

— « Le... le train de Paris? » bégaya Antoine.

— « Troisième quai. »

Antoine fixa sur l'homme deux yeux de somnambule et s'élança d'un pas mou vers le hall.

— « Vous avez le temps, l'est pas formé! » cria l'autre. Puis, comme Antoine, avant de disparaître, s'était, en flageolant, heurté au battant de la porte, le vieux haussa les épaules :

— « Et ça veut faire le costaud! » grommela-t-il.

Juillet 1922-juillet 1923.

QUATRIÈME PARTIE

I

Midi et demi, rue de l'Université.

Antoine sauta de taxi et s'engouffra sous la voûte. « Lundi : mon jour de consultation », songea-t-il.

— « Bonjour, M'sieur. »

Il se retourna : deux gamins semblaient s'être mis à l'abri du vent dans l'encoignure. Le plus grand avait retiré sa casquette, et dressait vers Antoine sa tête de moineau, ronde et mobile, son regard hardi. Antoine s'arrêta.

— « C'est pour voir si vous ne voudriez pas donner un remède à... à lui, qui est malade. »

Antoine s'approcha de « lui », resté à l'écart.

— « Qu'est-ce que tu as, petit? »

Le courant d'air, soulevant la pèlerine, découvrit un bras en écharpe.

— « C'est rien », reprit l'aîné avec assurance. « Pas même un accident du travail. Pourtant, c'est à son imprimerie qu'il a attrapé ce sale bouton-là. Ça le tire jusque dans l'épaule. »

Antoine était pressé.

— « De la température? »

— « Plaît-il? »

— « A-t-il de la fièvre? »

— « Oui, ça doit être ça », fit l'aîné, balançant la tête, et scrutant d'un œil soucieux le visage d'Antoine.

— « Il faut dire à tes parents de le conduire, pour la consultation de deux heures, à la Charité; le grand hôpital, à gauche, tu sais? »

Une contraction, vite réprimée, du petit visage trahit

la déception de l'enfant. Il eut un demi-sourire engageant :

— « Je pensais que vous auriez bien voulu... »

Mais il se reprit aussitôt, et, sur le ton de quelqu'un qui sait depuis longtemps prendre son parti devant l'inévitable :

— « Ça ne fait rien, on s'arrangera. Merci, M'sieur. Viens Loulou. »

Il sourit sans arrière-pensée, agita gentiment sa casquette, et fit un pas vers la rue.

Antoine, intrigué, hésita une seconde :

— « Vous m'attendiez? »

— « Oui, M'sieur. »

— « Qui vous a...? » Il ouvrit la porte qui menait à l'escalier. « Entrez là, ne restez pas dans le courant d'air. Qui vous a envoyés ici? »

— « Personne. » La frimousse de l'enfant s'éclaira. « Je vous connais bien, allez! C'est moi, le petit clerc de l'étude... L'étude, au fond de la cour! »

Antoine se trouvait à côté du malade et lui avait machinalement pris la main. Le contact d'une paume moite, d'un poignet brûlant, suscitait toujours en lui un émoi involontaire.

— « Où habitent tes parents, petit? »

Le cadet tourna vers l'aîné son regard las :

— « Robert! »

Robert intervint :

— « On n'en a pas, M'sieur. » Puis, après une courte pause : « On loge rue de Verneuil. »

— « Ni père ni mère? »

— « Non. »

— « Des grands-parents, alors? »

— « Non, M'sieur. »

La figure du gamin était sérieuse; le regard franc; aucun désir d'apitoyer ni même d'intriguer; aucune nuance de mélancolie non plus. C'était l'étonnement d'Antoine qui pouvait sembler puéril.

— « Quel âge as-tu? »

— « Quinze ans. »

— « Et lui? »

— « Treize ans et demi. »

« Le diable les emporte ! » se dit Antoine. « Une heure moins le quart, déjà ! Téléphoner à Philip. Déjeuner. Monter là-haut. Et retourner au faubourg Saint-Honoré avant ma consultation... C'est bien le jour !... »

— « Allons », fit-il brusquement, « viens me montrer ça. » Et, pour ne pas avoir à répondre au regard radieux, nullement surpris d'ailleurs, de Robert, il passa devant, tira sa clef, ouvrit la porte de son rez-de-chaussée, et poussa les deux gamins à travers l'antichambre jusqu'à son cabinet.

Léon parut sur le seuil de la cuisine.

— « Attendez pour servir, Léon... Et toi, vite, enlève tout ça. Ton frère va t'aider. Doucement... Bon, approche. »

Un bras malingre sous des linges à peu près propres. Au-dessus du poignet, un phlegmon superficiel, bien circonscrit, semble déjà collecté. Antoine, qui ne songe plus à l'heure, pose l'index sur l'abcès ; puis, avec deux doigts de l'autre main, il fait mollement pression sur un autre point de la tumeur. Bon : il a nettement senti sous son index le déplacement du liquide.

— « Et là, ça te fait mal ? » Il palpe l'avant-bras gonflé, puis le bras jusqu'aux ganglions enflammés de l'aisselle.

— « Pas très... » murmure le petit, qui s'est raidi et ne quitte pas son aîné des yeux.

— « Si », fait Antoine, d'un ton bourru. « Mais je vois que tu es un bonhomme courageux. » Il plante son regard dans le regard troublé de l'enfant : l'étincelle d'un contact : une confiance qui semble hésiter, puis jaillir vers lui. Alors seulement il sourit. L'enfant aussitôt baisse la tête ; Antoine lui caresse la joue et doucement relève le menton, qui résiste un peu.

— « Ecoute. Nous allons faire une légère incision là-dedans, et, dans une demi-heure, ça ira beaucoup mieux... Tu veux bien ?... Suis-moi par ici. »

Le petit, subjugué, fait bravement quelques pas ; mais, dès qu'Antoine ne le regarde plus, son courage vacille : il tourne vers son frère un visage qui appelle au secours :

— « Robert... Viens aussi, toi! »

La pièce voisine — carreaux de faïence, linoléum, autoclave, table émaillée sous un réflecteur — servait au besoin pour de petites opérations. Léon l'avait baptisée « le laboratoire »; c'était une salle de bains désaffectée. L'ancien appartement qu'Antoine occupait avec son frère dans la maison paternelle était devenu vraiment insuffisant, même après qu'Antoine y fut resté seul. La chance lui avait permis de louer, depuis peu, un logement de quatre pièces, également au rez-de-chaussée, mais dans la maison contiguë. Il y avait transféré son cabinet de travail, sa chambre, et il y avait fait installer ce « laboratoire ». Son ancien cabinet était devenu le salon d'attente des clients. Une baie, percée dans le mur mitoyen entre les deux antichambres, avait réuni ces appartements en un seul.

Quelques minutes plus tard, le phlegmon était franchement incisé.

— « Encore un peu de courage... Là... Encore... Ça y est! » fit Antoine, reculant d'un pas. Mais le petit, devenu blanc, défaillait à demi dans les bras raidis de son frère.

— « Allô, Léon! » cria gaiement Antoine. « Un peu de cognac pour ces gaillards-là! » Il trempa deux morceaux de sucre dans un doigt d'eau-de-vie. « Croque-moi ça. Et toi aussi. » Il se pencha vers l'opéré : « Ça n'est pas trop fort? »

— « C'est bon », murmura l'enfant qui parvint à sourire.

— « Donne ton bras. N'aie pas peur, je t'ai dit que c'était fini. Lavage et compresses, ça ne fait pas mal. »

Sonnerie du téléphone. La voix de Léon dans l'antichambre : « Non, Madame, le docteur est occupé... Pas cet après-midi, c'est le jour de consultation du docteur... Oh, guère avant le dîner... Bien, Madame, à votre service. »

— « Une mèche, à tout hasard », marmonna Antoine, penché sur l'abcès. « Bon. Et la bande un peu serrée, il faut ça... Maintenant, toi, le grand, écoute : tu vas ramener ton frère à la maison, et tu vas dire qu'on le couche, pour qu'il ne remue pas son bras. Avec qui habitez-vous?... Il y a bien quelqu'un qui s'occupe du petit? »

— « Mais moi. »

Le regard était droit, flambant de crânerie, dans un visage plein de dignité. Il n'y avait pas de quoi sourire. Antoine jeta un coup d'œil vers la pendule et refoula encore une fois sa curiosité.

— « Quel numéro, rue de Verneuil? »

— « Au 37 *bis.* »

— « Robert quoi? »

— « Robert Bonnard. »

Antoine nota l'adresse, puis leva les yeux. Les deux enfants étaient debout, fixant sur lui de limpides regards. Nul indice de gratitude, mais une expression d'abandon, de sécurité totale.

— « Allez, mes petits, sauvez-vous, je suis pressé... Je passerai rue de Verneuil, entre six et huit, pour changer la mèche. Compris? »

— « Oui, M'sieur », dit l'aîné, qui paraissait trouver la chose toute naturelle. « Au dernier étage, la porte 3, juste en face l'escalier. »

Aussitôt les enfants partis :

— « Vous pouvez servir, Léon! »

Puis, au téléphone :

— « Allô... Élysées 01-32. »

A côté de l'appareil, sur la table de l'antichambre, l'agenda des rendez-vous s'étalait, grand ouvert à la page du jour. Sans quitter le récepteur, Antoine se pencha et lut :

« 1913. — *Lundi* 13 *octobre*. 14 h 30, *Mme de Battaincourt*. Je n'y serai pas, elle attendra. 15 h 30, *Rumelles*, oui... *Lioutin*, bon... *Mme Ernst*, connais pas... *Vianzoni*... *de Fayelles*... Bon... »

— « Allô... Le 01-32?... Le professeur Philip est rentré? Ici, le docteur Thibault... » (Un temps) « Allô... Bonjour, Patron... Je vous empêche de déjeuner... C'est pour une consultation. Urgente. Très... L'enfant de

Héquet... Oui, Héquet, le chirurgien... Très grave, hélas, aucun espoir, otite pas soignée, toutes les complications, je vous expliquerai, c'est navrant... Mais non, Patron, c'est vous qu'il veut voir, absolument. Vous ne pouvez pas refuser ça à Héquet... Bien sûr, le plus tôt possible, tout de suite... Moi non plus, à cause de ma consultation, c'est lundi... Eh bien, entendu : je passe vous prendre à moins le quart... Merci, Patron. »

Il raccrocha, parcourut encore une fois la liste des rendez-vous, et poussa un soupir conventionnel de lassitude, que démentait l'expression satisfaite du visage.

Léon s'approchait, un sourire niais sur sa face glabre :

— « Monsieur sait que, ce matin, la chatte a fait ses petits? »

— « Allons donc? »

Antoine, amusé, entra dans la cuisine. La chatte était couchée sur le flanc, dans un panier rempli de chiffons, où grouillaient de petites boules de poils gluants qu'elle léchait et pourléchait de sa langue râpeuse.

— « Combien y en a-t-il? »

— « Sept. Ma belle-sœur a demandé qu'on lui en réserve un. »

Léon était le frère du concierge. Depuis plus de deux ans au service d'Antoine, il y accomplissait ses fonctions avec une application rituelle. C'était un garçon silencieux, au teint fripé, sans âge précis; des cheveux pâles, clairsemés et duveteux, couronnaient bizarrement une figure toute en hauteur; le nez tombant et trop long, entre deux paupières souvent baissées, lui donnait un air godiche, que le sourire accentuait encore. Mais cette gaucherie n'était qu'un masque commode, sinon composé, sous lequel vivait un esprit avisé, doué d'un bon sens sceptique et d'une pointe personnelle d'humour.

— « Et les six autres », demanda Antoine, « vous allez les noyer? »

— « Dame », fit Léon, placidement; « Monsieur veut-il les garder? »

Antoine sourit, pivota sur les talons et gagna à pas rapides l'ancienne chambre de Jacques : elle lui servait de salle à manger.

Les œufs, l'escalope aux épinards, les fruits, tout était sur la table; Antoine ne pouvait supporter d'attendre les plats. L'omelette sentait bon le beurre chaud et la poêle. Courte trêve, quart d'heure de répit entre la matinée d'hôpital et la journée de visites.

— « On n'a rien fait dire, de là-haut? »

— « Non, Monsieur. »

— « Mme Franklin n'a pas téléphoné? »

— « Si, Monsieur. Elle a pris rendez-vous pour vendredi. C'est inscrit. »

Sonnerie du téléphone. La voix de Léon : « Non, Madame, 17 h 30 est pris... 18 heures aussi... A votre service, Madame. »

— « Qui? »

— « Mme Stocknay. » Il se permit un léger haussement d'épaules. « Pour le petit garçon d'une amie. Elle écrira. »

— « Qui est-ce, Mme Ernst, à 17 heures? » Et sans attendre la réponse : « Vous m'excuserez auprès de Mme de Battaincourt; je serai en retard d'au moins vingt minutes... Passez-moi les journaux. Merci. » Un coup d'œil sur la pendule. « Ils doivent être sortis de table, là-haut?... Téléphonez, voulez-vous. Demandez Mlle Gisèle, et apportez l'appareil ici. Avec le café, tout de suite. »

Il saisit le récepteur, ses traits se détendirent, le regard sourit au loin, et déjà, comme si d'un coup d'aile il eût pris son vol, tout son être s'élançait à l'autre bout du fil.

— « Allô... Oui, c'est moi... Oh! j'ai presque fini... » Il rit. « Non, du raisin, un envoi de client, délicieux... Et là-haut? » Il écoute. Le visage s'assombrit progressivement. « Tiens! Avant ou après la piqûre?... Il faut surtout bien lui persuader que c'est normal... » Un temps. Le front s'éclaire de nouveau. « Dis donc, Gise, tu es seule à l'appareil? Ecoute : il faut que je te voie aujourd'hui, j'ai à te parler. Sérieusement... Ici, bien entendu. N'importe à quel moment, à partir de trois heures et demie, veux-tu? Léon te fera passer... J'y compte alors?... Bon... Je bois mon café, et je monte. »

II

Antoine avait la clef de l'étage de son père; il arriva, sans avoir sonné, jusqu'à la lingerie.

— « On a conduit Monsieur dans son bureau », répondit Adrienne.

Sur la pointe des pieds, par le couloir où traînaient des relents de pharmacie, il gagna le cabinet de toilette de M. Thibault. « Cette espèce d'oppression dès que je mets le pied dans cet appartement... », songea-t-il. « Un médecin!... Mais, ici, pour moi, ce n'est pas comme ailleurs... »

Son regard alla droit à la feuille de température, épinglée au mur. Le cabinet de toilette avait l'aspect d'une officine : sur l'étagère, sur la table, des fioles, des récipients de porcelaine, des paquets de coton. « Voyons le bocal. C'est ce que je pensais : les reins travaillent peu; on verra à l'analyse. Et la morphine, où en est-on? » Il ouvrit la boîte d'ampoules dont il avait secrètement maquillé les étiquettes pour que le malade n'eût aucun soupçon. « Trois centigrammes en vingt-quatre heures... Déjà! » « Voyons, où la sœur a-t-elle mis...? Ah, voilà le verre gradué. »

Avec des gestes agiles, presque joyeux, il commença la recherche. Il chauffait déjà l'éprouvette sur la flamme d'alcool, lorsque le grincement de la porte lui fit battre le cœur et tourner précipitamment la tête. Mais ce n'était pas Gise. C'était Mademoiselle, qui s'avançait en trottinant, cassée en deux comme une vieille bûcheronne, et si recroquevillée maintenant que, même en se tordant le cou, à peine parvenait-elle à lever jusqu'aux mains d'Antoine son regard resté vif sous d'étroites lunettes de verre fumé. Le moindre sujet d'alarme se traduisait chez elle par un branle machinal de son petit front d'ivoire, tout jaune entre les bandeaux blancs.

— « Ah, te voilà, Antoine », soupira-t-elle. Et, sans préambule, d'une voix que les oscillations faisaient chevroter : « Tu sais, depuis hier, ça devient impossible! Sœur Céline m'a gâché deux bols de bouillon et plus d'un litre de lait pour rien! Elle lui pluche des bananes à douze sous, qu'il ne touche même pas... Et on ne peut rien faire de ce qu'il laisse, à cause des microbes! Oh, je n'ai rien contre elle ni contre personne, c'est une sainte fille... Mais parle-lui, Antoine, défends-lui de continuer! Un malade, pourquoi le forcer? On devrait attendre qu'il demande! Toujours lui proposer des choses! Ainsi, ce matin, une glace! Antoine! Lui proposer une glace, voyons! Pour lui geler le cœur d'un coup! Comme si Clotilde avait le temps de courir chez les glaciers! Avec une pareille maisonnée à nourrir! »

Antoine, patient, achevait son analyse sans répondre autrement que par des grognements évasifs. « Elle a subi vingt-cinq ans de suite, sans souffler mot, le flux de l'éloquence paternelle », songeait-il; « elle se rattrape... »

— « Sais-tu combien j'ai de bouches? » continuait la vieille demoiselle. « Combien j'ai de bouches, en ce moment, avec la sœur, et Gise par-dessus le marché? Trois à la cuisine, trois à table, et ton père! Compte! A soixante-dix-huit ans, tout de même, dans l'état où je... »

Elle se recula prestement, parce qu'Antoine s'était écarté de la table pour aller se laver les mains. Elle craignait toujours autant les maladies, les contagions; et l'obligation où elle était, depuis un an, de vivre auprès d'un grand malade, de coudoyer des infirmières, des médecins, de respirer des remèdes, agissait sur elle à la façon d'un poison, dont l'action quotidienne accélérerait encore la déchéance générale commencée trois années plus tôt. Elle avait d'ailleurs une certaine conscience de sa décrépitude : « Depuis que le bon Dieu m'a privée de mon Jacques », gémissait-elle, « je ne suis plus que la moitié de rien du tout. »

Cependant, voyant qu'Antoine se savonnait sans bouger de place, elle fit deux pas timides vers le lavabo :

— « Parle à la sœur, Antoine, parle-lui! Elle t'écoutera, toi! »

Il acquiesça d'un « oui » conciliant; puis, sans plus s'inquiéter d'elle, il quitta la pièce. Elle vit les jambes qui s'éloignaient, elle les suivit tendrement des yeux : Antoine, parce qu'il ne lui répondait presque pas, qu'il ne la contredisait jamais, était sa « consolation sur la terre ».

Il repassa par le couloir, afin d'entrer dans le bureau par le vestibule, comme s'il venait d'arriver.

M. Thibault était seul avec la sœur. « Gise est donc dans sa chambre? » se dit Antoine. « Alors elle m'a certainement entendu passer... Elle m'évite... »

— « Bonjour, Père », fit-il, de ce ton léger qu'il affectait maintenant au chevet du malade. « Bonjour, ma sœur. »

M. Thibault souleva les paupières.

— « Ah, te voilà?... »

Il était assis dans un grand fauteuil de tapisserie, qu'on avait traîné près de la croisée. La tête semblait devenue lourde pour les épaules, le menton s'écrasait sur la serviette que la sœur lui avait nouée au cou, et le corps, tassé, faisait paraître démesurément longues les deux béquilles noires appuyées de chaque côté du dossier haut. Le vitrail pseudo-Renaissance jetait son arc-en-ciel sur la cornette mouvante de sœur Céline et posait des taches vineuses sur le napperon de la table, où fumait une assiettée de tapioca au lait.

— « Allons! » dit la sœur. Elle cueillit une cuillerée de potage, égoutta la cuiller sur le bord de l'assiette, puis avec un « Houp-là! » enjoué, comme si elle donnait la becquée à un nourrisson, elle introduisit la cuiller entre les lèvres molles du malade et l'y vida, avant qu'il eût pu se détourner. Les deux mains du vieillard, étalées sur ses genoux, s'agitèrent avec impatience. Il souffrait dans son amour-propre d'être vu ainsi, incapable de manger seul. Il fit un effort pour saisir la cuiller que tenait la sœur; mais ses doigts, depuis longtemps engourdis et maintenant gonflés d'œdème, se refusaient à tout service. La cuiller lui échappa et tomba sur le tapis. D'un geste violent il repoussa l'assiette, la table, la sœur :

— « Pas faim! Veux pas qu'on me force! » cria-t-il, tourné vers son fils comme s'il requérait protection. Et, encouragé sans doute par le silence d'Antoine, il jeta vers la religieuse un coup d'œil hargneux : « Enlevez tout ça! » La sœur, sans discuter, recula d'un pas, sortit du champ visuel.

Le malade toussa. (A chaque instant, il était interrompu par une petite toux sèche, machinale, sans suffocation, qui lui faisait serrer les poings et crisper ses paupières closes.)

— « Tu sais », lança M. Thibault, comme s'il satisfaisait une rancune, « hier soir et puis ce matin, j'ai eu des nausées! »

Antoine se sentit dévisagé par un regard oblique. Il prit un air détaché :

— « Tiens? »

— « Tu trouves ça naturel, toi? »

— « Ma foi, je t'avoue que je m'y attendais », insinua Antoine en souriant. (Il jouait son rôle, sans trop d'effort. Pour aucun malade, il n'avait eu cette patiente pitié : il venait là tous les jours, souvent matin et soir; et, chaque fois, sans se lasser, comme on refait le pansement d'une plaie, il s'ingéniait à improviser des raisonnements trompeurs mais logiques, et, chaque fois, il répétait, sur le même ton convaincu, les mêmes paroles rassurantes.) « Que veux-tu, Père, ton estomac n'est plus un organe de jeune homme! Voilà huit mois au moins qu'on le bourre de potions, de cachets. Estimons-nous heureux qu'il n'ait pas manifesté sa fatigue beaucoup plus tôt! »

M. Thibault se tut. Il réfléchissait. Il était déjà tout réconforté par cette idée neuve, et soulagé de pouvoir s'en prendre à quelque chose, à quelqu'un.

— « Oui », dit-il, en frappant ses grosses mains sans bruit l'une contre l'autre : « Ces ânes-là, avec leurs drogues, ils m'ont... Aïe, ma jambe!... Ils m'ont... Ils m'ont démoli l'estomac!... Aïe! »

La douleur était si soudaine et si aiguë, qu'en un instant elle disloqua tous les traits de son visage. Il laissa le buste glisser de côté; et, prenant appui sur le bras de la sœur et sur celui d'Antoine, il parvint, en allongeant la jambe, à dévier ce sillon de feu qui le brûlait.

— « Tu m'avais dit... que le sérum de Thérivier... allait agir sur cette sciatique! » hurla-t-il. « Eh bien, réponds : est-ce que ça va mieux? »

— « Mais oui », articula Antoine froidement.

M. Thibault coula vers Antoine un regard hébété.

— « Monsieur a reconnu lui-même que, depuis mardi, il souffrait beaucoup moins », cria la sœur, qui avait pris l'habitude d'élever exagérément la voix pour se faire entendre. Et, profitant de l'instant propice, elle enfourna une cuillerée de tapioca dans la bouche du malade.

— « Depuis mardi? » balbutia le vieillard, cherchant de bonne foi à se souvenir; puis il se tut.

Antoine, silencieux et le cœur serré, observait le masque cachectique de son père : l'effort mental détendait les muscles de la mâchoire, soulevait les sourcils et faisait battre les cils. Le pauvre vieux ne demandait qu'à croire à sa guérison; et, en fait, il n'en avait jusqu'à présent jamais douté. Un moment encore, par inadvertance, il se laissa gaver de lait; puis, rebuté, il écarta si impatiemment la sœur, qu'elle céda et consentit enfin à dénouer la serviette.

— « Ils m'ont dé-démoli l'estomac », répéta-t-il, tandis que la religieuse lui essuyait le menton.

Mais, dès qu'elle fut partie avec le plateau, comme s'il avait guetté ce court instant de tête-à-tête, M. Thibault se pencha vivement sur un coude, ébaucha un sourire confidentiel, et fit signe à son fils de venir s'asseoir plus près.

— « C'est une très brave fille, cette sœur Céline », commença-t-il, sur un ton pénétré; « c'est vraiment une sainte créature, Antoine, tu sais?... Jamais nous ne lui serons assez... assez reconnaissants. Mais vis-à-vis de son couvent, est-ce que...? Je sais bien que la Mère

Supérieure m'a des obligations. Mais justement! J'ai des scrupules. Abuser si longtemps de ce dévouement, quand il y a tant d'autres malades plus intéressants, qui attendent peut-être, et qui souffrent! Est-ce que tu n'es pas de mon avis, toi? »

Pressentant qu'Antoine allait le contredire, il l'arrêta de la main, et, malgré la toux qui hachait ses phrases, avançant le menton avec une humble bonne grâce, il continua :

— « Bien sûr, je ne dis pas cela pour aujourd'hui, ni pour demain. Mais... est-ce que tu ne crois pas que... bientôt... dès que j'irai franchement mieux... il faudra lui rendre sa liberté, à cette brave fille? Tu n'imagines pas comme c'est pénible, mon cher, toujours quelqu'un auprès de soi! Dès que ce sera possible, hein? qu'on la renvoie! »

Antoine multipliait les signes d'approbation sans avoir le courage de répondre. Voilà ce qu'elle était devenue, cette inflexible autorité contre laquelle toute sa jeunesse s'était heurtée! Naguère, ce despote eût expulsé sans explication l'infirmière importune; aujourd'hui, faiblissant, désarmé... A de semblables instants, le ravage physique apparaissait plus manifeste encore que lorsque Antoine mesurait sous ses doigts le dépérissement des organes.

— « Tu t'en vas déjà? » souffla M. Thibault, en voyant Antoine se lever. Il y avait un regret, une prière, dans ce reproche : presque de la tendresse. Antoine en fut ému.

— « Il faut bien », dit-il en souriant. « Des rendez-vous toute la journée. Je tâcherai de revenir ce soir. »

Il s'approcha pour embrasser son père : une habitude récente. Mais le vieillard se détourna :

— « Eh bien, va-t'en, mon cher... Va! »

Antoine sortit sans répondre.

Dans l'antichambre, comiquement perchée sur une chaise, Mademoiselle épiait son passage :

— « Il faut que je te parle, Antoine... que je te parle de la sœur... »

Mais il n avait vraiment plus de courage. Il empoigna son pardessus, son chapeau et tira derrière lui la porte de l'appartement.

Alors, sur le palier, il eut une minute de découragement; et l'effort qu'il fit pour enfiler son pardessus lui rappela son coup de reins de troupier, pour relever le poids du sac avant de reprendre la marche...

La vie du dehors, les voitures, les passants luttant contre le vent d'automne, lui rendirent son allégresse.

Il partit à la recherche d'un taxi.

III

« Moins vingt », remarqua Antoine, comme l'auto passait devant l'horloge de la Madeleine. « J'y serai, mais juste... L'exactitude du Patron! Je suis sûr qu'il s'apprête déjà. »

Le docteur Philip attendait, en effet, debout sur le seuil de son cabinet.

— « Bonjour, Thibault », grogna-t-il. Sa voix de polichinelle semblait toujours souligner une moquerie. « Moins le quart tapant. En route... »

— « En route, Patron », fit Antoine gaiement.

Il avait toujours plaisir à se retrouver dans le sillage de Philip. Pendant deux années consécutives il avait été son interne, il avait vécu dans l'intimité quotidienne de cet initiateur. Puis il avait dû changer de service. Mais il n'avait pas cessé de rester en relations avec son maître, et aucun autre, dans la suite, n'avait jamais remplacé pour lui « le Patron ». On disait d'Antoine : « Thibault, l'élève de Philip. » Son élève, en effet : son second, son fils spirituel. Mais souvent aussi son adversaire : la jeunesse en face de la maturité; l'audace, le goût du risque, en face de la prudence. Les rapports ainsi créés entre eux par sept années d'amitié et d'association professionnelle avaient pris un caractère indélébile. Dès qu'Antoine se trouvait auprès de Philip, insensiblement, sa personnalité se modifiait, subissait comme une diminution de volume : l'être indépendant et complet qu'il était l'instant d'avant retombait automatiquement en tutelle. Et cela, sans déplaisir. L'affection qu'il portait au Patron se trouvait encore fortifiée par les satisfactions de son amour-propre : la valeur incontestée du professeur, la réputation qu'il avait de se montrer difficile en hommes, donnaient du prix à son attachement pour Antoine. Lorsque le maître et l'élève étaient ensemble, la bonne humeur régnait; il leur paraissait évident que la moyenne de l'humanité se composait d'inconscients et d'incapables, mais qu'ils avaient par bonheur échappé l'un et l'autre à la commune loi. La façon dont le Patron, peu expansif, s'adressait à Antoine, sa confiance, son naturel, les demi-sourires et clins d'œil dont il soulignait certaines saillies, son vocabulaire même, auquel il fallait être initié, tout semblait attester qu'Antoine était le seul avec qui Philip pût causer librement, le seul dont il fût sûr d'être exactement compris. Leurs mésententes étaient rares et toujours provoquées par le même genre de causes. Il arrivait qu'Antoine reprochât à Philip de se laisser piper par lui-même, et de tenir pour un jugement fondamental ce qui n'était qu'un trait improvisé de son scepticisme. Ou bien, après un échange d'idées sur lesquelles ils étaient tombés d'accord, Philip, brusquement, faisait volte-face, tournait en dérision ce qu'ils venaient de dire, déclarait : « Vu sous un autre angle, ce que nous pensions là est idiot. » Ce qui aboutissait à : « Rien ne mérite qu'on s'y arrête, aucune affirmation ne vaut. » Alors Antoine se cabrait. Une telle attitude lui était proprement intolérable; il en souffrait comme d'une infirmité physique. Ces jours-là, il faussait poliment compagnie au Patron et se hâtait de courir à ses affaires, afin de retrouver l'équilibre dans le jeu bienfaisant de son activité.

Sur le palier, ils rencontrèrent Thérivier, qui venait demander un conseil urgent au Patron. Thérivier était, lui aussi, un ancien interne de Philip, plus âgé qu'Antoine, et qui se consacrait maintenant à la médecine générale. C'est lui qui soignait M. Thibault.

Le Patron s'était arrêté. Légèrement penché en avant, immobile et les bras ballants, ses vêtements flottant autour de son corps maigre, l'air d'un long pantin dont on oubliait de tirer les ficelles, il offrait un contraste comique avec son interlocuteur, qui était courtaud, grassouillet, remuant, prompt au sourire. La fenêtre de l'escalier les éclairait à plein, et Antoine, resté en arrière, s'amusait à observer le Patron, avec cet intérêt qu'il éprouvait parfois à regarder soudain d'un œil neuf les gens qu'il connaissait le mieux. En ce moment, Philip fixait sur Thérivier le regard incisif et toujours impertinent de ses yeux clairs, protégés par des sourcils proéminents, restés noirs bien que la barbe fût grisonnante; — une affreuse barbe de chèvre, qu'on eût dite postiche, une frange effilochée qui lui pendait au menton. Tout en lui, d'ailleurs, semblait fait pour déplaire, pour irriter : le négligé de sa tenue, la rudesse de son accueil, son physique, ce nez trop long et rougeaud, cette respiration sifflante, et ce rictus, et cette lèvre flétrie, toujours humide, d'où coulait une voix éraillée, nasillarde, qui, par instants, grimpait au fausset pour lancer un trait de satire, un mot à l'emporte-pièce; alors, au fond de leur broussaille, ses prunelles de singe brillaient : feu d'un plaisir solitaire et qui ne demandait pas à être partagé.

Mais, si défavorable que fût le premier abord, il n'éloignait de Philip que les nouveaux venus ou les médiocres. En fait, remarquait Antoine, nul praticien n'était plus en faveur auprès de ses malades, nul maître plus estimé de ses confrères ni recherché avec plus de ferveur par les élèves, ni davantage respecté par la jeunesse intransigeante des hôpitaux. Ses plus féroces boutades s'attaquaient à la vie, à la bêtise humaine; elles ne blessaient que les sots. Il suffisait de l'avoir vu dans l'exercice de sa profession pour sentir, non seulement le rayonnement d'une intelligence sans petitesse et sans réel dédain, mais la chaleur d'une sensibilité que le spectacle quotidien malmenait douloureusement : on s'apercevait alors que l'âpreté de sa verve n'était qu'une réaction courageuse contre la mélancolie, l'envers d'une pitié sans illusions; et que cet esprit mordant qui lui valait la rancune des imbéciles n'était, à mieux regarder, que la monnaie courante de sa philosophie.

Antoine n'avait prêté qu'une oreille distraite aux paroles des deux médecins. Il s'agissait d'un malade, soigné par Thérivier, et que le Patron avait visité la veille. Le cas semblait grave. Thérivier tenait à son idée.

— « Non », déclara Philip. « Un centimètre cube, jeune homme, c'est tout ce que je me permettrais. Ou mieux : un demi. Et en deux fois, si vous voulez bien. » Comme l'autre s'agitait, visiblement rebelle à ce conseil modéré, Philip lui mit flegmatiquement sa main sur l'épaule, et nasilla :

— « Voyez-vous, Thérivier, quand un malade en est à cet état-là, il n'y a plus à son chevet que deux forces en lutte : la nature et la maladie. Le médecin arrive et tape au hasard. Pile ou face. S'il atteint le mal, c'est face. Mais, s'il atteint la nature, c'est pile, et le client est *moriturus*. Voilà le jeu, mon petit. Alors, à mon âge, on est prudent, on s'applique à ne pas taper trop fort. » Il resta quelques secondes immobile, avalant sa salive avec un bruit mouillé. Son regard clignotant fouillait celui de Thérivier. Puis il retira sa main, glissa vers Antoine un coup d'œil malicieux, et se mit à descendre l'escalier.

Antoine et Thérivier se rejoignirent derrière lui.

— « Ton père ? » questionna Thérivier.

— « Depuis hier, des nausées. »

— « Ah... » Thérivier plissa le front et fit la moue. Après un court silence, il demanda : « Tu n'as pas regardé les jambes, ces jours-ci ? »

— « Non. »

— « Avant-hier, je les ai trouvées légèrement plus enflées. »

— « L'albumine ? »

— « Menace de phlébite, plutôt. J'irai ce soir entre quatre et cinq. Y seras-tu ? »

La limousine de Philip attendait à la porte. Thérivier prit congé et partit en sautillant.

« Avec ce que je dépense maintenant en taxis », songea Antoine, « je ferais mieux d'avoir une petite auto à moi... »

— « Où allons-nous, Thibault ? »

— « Faubourg Saint-Honoré. »

Philip s'enfonça frileusement au fond de la voiture, et, avant même que le chauffeur eût démarré :

— « Mettez-moi vite au courant, mon petit. Un cas désespéré, vraiment? »

— « Désespéré, Patron. Une petite fille de deux ans, un pauvre avorton, né avant terme : bec-de-lièvre, avec division congénitale du palais. Héquet l'a opérée lui-même au printemps. En outre, insuffisance fonctionnelle du cœur. Vous voyez; bon. Par là-dessus, brutalement, otite aiguë. Ça se passait à la campagne. Il faut vous dire que c'est leur seul enfant... »

Philip, dont le regard se perdait au loin dans la perspective fuyante des rues, fit entendre un grognement apitoyé.

— « ... Mais Mme Héquet est enceinte de sept mois. Grossesse difficile. Je crois qu'elle est très imprudente. Bref, pour éviter un nouvel accident, Héquet avait installé sa femme hors de Paris, à Maisons-Laffitte, dans une maison prêtée par une tante de Mme Héquet, — des gens que je me trouve connaître parce qu'ils étaient des amis de mon frère. C'est là que l'otite s'est déclarée. »

— « Quel jour? »

— « On ne sait pas. La nourrice n'a rien dit, n'a sans doute rien vu. La maman, qui ne quitte pas son lit, ne s'est d'abord rendu compte de rien. Puis elle a cru à des ennuis de dentition. Enfin, samedi soir... »

— « Avant-hier? »

— « Avant-hier, Héquet, en arrivant à Maisons pour y passer le dimanche comme chaque semaine, a vu tout de suite que la petite était en danger. Il s'est procuré une voiture d'ambulance, et, dans la nuit, il a ramené femme et enfant à Paris. Bon. Il m'avait téléphoné en arrivant. J'ai vu la petite, dimanche, à la première heure. J'avais pris l'initiative de convoquer un auriste, Lanquetot. Nous avons trouvé toutes les complications possibles : mastoïdite, naturellement; infection du sinus latéral, etc. Depuis hier, nous avons tout essayé. En vain. L'état s'aggrave d'heure en heure. Ce matin, phénomènes méningés... »

— « Intervention ? »

— « Impossible, paraît-il. Péchot, appelé par Héquet hier soir, a été formel : l'état du cœur ne permet de tenter aucune opération. A part la glace, on ne peut rien faire pour atténuer les souffrances — qui sont terribles. »

Philip, les yeux toujours au loin, émit un nouveau grognement.

— « Voilà où nous en sommes », reprit Antoine, soucieux. « A votre tour, Patron. » Il ajouta, après une pause : « Mais, je l'avoue, mon seul espoir, c'est que nous arrivions trop tard, et que... ce soit fini. »

— « Héquet ne se fait pas d'illusion ? »

— « Oh, non ! »

Philip se tut un instant; puis il posa la main sur le genou d'Antoine.

— « Ne soyez pas si affirmatif, Thibault. En tant que médecin, ce malheureux Héquet doit en effet *savoir* qu'il n'y a rien à espérer. Mais, en tant que père... Voyez-vous, plus l'heure est grave, plus on joue à cache-cache avec soi-même... » Il grimaça un sourire désabusé, et nasilla : « Heureusement, hein ?... Heureusement... »

IV

Héquet habitait au troisième.

Au bruit de l'ascenseur, la porte du palier s'ouvrit. Ils étaient attendus. Un homme corpulent, vêtu d'une blouse blanche, et dont la barbe noire accentuait le type sémite, serra la main d'Antoine qui le présenta à Philip :

— « Isaac Studler. »

C'était un ancien carabin, qui avait renoncé à la médecine, mais que l'on rencontrait dans tous les milieux médicaux. Il avait voué à Héquet, son ancien condisciple, une affection aveugle, un attachement d'animal. Averti par un coup de téléphone du retour précipité de son ami, il était accouru, quittant tout pour s'installer au chevet de l'enfant.

L'appartement, dont toutes les portes étaient ouvertes, et qui était demeuré tel qu'on l'avait rangé au printemps, offrait un aspect sinistre : faute de rideaux, les persiennes étaient closes; l'électricité, allumée partout; et, sous la lumière crue des plafonniers, au milieu de chaque pièce, les meubles, mis en tas sous des draps blancs, semblaient autant de catafalques d'enfants. Dans le salon où Studler avait laissé les deux médecins pour aller avertir Héquet, le sol était jonché des objets les plus disparates, autour d'une malle béante, à moitié vide.

Une porte s'ouvrit en coup de vent, et une jeune femme, dévêtue, le visage angoissé, sa belle chevelure blonde en désordre, se précipita vers eux, aussi vite que le lui permettait sa démarche alourdie; d'une main, elle soutenait son ventre; de l'autre, elle relevait, pour ne pas tomber, les pans de son peignoir. Sa respiration haletante l'empêchait de parler; ses lèvres tremblaient. Elle s'était dirigée droit vers Philip, et le regardait de ses grands yeux noyés, avec une supplication muette, si poignante qu'il ne songea pas à la saluer : il avait étendu machinalement les mains au-devant d'elle, comme pour la soutenir, l'apaiser.

A ce moment, Héquet fit irruption par la porte du vestibule.

— « Nicole ! »

Sa voix vibrait de colère. Pâle et les traits crispés, sans s'occuper de Philip, il s'élança vers la jeune femme, l'empoigna, la fit basculer et la souleva dans ses bras avec une force qu'on n'eût pas attendue de lui. Elle s'abandonna en sanglotant.

— « Ouvrez-moi la porte », souffla-t-il à Antoine, qui était accouru pour l'aider.

Antoine les suivit. Un murmure s'échappait plaintivement des lèvres de Nicole, dont il soutenait la tête renversée. Il distingua des paroles entrecoupées : « Jamais tu ne me pardonneras... Tout est ma faute, tout... Elle est née infirme à cause de moi... Tu m'en as voulu si longtemps !... Et maintenant, ma faute encore... Si j'avais compris, si je l'avais soignée tout de suite... » Ils arrivaient dans une chambre où Antoine aperçut un grand lit défait. Sans doute la jeune femme, ayant guetté l'arrivée des médecins, s'était-elle jetée hors du lit, au mépris de toutes les interdictions ?

Elle avait maintenant saisi la main d'Antoine et s'y agrippait désespérément :

— « Je vous en prie, Monsieur... Félix ne me pardonnerait plus... Il ne pourrait plus me pardonner, si... Essayez tout ! Sauvez-la, je vous en supplie, Monsieur !... »

Son mari l'avait recouchée avec précaution et tirait sur elle les couvertures. Elle lâcha la main d'Antoine et se tut.

Héquet se pencha au-dessus d'elle. Antoine surprit leur double regard : celui de la femme, vacillant, éperdu; celui de l'homme, farouche :

— « Je te défends de te lever, tu entends ? »

Elle ferma les yeux. Alors il se pencha davantage,

effleura les cheveux de ses lèvres, et appuya sur la paupière close un baiser qui paraissait sceller un pacte et ressemblait, d'avance, à un pardon.

Puis il entraîna Antoine hors de la chambre.

Quand ils retrouvèrent le Patron auprès du bébé, où l'avait conduit Studler, Philip avait déjà retiré sa jaquette et mis un tablier blanc. Calme, le masque muré, comme s'il eût été seul au monde avec l'enfant, il procédait à une investigation minutieuse, méthodique, bien que, dès le premier contact, il eût mesuré l'inefficacité de tout traitement.

Héquet, silencieux, les mains fébriles, épiait le visage du praticien.

L'examen dura dix minutes.

Lorsque Philip eut terminé, il releva la tête et chercha Héquet des yeux. Celui-ci était devenu méconnaissable : une face morne, un regard figé entre des paupières rouges, racornies, comme desséchées par du vent et du sable. Son impassibilité était pathétique. Philip comprit, au rapide coup d'œil dont il l'enveloppa, que toute feinte était superflue, et il renonça aussitôt aux soins nouveaux qu'il s'apprêtait, par charité, à prescrire. Il dénoua son tablier, se lava rapidement les mains, remit la jaquette que l'infirmière lui présentait, et sortit de la pièce, sans un regard vers le petit lit. Héquet le suivit, puis Antoine.

Dans le vestibule, les trois hommes, debout, se dévisagèrent.

— « Je vous remercie d'être venu tout de même », articula Héquet.

Philip secoua évasivement les épaules, et ses lèvres claquèrent avec un bruit mouillé. Héquet le considérait à travers son lorgnon. Progressivement, l'expression de ce regard devint sévère, méprisante, presque haineuse : puis cette lueur mauvaise s'éteignit. Il balbutia, sur un ton d'excuse :

— « On ne peut pas s'empêcher d'espérer l'impossible. »

Philip ébaucha un geste qu'il n'acheva pas, et, sans

hâte, décrocha son chapeau. Mais, au lieu de sortir, il revint vers Héquet, hésita, et, gauchement, lui mit une main sur le bras. Il y eut un nouveau silence. Puis, comme s'il se ressaisissait, Philip se recula, toussa légèrement, et se décida enfin à partir.

Antoine s'approcha d'Héquet :

— « C'est ma consultation, aujourd'hui. Je reviendrai ce soir, vers neuf heures. »

Héquet, immobile, regardait stupidement la porte ouverte par où son dernier espoir venait de disparaître, avec Philip; il remua la tête pour montrer qu'il avait entendu.

Philip, suivi d'Antoine, descendit rapidement deux étages, sans un mot. Alors il s'arrêta, se tourna à demi, avala sa salive avec un bruit de source, et, d'une voix plus nasillarde que jamais :

— « J'aurais dû, malgré tout, ordonner quelque chose, hein? *Ut aliquid fieri videatur*... Vrai, je n'ai pas osé. » Il se tut, descendit quelques marches, et marmonna, sans se retourner cette fois :

— « Pas si optimiste que vous, moi... Ça peut bien traîner encore un jour ou deux. »

Comme ils atteignaient le bas de l'escalier, assez sombre, ils croisèrent deux dames qui entraient.

— « Ah, M. Thibault! »

Antoine reconnut Mme de Fontanin.

— « Eh bien? » questionna-t-elle, d'une voix engageante où elle s'appliquait à ne pas laisser percer d'inquiétude. « Justement, nous venions aux nouvelles. »

Antoine ne répondit que par un long hochement de tête.

— « Non, non! Sait-on jamais! » s'écria Mme de Fontanin, avec une nuance de reproche, comme si l'attitude d'Antoine l'obligeait à conjurer bien vite un mauvais sort. « Confiance, confiance, docteur! Ce n'est pas possible, ce serait trop affreux! N'est-ce pas, Jenny? »

Alors, seulement, Antoine aperçut la jeune fille, qui se tenait à l'écart. Il s'empressa de s'excuser. Elle semblait gênée, irrésolue; enfin elle lui tendit la main. Antoine remarqua son expression bouleversée et le battement nerveux de ses paupières; mais il connaissait l'affection de Jenny pour sa cousine Nicole, et ne s'étonna pas.

« Etrangement changée », se dit-il néanmoins, tandis qu'il rejoignait le Patron. Dans son souvenir surgit la silhouette, déjà lointaine, d'une jeune fille en robe claire, un soir d'été, dans un jardin. Cette rencontre éveillait en lui un sentiment douloureux. « Ce pauvre Jacques ne l'aurait sûrement pas reconnue », songea-t-il.

Philip, sombre, s'était rencogné dans l'auto.

— « Je vais à l'Ecole », fit-il, « je vous déposerai chez vous en passant. »

De tout le trajet, il ne prononça pas trois paroles. Mais, au coin de la rue de l'Université, comme Antoine prenait congé, il parut secouer sa torpeur.

— « Au fait, Thibault... Vous qui vous êtes un peu spécialisé dans les retardés du langage... Je vous ai adressé quelqu'un, ces jours-ci : Mme Ernst... »

— « Je dois la voir aujourd'hui. »

— « Elle vous amènera son petit garçon, un enfant de cinq ou six ans, qui parle comme un bébé, par monosyllabes. Il y a même certains sons qu'il semble ne pas pouvoir prononcer du tout. Mais, si on lui dit de réciter sa prière, il se met à genoux, et il vous débite le *Notre Père*, d'un bout à l'autre, en articulant presque correctement! Par ailleurs, il paraît assez intelligent. C'est un cas très intéressant pour vous, je crois... »

V

Léon parut dès qu'il entendit la clef de son maître dans la serrure :

— « Mlle de Battaincourt est là... » Il prit un air dubitatif qui lui était familier, et ajouta : « Je crois que c'est avec une gouvernante. »

« Ce n'est pas une Battaincourt », rectifia Antoine à part lui, « puisqu'elle est la fille de Goupillot, les *Bazars du XX*^{e} *siècle*... »

Il passa dans sa chambre pour changer de col et de veston. Il attachait de l'importance à sa toilette et s'habillait avec une discrétion étudiée. Puis il gagna son cabinet, s'assura d'un regard que tout était en ordre, et, plein d'entrain au seuil de cet après-midi de travail, il souleva vivement la portière et ouvrit la porte du salon.

Une svelte jeune femme se leva. Il reconnut l'Anglaise qui, déjà, au printemps, avait accompagné Mme de Battaincourt et sa fille. (Sa mémoire, involontairement fidèle, lui rappela même aussitôt un petit trait qui l'avait frappé : à la fin de la visite, tandis que, assis à son bureau, il rédigeait son ordonnance, il avait par hasard levé les yeux vers Mme de Battaincourt et la Miss qui, toutes deux en toilettes légères, se tenaient debout, rapprochées, dans l'embrasure de la fenêtre, et il n'avait pas oublié cette lueur qu'il avait surprise dans le regard de la belle Anne, tandis qu'elle relevait, d'un geste caressant de ses doigts nus, une mèche de cheveux sur la tempe soyeuse de l'institutrice.)

L'Anglaise inclina la tête d'un mouvement dégagé et fit passer la fillette devant elle. Antoine, qui s'effaçait pour les laisser entrer, fut un instant enveloppé par la fraîche senteur de ces deux corps jeunes et soignés. Elles étaient toutes deux blondes, élancées et de carnation lumineuse.

Huguette portait son manteau sur son bras, et, bien qu'elle n'eût guère plus de treize ans, elle était déjà si grande qu'on s'étonnait de la voir vêtue d'une robe d'enfant, courte, sans manches, et laissant à découvert toute une chair de gamine que l'été avait somptueusement dorée. Ses cheveux, d'un blond chaud, s'enroulaient en boucles mobiles, et encadraient presque gaiement une physionomie où le sourire indécis, le large regard un peu lent, exprimaient plutôt la mélancolie.

L'Anglaise s'était tournée vers Antoine. Son teint de fleur rosit vivement aux pommettes, lorsqu'elle entreprit d'expliquer, en un français mélodieux comme un trille d'oiseau, que Madame déjeunait en ville, qu'elle avait bien recommandé qu'on lui renvoyât la voiture, et qu'elle ne tarderait pas à arriver.

Antoine s'était approché d'Huguette, lui avait donné une petite tape sur l'épaule, et l'avait tournée face au jour.

— « Comment allons-nous, maintenant? » fit-il distraitement.

La fillette secoua la tête et sourit comme à regret.

Antoine passait rapidement en revue la coloration des lèvres, des gencives, de la muqueuse de l'œil, mais sa pensée profonde était ailleurs. Dans le salon, tout à l'heure, il avait remarqué la manière dont la petite — si naturellement gracieuse, semblait-il, — s'était gauchement levée de son fauteuil, et s'était avancée vers lui avec une imperceptible raideur; puis, lorsqu'il lui avait donné cette tape sur l'épaule, son attention en éveil n'avait pas manqué d'observer une imperceptible grimace et un très léger mouvement de retraite.

C'était la seconde fois seulement qu'il voyait l'enfant. Il n'était pas le médecin de la famille. Sans doute était-ce à l'instigation de son mari, Simon de Battaincourt, un ancien ami de Jacques, que la belle Mme de Battaincourt avait fait, au printemps, irruption chez Antoine pour le consulter sur l'état général de sa fille, fatiguée, disait-elle, par une croissance trop rapide. A cette date, l'examen d'Antoine n'avait décelé aucun indice de lésion. Mais, l'état général lui ayant paru suspect, il avait prescrit une hygiène sévère, et fait promettre qu'on lui ramènerait l'enfant tous les mois. Il ne l'avait jamais revue.

— « Voyons », dit-il, « voulez-vous me défaire tout ça... »

— « Miss Mary », appela Huguette.

Antoine, à son bureau, volontairement calme, consultait le dossier établi en juin. Il n'avait encore relevé aucun symptôme qui méritât considération; mais un soupçon s'était imposé à lui; et, bien que souvent déjà ces sortes d'impressions l'eussent amené à dépister un mal encore latent, il se refusait systématiquement à leur donner trop vite créance. Il déplia devant lui le calque de l'examen radioscopique fait au printemps, et l'étudia sans hâte. Puis, il se leva.

Au milieu de la pièce, Huguette, à demi assise sur le bras d'un fauteuil, se laissait paresseusement dévêtir. Quand elle voulait aider la miss à détacher un lacet ou une agrafe, elle s'y prenait si maladroitement que l'Anglaise lui repoussait la main; une fois même, agacée, celle-ci alla jusqu'à lui frapper sèchement sur les doigts. Cette brusquerie, et quelque chose de fermé dans le visage angélique de Mary, fit supposer à Antoine que la jolie fille n'aimait guère l'enfant. Huguette, d'ailleurs, avait l'air de la craindre.

Il s'approcha :

— « Merci », dit-il, « cela suffit. »

La petite leva sur lui d'admirables yeux bleus, limpides, pénétrés de lumière. Sans savoir pourquoi, elle aimait bien ce docteur-là. (Du reste, malgré son visage volontaire et d'aspect toujours si tendu, Antoine donnait rarement à ses malades l'impression qu'il était dur; même les jeunes, les moins perspicaces, ne s'y trompaient guère : le pli de ce front, ce regard encaissé, insistant, cette forte mâchoire crispée, leur apparaissaient seulement comme une garantie de sagacité et de force. « Les malades », disait le Patron avec un diabolique sourire, « ne tiennent vraiment qu'à une chose : c'est à être pris au sérieux... »)

Antoine commença par une patiente auscultation. Rien aux poumons. Il avançait avec méthode, comme Philip. Rien au cœur. « Mal de Pott... », insinuait une voix secrète, « mal de Pott...? »

— « Baissez-vous », dit-il tout à coup. « Ou plutôt non : ramassez-moi quelque chose... votre soulier, par exemple. »

Elle fléchit les genoux pour ne pas arquer le dos. Mauvais indice. Il désirait encore s'être trompé. Mais il avait hâte de savoir.

— « Tenez-vous droite », reprit-il. « Croisez les bras. Là. Maintenant, penchez-vous... Pliez... Davantage... »

Elle s'était redressée; ses lèvres, avec une lenteur charmante, se désunirent, s'entrouvrirent en un sourire câlin :

— « Ça me fait mal », murmura-t-elle sur un ton d'excuse.

— « Bon », fit Antoine. Il la considéra un instant, sans paraître la voir. Puis il la regarda, et lui sourit. Elle était amusante, elle était désirable, ainsi nue, son soulier à la main, ses grands yeux étonnés et tendres fixés sur Antoine. Déjà lasse d'être debout, elle s'appuyait au dossier d'un siège. La blancheur satinée du torse faisait paraître presque sombre le ton d'abricot mûr qui couvrait les épaules, les bras, les cuisses rondes; ce hâle suggérait l'idée d'une peau chaude, brûlante.

— « Etendez-vous là », ordonna-t-il, en dépliant une toile sur la chaise longue. Il ne souriait plus, il était de nouveau tout à son inquiétude. « Allongez-vous sur le ventre. Allongez bien. »

Le moment décisif était venu. Antoine s'agenouilla, s'assit solidement sur ses talons et tira ses bras en avant pour bien dégager les poignets. Deux secondes, il resta immobile, comme s'il se recueillait; son regard soucieux parcourut distraitement, depuis les palettes des omoplates jusqu'à la cambrure ombrée des reins, ce râble dur et musclé qui s'étalait devant lui. Puis, posant sa paume sur la nuque tiède qui fléchit un peu, il appuya deux doigts investigateurs sur la colonne vertébrale, et, s'efforçant de maintenir égale sa pression, comptant l'un après l'autre les nœuds dorsaux, il descendit lentement le long chapelet osseux.

Tout à coup, le corps frémit, se creusa : Antoine n'eut que le temps de lever sa main. Une voix rieuse et convaincue, à demi étouffée dans les coussins, jeta :

— « Mais vous me faites mal, docteur! »

— « Pas possible? Où donc? » Pour l'égarer, il toucha plusieurs autres points. « Est-ce là?... »

— « Non. »

— « Là? »

— « Non. »

Alors, pour bien s'assurer qu'il ne restait aucun doute :

— « Là? » demanda-t-il soudain, en piquant son index à la place précise de la vertèbre malade.

L'enfant laissa échapper un cri bref, qui se mua bien vite en un rire forcé.

Il y eut un silence.

— « Retournez-vous », dit Antoine, avec une douceur toute nouvelle.

Il palpa le cou, puis la poitrine, puis les aisselles. Huguette se raidissait pour ne plus se plaindre. Mais, lorsqu'il appuya sur les ganglions des aines, elle laissa échapper un faible gémissement.

Antoine se releva; il était impassible. Mais il évita le regard de l'enfant.

— « Eh bien, je vous laisse », fit-il, comme s'il boudait par jeu. « Vraiment, vous êtes trop douillette! »

On frappait à la porte, qui, en même temps, s'ouvrit.

— « C'est moi, docteur », fit une voix chaude; et, d'un pas présomptueux, la belle Anne fit son entrée. « Je vous demande pardon, je suis honteusement en retard... Mais vous habitez un quartier impossible! » Elle rit. « J'espère que vous ne m'avez pas attendue », ajouta-t-elle, cherchant sa fille des yeux. « Prends garde de prendre froid, toi! » fit-elle, sans tendresse. « Ma petite Mary, soyez assez gentille pour lui mettre quelque chose sur les épaules, voulez-vous? » Elle avait des inflexions de contralto, caressantes et graves, qui succédaient sans transition à des résonances plus rêches.

Elle s'avança vers Antoine. Sa souplesse était provocante; mais il restait toujours, sous ses gestes fringants, quelque chose d'un peu sec, où se trahissait une violente opiniâtreté, corrigée, assouplie par une longue habitude de séduire, et de séduire par la douceur. Un parfum musqué, qui semblait trop lourd pour s'élever dans l'air, stagnait autour d'elle. D'un geste libre, elle tendit sa main gantée de clair, où s'entrechoquaient des gourmettes :

— « Bonjour! »

Son regard gris plongeait jusqu'au fond des yeux d'Antoine. Il vit sa bouche entrouverte. Sous les ondulations brunes, de fines craquelures striaient imperceptiblement la peau des tempes et faisaient la chair plus fragile autour des paupières. Il détourna les yeux.

— « Etes-vous content, docteur? » demanda-t-elle. « Où en êtes-vous de votre examen? »

— « Mais... c'est fini pour aujourd'hui », dit Antoine, un sourire figé aux lèvres; et, se tournant vers l'Anglaise : « Vous pouvez rhabiller Mademoiselle. »

— « Reconnaissez que je vous l'ai ramenée en bon état! » s'écria Mme de Battaincourt, en s'installant à contre-jour, par habitude. « Vous a-t-elle dit que nous avions passé... »

Antoine s'était approché du lavabo, et la tête poliment tournée vers Mme de Battaincourt, il commençait à savonner ses mains.

— « ...que nous avions passé, pour elle, deux mois à Ostende? D'ailleurs, on le voit : est-elle brunie! Et si vous l'aviez vue il y a six semaines! N'est-ce pas, Mary? »

Antoine réfléchissait. La tuberculose, cette fois, s'était déclarée : elle attaquait l'édifice en ses fondations, elle rongeait déjà profondément la colonne vertébrale. Il s'apprêtait bien à dire : « Lésions curables... » Mais il ne le pensait pas. L'état général, malgré l'apparence, était inquiétant. Tout l'appareil ganglionnaire était tuméfié. Huguette était la fille du vieux Goupillot, et cette hérédité corrompue semblait devoir gravement compromettre l'avenir.

— « ... Vous a-t-elle dit qu'elle avait eu le troisième prix de hâle, au concours du *Palace?* Et un accessit à celui du Casino? »

Elle zézayait un peu, très peu, juste ce qu'il fallait pour ajouter à son charme redoutable un rien d'ingénu, de rassurant. Ses prunelles, dont la nuance glauque étonnait dans ce teint de brune, lançaient sans raison des lueurs brèves, excessives. Dès leur première rencontre, Antoine l'avait sourdement irritée. Anne de Battaincourt aimait sentir sur elle la convoitise des hommes et des femmes. Les années venant, elle en tirait d'ailleurs moins souvent profit; mais, plus le plaisir qu'elle y prenait restait platonique, et plus elle semblait anxieuse de s'assurer partout cette ambiance sensuelle. L'attitude d'Antoine l'exaspérait, justement parce que le regard attentif, amusé, qu'il posait sur elle, n'était pas absolument exempt de désir; elle y sentait trop bien, cependant, qu'un tel désir était facilement maîtrisé et qu'il laissait au jugement toute sa clairvoyance.

Elle s'interrompit.

— « Excusez-moi », dit-elle, avec un rire de gorge, « j'étouffe sous ce manteau. » Et, toujours assise, sans quitter le jeune homme des yeux, d'un mouvement onduleux qui fit cliqueter son sautoir, elle laissa glisser le long d'elle l'ample fourrure, qui recouvrit le siège sur lequel elle était. Son buste, plus libre, palpita ; l'échancrure du corsage dégageait un cou délié, jeune encore et pour ainsi dire insoumis, tant il portait fièrement la petite tête casquée, au profil aquilin.

Penché maintenant sur ses mains qu'il essuyait avec lenteur, Antoine, distrait, soucieux, se représentait par avance l'inflammation progressive du tissu osseux, le ramollissement, puis soudain l'affaissement de la vertèbre cariée. Il fallait, au plus tôt, tenter l'unique chance : l'ensevelissement dans le corset de plâtre, pour des mois, — des années peut-être...

— « Très gai, docteur, Ostende, cet été », poursuivait Mme de Battaincourt, forçant le ton pour être écoutée d'Antoine. « Un monde fou, trop de monde, même... Une foire! » Elle rit. Puis, voyant que l'attention du médecin lui échappait, elle laissa progressivement tomber la voix, se tut, et tourna vers Miss Mary, qui rhabillait Huguette, un œil complaisant. Mais elle ne supportait jamais longtemps le rôle de spectatrice : il lui fallait toujours intervenir. Pour corriger un faux pli du col, elle se leva prestement, rectifia d'un tour de main l'arrangement du corsage, et, s'adressant à l'Anglaise, à mi-voix, elle lui dit, familièrement penchée vers son visage :

— « Vous savez, Mary, je préfère la guimpe qu'on a faite chez Hudson; il faudra la donner comme modèle à Suzy... Tiens-toi donc debout », s'écria-t-elle, agacée. « Toujours s'asseoir! Comment veux-tu qu'on sache si ta robe est droite?... » Et, d'un geste souple, renversant le buste du côté d'Antoine : « Vous n'imaginez pas combien cette grande bringue est mollasse, docteur! Pour moi, qui ai toujours eu du vif-argent dans les veines, c'est horripilant! »

Les yeux d'Antoine rencontrèrent ceux d'Huguette, vaguement interrogateurs, et il ne put retenir un petit éclair de connivence, qui fit sourire l'enfant.

« Voyons », précisa-t-il à part lui. « Aujourd'hui, lundi. Il faut que vendredi ou samedi elle soit dans son plâtre. Après, nous aviserons. »

Après?... Il resta quelque temps songeur. Il voyait nettement, sur la terrasse d'un hospice de Berck, parmi les « cercueils » alignés sous le vent salin, une voiture plus longue que les autres, et, sur le matelas sans oreiller, dans le visage renversé de l'infirme, ce beau regard, vivace et bleu, errant sur l'horizon des dunes...

— « A Ostende », expliquait Mme de Battaincourt, toute à ses griefs contre la paresse de sa fille, « figurez-vous qu'on avait organisé des cours de danse, le matin, au casino. J'ai voulu l'y faire aller. Après chaque danse, Mademoiselle s'affalait sur les banquettes, pleurnichait, faisait l'intéressante! Tout le monde s'attendrissait... » Elle haussa les épaules. « Moi qui ai horreur de l'attendrissement! » lança-t-elle avec feu, braquant soudain vers Antoine un regard tellement inflexible, qu'il se souvint tout à coup qu'on avait jadis fait courir le bruit que le vieux Goupillot, devenu tardivement jaloux, était mort empoisonné. Elle ajouta, sur un ton de rancune : « Ça devenait tellement ridicule que j'ai bien dû céder. »

Antoine l'enveloppa d'un coup d'œil sans indulgence. Brusquement, sa décision fut prise. Il renoncerait à avoir un entretien grave avec cette femme; il la laisserait partir, et, d'urgence, convoquerait le mari. Huguette n'était pas la fille de Battaincourt, mais Antoine se rappelait ce que Jacques avait toujours dit de Simon : « Rien dans la boule, mais un cœur d'or. »

— « Votre mari est à Paris? » demanda-t-il.

Mme de Battaincourt crut qu'il consentait enfin à donner un tour plus mondain à la conversation. Ce n'était pas trop tôt! Elle avait certaines choses à lui demander, pour lesquelles il lui fallait provoquer la bonne grâce d'Antoine. Elle éclata de rire et prit l'Anglaise à témoin :

— « Vous entendez, Mary? Non, mon cher Monsieur : nous sommes condamnés à la Touraine jusqu'en février, pour les chasses! J'ai juste pu m'échapper cette semaine entre deux fournées d'invités, mais samedi j'ai de nouveau maison pleine. »

Antoine ne répondit rien, et ce silence acheva de la dépiter. Il fallait renoncer à apprivoiser ce sauvage. Elle le trouvait ridicule, avec ses airs absents; et mal élevé!

Elle traversa la pièce pour reprendre son manteau.

« Bon », se disait Antoine. « Je télégraphierai tout à l'heure à Battaincourt; j'ai l'adresse. Il peut être à Paris, demain, après-demain au plus tard. Jeudi, radio. Et consultation du Patron, par sécurité. Nous lui ferons son plâtre samedi. »

Huguette, assise dans un fauteuil, se gantait d'un air sage. Mme de Battaincourt, debout, tout enveloppée de fourrure, rajustait devant la glace sa coiffure de Valkyrie, faite d'une dépouille de faisan doré. Elle demanda, non sans quelque aigreur :

— « Eh bien, docteur? Pas d'ordonnance? Quelles recommandations, cette fois? Lui défendriez-vous de suivre quelques chasses, avec Miss Mary, en charrette anglaise? »

VI

Mme de Battaincourt partie, Antoine revint dans son cabinet et ouvrit la porte du salon.

Rumelles entra du pas d'un homme qui n'a jamais une minute à perdre.

— « Je vous ai fait attendre », dit Antoine, en manière d'excuse.

L'autre fit un geste de protestation courtoise et tendit familièrement la main. Il semblait dire : « Je ne suis rien d'autre ici qu'un client. »

— « Oh, oh », fit Antoine gaiement, « vous venez au moins de chez le Président de la République? »

Rumelles rit avec complaisance. Il portait une redingote noire à revers de soie et tenait à la main un chapeau haut de forme. Sa prestance s'accommodait d'ailleurs assez bien de ce harnais officiel.

— « Pas tout à fait, mon cher. Mais je sors de l'ambassade de Serbie : un déjeuner en l'honneur de la mission Djanilozsky, de passage à Paris cette semaine. Et puis je suis encore de corvée tout à l'heure : le ministre m'envoie recevoir la reine Elisabeth, qui a eu la fâcheuse idée d'annoncer qu'elle visiterait, à cinq heures et demie, l'Exposition des Chrysanthèmes. Je la connais, heureusement. Très simple, tout à fait gentille. Elle adore les fleurs et déteste le protocole. Je m'en tiendrai à quelques mots de bienvenue, pas du tout solennels. »

Il sourit d'un air absent, et Antoine eut l'idée qu'il ruminait sa péroraison, une trouvaille à la fois respectueuse, galante et spirituelle.

Rumelles avait passé la quarantaine. Une tête léonine, une épaisse crinière blondasse rejetée en arrière autour d'un masque romain un peu gras; une moustache retroussée au fer, agressive; un œil bleu, volontairement mobile et pénétrant. « Sans la moustache, pensait quelquefois Antoine, ce fauve aurait eu le profil d'un mouton. »

— « Ah, ce déjeuner, mon cher! » Il fit une pause, fermant à demi les yeux et dodelinant la tête. « Vingt ou vingt-cinq convives, rien que des officiels, des personnages de premier plan, et quoi? peut-être, en comptant bien, deux, trois intelligences? C'est effrayant... Je crois pourtant avoir amorcé quelque chose d'utile. Le ministre n'en sait rien. J'ai peur qu'il ne me gâte tout, avec ses façons de chien qui tient un os... » Sa diction substantielle, et le sourire subtil dont il prolongeait ses moindres paroles, donnaient du piquant, mais toujours le même, à tous ses propos.

— « Vous permettez? » interrompit Antoine en s'approchant de son bureau. « Le temps de rédiger une dépêche urgente. Je vous écoute, d'ailleurs. Comment vous sentez-vous, aujourd'hui, après ces agapes serbes? »

Rumelles n'eut pas l'air d'avoir entendu la question. Il continuait à pérorer distraitement. « Dès qu'il a pu prendre la parole », remarqua Antoine, « il n'a plus du tout l'air d'un homme pressé... » Et, tandis qu'il griffonnait son télégramme à Battaincourt, des bouts de phrases parvenaient à son oreille distraite :

— « ...depuis que l'Allemagne s'agite... Les manifestations de Leipzig pour l'inauguration de leur monument commémoratif... Tout prétexte leur est bon... Le centenaire de 1813... Ça vient, mon cher, ça vient à grands pas! Attendez seulement deux ou trois ans... »

— « Quoi donc? » dit Antoine, levant le nez. « La guerre? »

Il regardait Rumelles d'un œil amusé.

— « Mais oui, la guerre », fit l'autre sérieusement. « Nous y allons tout droit. »

Il avait toujours eu l'inoffensive manie de prédire à bref délai la guerre européenne. On eût dit parfois qu'il y comptait; et justement, il ajouta : « Ce sera le moment de se montrer à la hauteur. » Phrase ambiguë, qui pouvait signifier : aller se battre, mais qu'Antoine, sans hésiter, traduisit : grimper au pouvoir.

Rumelles, qui s'était approché du bureau, se pencha vers Antoine et baissa machinalement la voix :

— « Vous suivez ce qui se passe en Autriche? »

— « Heu... Oui, — comme un profane. »

— « Tisza se pose déjà en successeur de Berchtold. Or, Tisza, je l'ai vu de près en 1910 : c'est le pire des risque-tout. Il l'a prouvé d'ailleurs à la présidence de la Chambre hongroise. Vous avez lu ce discours où il menaçait ouvertement la Russie? »

Antoine avait fini d'écrire et s'était levé.

— « Non », dit-il. « Mais, depuis que j'ai l'âge de lire un journal, j'ai toujours vu l'Autriche jouer ce rôle d'enfant terrible. Et, jusqu'ici, ça n'a jamais eu beaucoup d'importance. »

— « Parce que l'Allemagne faisait frein. Mais, justement, l'attitude de l'Autriche commence à devenir très inquiétante, à cause de l'évolution qui s'est produite en Allemagne depuis un mois environ. Et ça, le public ne s'en doute pas. »

— « Expliquez-moi ça », dit Antoine, intéressé malgré lui.

Rumelles consulta la pendule, et se redressa :

— « Je ne vous apprendrai pas que, malgré l'alliance apparente, malgré les beaux discours des deux empereurs, les relations entre l'Allemagne et l'Autriche, depuis six ou sept ans...

— « Eh bien, pour nous, ce désaccord n'est-il pas une garantie de paix? »

— « Inappréciable. C'*était* même la seule. »

— « C'*était?* »

Rumelles, gravement, fit un signe affirmatif :

— « Tout cela, mon cher, est en train de changer... » Il regarda Antoine comme s'il se demandait jusqu'où il pouvait aller, puis ajouta, entre ses dents: « Et peut-être par notre faute. »

— « Par notre faute? »

— « Mon Dieu, oui. Mais ça, c'est une autre histoire. Si je vous disais que nous sommes considérés, par les gens les plus avertis d'Europe, comme ayant des arrière-pensées belliqueuses? »

— « Nous? C'est idiot. »

— « Le Français ne voyage pas. Le Français, mon cher, n'a aucune idée de l'effet que peut faire sa politique cocardière, vue du dehors... Toujours est-il que le rapprochement progressif de la France, de l'Angleterre, de la Russie, leurs nouveaux accords militaires, tout ce qui se trame diplomatiquement depuis deux ans, tout ça, à tort ou à raison, commence à inquiéter sérieusement Berlin. En face de ce qu'elle nomme, de bonne foi, les " menaces " de la Triple Entente, l'Allemagne découvre tout à coup qu'elle pourrait bien se trouver toute seule. Elle sait que l'Italie ne fait plus qu'en théorie partie de la Triplice. Elle n'a donc plus que l'Autriche avec elle, et c'est pourquoi, ces dernières semaines, il lui a paru urgent de resserrer en hâte les liens d'amitié. Fût-ce au prix de concessions importantes. Fût-ce au prix d'un changement de direction. Vous saisissez? De là, à modifier brusquement son attitude, à accepter la politique balkanique de l'Autriche, à l'encourager presque, il n'y a qu'un pas; et on dit que ce pas est déjà fait. C'est d'autant plus grave que l'Autriche, ayant senti tourner le vent, en a tout de suite profité, comme vous avez vu, pour hausser le ton. Voilà donc l'Allemagne volontairement solidaire des audaces autrichiennes; — ce qui, du jour au lendemain, peut donner à ces audaces une portée incalculable. C'est toute l'Europe automatiquement entraînée dans la bagarre balkanique!... Comprenez-vous maintenant qu'on se sente pessimiste, ou tout au moins inquiet, pour peu qu'on soit renseigné? »

Antoine se taisait, sceptique. Il savait par expérience que les spécialistes de politique extérieure prévoient toujours d'inévitables conflits. Il avait sonné Léon; debout près de la porte, il attendait que le domestique fût venu, pour passer enfin aux choses sérieuses; et il suivait, d'un œil sans indulgence, Rumelles qui, tout à son sujet, oubliant l'heure, portant beau, allait et venait devant la cheminée.

Le père Rumelles, ancien sénateur, avait été un ami

de M. Thibault. (Il était mort juste à temps pour ne pas assister à l'ascension de son fils dans les honneurs républicains.) Antoine avait eu maintes fois, jadis, l'occasion de rencontrer Rumelles; mais, à vrai dire, il ne l'avait jamais tant fréquenté que depuis une semaine. Son opinion, sévère, se précisait à chaque visite. Il avait observé que cette loquacité soutenue, cette courtoisie prématurée d'homme influent, cet intérêt pour les grands problèmes, laissaient toujours, à un moment ou à un autre, percer un trait mesquin où se révélait naïvement l'ambition personnelle; l'ambition était sans doute le seul sentiment violent dont Rumelles fût capable, Antoine croyait même cette ambition un peu disproportionnée aux moyens du bord, — qu'il jugeait limités : une instruction médiocre, une timidité sans modestie, un caractère inconsistant; le tout, habilement dissimulé sous une allure de futur grand homme.

Cependant, Léon était venu prendre le télégramme. « Trêve de politique, et trêve de psychologie », se dit Antoine, en se tournant vers le discoureur.

— « Alors? Toujours pareil? »

Le visage de Rumelles s'assombrit brusquement.

Un soir, au début de la semaine précédente, vers neuf heures, Antoine avait vu Rumelles entrer dans son cabinet, livide. Atteint depuis l'avant-veille d'une maladie qu'il refusait d'avouer à son médecin habituel, encore moins à un inconnu, — « parce que », disait-il, « comprenez-moi, mon cher, je suis marié, je suis un personnage un peu officiel, ma vie privée, ma vie publique sont à la merci d'une indiscrétion, d'un chantage... » — il s'était rappelé que le jeune Thibault était médecin, et il venait supplier Antoine de le soigner. Après avoir vainement tenté de l'envoyer chez un spécialiste, Antoine, toujours prêt à exercer son art, et assez curieux d'approcher ce politicien, avait consenti.

— « Aucun mieux, vraiment? »

Rumelles secoua piteusement la tête, et resta muet. Ce bavard ne pouvait se résoudre à parler de son mal, à avouer qu'il subissait, par moments, un supplice de damné, et que, tout à l'heure encore, après le déjeuner diplomatique, il avait dû couper court à un entretien important pour quitter précipitamment le fumoir, tant les élancements étaient devenus douloureux.

Antoine réfléchit.

— « Eh bien », dit-il, résolument, « il va falloir essayer le nitrate... »

Il ouvrit la porte du « laboratoire », et fit entrer Rumelles, devenu silencieux; puis, le dos tourné, il prépara ses mélanges et remplit la seringue à cocaïne. Lorsqu'il revint vers sa victime, celle-ci avait dépouillé la solennelle redingote; sans faux col, sans pantalon, ce n'était déjà plus qu'un pauvre diable de malade, endolori, inquiet, humilié, et qui défaisait avec embarras des linges souillés.

Mais il ne s'abandonnait pas encore. Quand Antoine s'approcha, il releva un peu la tête et essaya de sourire avec un reste de désinvolture. Il souffrait, pourtant, et de mille manières. Même de sa solitude morale. Car, dans sa disgrâce actuelle, c'était un surcroît de calamité que de ne pouvoir tout à fait jeter le masque, de ne pouvoir avouer à personne combien cet accident ridicule l'offensait, non pas seulement dans sa chair : dans son orgueil. Hélas, à qui eût-il parlé avec abandon? Il n'avait pas un ami. Depuis dix ans, la politique l'avait condamné à vivre isolé derrière un barrage de camaraderie hypocrite et méfiante. Pas un attachement véritable à sa portée. Si, un seul : celui de sa femme; c'était, en réalité, sa seule amie, le seul être qui le connût et l'aimât pour ce qu'il était vraiment, le seul être auquel il eût été soulagé de se confier, — mais justement celui auquel il devait le plus anxieusement cacher cette misérable aventure.

La douleur physique se chargea de mettre un terme à ces réflexions. Le nitrate commençait à agir. Rumelles étouffa les premiers cris de souffrance. Mais bientôt, malgré l'effet du calmant, il eut beau serrer les dents et les poings, il ne put se retenir. La cautérisation profonde lui arrachait des gémissements de femme en couches. De grosses larmes faisaient briller ses yeux bleus.

Antoine eut pitié :

— « Voilà, mon petit, un peu de courage, j'ai terminé... C'est douloureux, mais indispensable; et ça ne durera pas. Restez tranquille, que je vous fasse encore un peu de cocaïne... »

Rumelles ne l'écoutait pas. Ecartelé sur la table, sous l'impitoyable réflecteur, il contractait et détendait les jambes comme une grenouille de dissection.

Lorsque Antoine fut enfin parvenu à atténuer la douleur :

— « Il est le quart », dit-il. « A quelle heure faut-il que vous partiez d'ici? »

— « A... à cinq heures seulement », bégaya l'infortuné. J'ai... l'auto... en bas. »

Antoine sourit : un sourire amical, encourageant, mais qui déguisait un sourire subreptice : il venait, malgré lui, de penser au chauffeur bien stylé, à cocarde tricolore, impassible sur son siège, qui attendait M. le Délégué du Ministre; puis au chemin de tapis rouge qu'en ce moment sans doute on déroulait sous le velum de l'Exposition des Fleurs, et sur lequel, dans une heure, ce Rumelles qui gigotait là comme un nouveau-né qu'on change de linge, le beau Rumelles enfin, sanglé dans sa redingote, un vague sourire sous sa moustache de chat, s'avancerait, seul, à pas comptés, au devant de la petite reine Elisabeth... Mais cette distraction ne dura qu'une minute. Bientôt, sous les yeux du médecin, il n'y eut plus qu'un malade; moins qu'un malade, un cas; et moins encore : une action chimique, le travail d'un caustique sur une muqueuse, travail qu'il avait sciemment provoqué, dont il était responsable, et dont il surveillait, en pensée, le développement nécessaire.

Trois coups discrets, frappés par Léon, le rappelèrent aux réalités extérieures. « Gise est là », songea-t-il soudain, en jetant son attirail dans un plateau de l'autoclave. Et, pressé maintenant de quitter Rumelles, mais habitué à ne pas transiger avec les obligations professionnelles, il attendit patiemment que l'effet douloureux fût calmé.

— « Reposez-vous ici tout à votre aise », dit-il en s'éclipsant. « Je n'ai pas besoin de cette pièce. Je viendrai vous prévenir quand il sera moins dix. »

VII

Léon avait dit à Gise :

— « Si Mademoiselle veut bien attendre là... »

« Là », c'était l'ancienne chambre de Jacques, obscurcie déjà par la nuit commençante, pleine d'ombre et de silence comme un caveau. Le cœur de Gise avait battu en passant ce seuil, et l'effort qu'elle avait dû faire pour vaincre son malaise avait pris, comme toujours, la forme d'une prière, d'un bref appel à Celui qui n'abandonne jamais. Puis elle avait été s'asseoir, machinalement, sur ce canapé-lit où, tant de fois, à tous âges, elle était venue bavarder avec Jacquot. On entendait, — était-ce dans le salon, était-ce dans la rue? — les sanglots houleux d'un enfant. Gise avait du mal à dominer sa sensibilité. Pour un rien, maintenant, les larmes l'étouffaient. Par bonheur, en ce moment, elle était seule. Il faudrait voir un médecin. Mais pas Antoine. Elle n'allait pas bien, elle avait trop maigri. Les insomnies, sans doute. Ce n'était pas naturel, à dix-neuf ans... Elle songea, une minute, à l'étrange enchaînement de ces dix-neuf années : cette interminable enfance entre deux vieillards; — puis, vers les seize ans ce grand chagrin, compliqué de secrets si lourds!

Léon vint donner de la lumière, et Gise n'osa pas lui dire qu'elle préférait l'enveloppement de cette demi-obscurité. Dans la chambre, éclairée maintenant, elle reconnaissait chaque meuble, chaque bibelot. On sentait bien que la piété fraternelle d'Antoine s'était, par principe, interdit de toucher à rien; mais, depuis qu'il prenait là ses repas, peu à peu, chaque objet avait été déplacé, avait changé de destination, et tout avait pris un aspect différent : cette table dépliée, au centre de la pièce; ce service à thé, qui trônait sur le bureau désaffecté, entre la corbeille à pain et le compotier de fruits. La bibliothèque elle-même... Autrefois, ces rideaux verts n'étaient pas ainsi tirés derrière les vitres. L'un des rideaux bâillait; Gise se pencha, vit briller de la vaisselle; Léon avait empilé les livres sur les rayons d'en haut... Si ce pauvre Jacques avait pu voir sa bibliothèque transformée en buffet!

Jacques... Gise se refusait à penser à lui comme à un mort. Non seulement elle n'aurait pas été saisie de le voir brusquement surgir dans l'embrasure de la porte, mais, presque à tout instant, elle s'attendait à le voir paraître devant elle; et cette attente superstitieuse l'entretenait, depuis trois ans, dans un demi-rêve exalté, déprimant.

Ici, parmi ces choses familières, les souvenirs l'assaillent. Elle n'ose se lever; elle respire à peine, par crainte de remuer l'air, de profaner ce silence. Il y a, sur la cheminée, une photographie d'Antoine. Ses yeux s'y arrêtent. Elle se rappelle le jour où Antoine a donné cette épreuve à Jacques; il en a remis une semblable à Mademoiselle; elle est là-haut. C'est l'Antoine d'autrefois, qu'elle aimait comme un frère aîné, qui a été son grand secours pendant ces trois années d'épreuve. Depuis que Jacques n'est plus là, elle est si souvent descendue auprès d'Antoine, pour parler du disparu! Que de fois elle a failli lui dire son secret! Tout est changé maintenant. Pourquoi? Que s'est-il passé entre eux? Elle n'aurait su rien alléguer de précis. Elle se rappelle seulement la courte scène du mois de juin, à la veille de son départ pour Londres. Antoine avait paru perdre la tête devant cette séparation imminente et dont il ne pouvait deviner la secrète raison. Que lui a-t-il dit, au juste? Elle a cru comprendre qu'il ne l'aimait plus seulement comme un grand frère, qu'il pensait à elle « autrement ». Est-ce possible? Peut-être s'est-elle imaginé des choses? Mais non; même dans les lettres ambiguës, trop tendres et comme réticentes, qu'il lui a écrites, elle n'a plus retrouvé la paisible affection des années précédentes. Aussi, depuis qu'elle est revenue en France, l'a-t-elle évité d'instinct, et n'a-t-elle pas eu avec lui, en ces quinze jours, un seul moment de tête-à-tête. Que lui veut-il aujourd'hui?

Elle tressaille. C'est Antoine, c'est son pas rapide, bien scandé. Il entre, s'arrête et sourit. Ses traits sont un peu las; pourtant, le front est détendu, l'œil animé, heureux. Gise, qui se sentait aller à la dérive, se reprend aussitôt : il suffit qu'Antoine paraisse pour que se répande autour de lui un peu de son élan vital.

— « Bonjour, Nigrette! » dit-il en souriant. (C'est un très ancien surnom que M. Thibault avait donné à Gise, un jour de bonne humeur, à l'époque où Mlle de Waize, contrainte d'adopter sa nièce orpheline, venait de la prendre auprès d'elle et d'installer au foyer de la bourgeoise famille Thibault cette fille d'une mulâtresse malgache, et qui avait tout l'air d'une sauvageonne.)

Gise demande, pour dire quelque chose :

— « Tu as beaucoup de monde, aujourd'hui? »

— « C'est le métier! » répond-il allégrement. « Veux-tu venir dans mon cabinet? Ou rester ici? » Et, sans attendre sa réponse, il s'assied auprès d'elle. « Comment vas-tu, toi? On ne se voit plus jamais... Tu as un joli châle... Donne-moi ta main... » Il saisit sans façon la main que Gise lui laisse prendre; il la pose sur son poing fermé, la soulève : « Elle n'est plus potelée comme autrefois, ta petite main... » Gise sourit par contenance, et Antoine voit se creuser deux fossettes dans les joues brunes. Elle ne fait rien pour déplacer son bras, mais Antoine sent qu'elle est raidie, prête au recul. Sur le point de murmurer : « Tu n'es guère gentille depuis que tu es revenue », il se ravise, fronce les sourcils et se tait.

— « Ton père a voulu se recoucher, à cause de sa jambe », dit-elle évasivement.

Antoine ne répond pas. Depuis longtemps, il ne s'est pas trouvé, comme en ce moment, seul, près de Gise. Il continue à regarder la petite main sombre; il s'applique à suivre le dessin des veines jusqu'au poignet mince et musclé; un à un, il examine les doigts; il se force à rire : « On dirait de jolis cigares blonds... » Mais, en même temps, et comme à travers une buée chaude, il caresse de l'œil toute la courbe de ce corps flexible replié sur soi-même, depuis le moelleux arrondi des épaules jusqu'à la pointe de genou qui fait saillie sous le châle de soie. Quel attrait pour lui dans cette langueur si naturelle, — si proche! C'est quelque chose de subit, de violent... une poussée de sang... un courant refoulé qui va rompre ses digues... Résistera-t-il à l'envie de glisser un bras autour d'elle, d'attirer contre lui cette chair souple et jeune?... Il se contente de baisser la tête et de frôler avec sa joue la petite main. Il balbutie : « Comme tu as la peau douce... Nigrette... » Son regard, un regard de mendiant ivre, se hausse lourdement jusqu'au visage de Gise, qui détourne instinctivement la tête et dégage sa main.

Elle demande résolument :

— « Que voulais-tu me dire? »

Antoine se ressaisit :

— « C'est une chose terrible que j'ai à t'apprendre, ma pauvre petite... »

Terrible? Un atroce soupçon traverse l'esprit de Gise. Quoi? Tous ses espoirs sont-ils cette fois anéantis? Son regard, atterré, fait en quelques secondes le tour de cette chambre, se pose anxieusement sur chaque souvenir du bien-aimé.

Mais Antoine achève sa phrase :

— « Père est *très* malade, tu sais... »

Elle paraît d'abord ne pas avoir entendu. Le temps de revenir de si loin... Puis elle répète :

— « *Très* malade? »

Et, ce disant, elle s'avise soudain qu'elle le savait sans que personne le lui eût dit. Elle ajoute, les sourcils levés, les yeux pleins d'une inquiétude un peu feinte :

— « Mais... malade au point de...? »

Antoine fait un signe affirmatif. Puis, sur le ton de quelqu'un qui depuis longtemps est familiarisé avec la vérité :

— « L'opération de cet hiver, l'ablation du rein droit, n'a servi qu'à une chose : à ce qu'on ne puisse plus s'illusionner sur la nature de la tumeur. L'autre rein s'est infecté, presque aussitôt. Mais le mal a pris un aspect différent, s'est généralisé; heureusement, si l'on peut dire... Cela nous aide à tromper le malade. Il ne se doute de rien, il ne soupçonne pas qu'il est perdu. »

Après un court silence, Gise demande :

— « Combien de temps crois-tu que...? »

Il la regarde. Il est content. Elle ferait vraiment une femme de médecin. Elle sait se tenir devant l'événement; elle n'a même pas pleuré. Ces quelques mois à l'étranger l'ont singulièrement mûrie. Il se reproche d'avoir toujours tendance à la croire plus enfant qu'elle n'est.

Il répond, sur le même ton :

— « Deux, trois mois, tout au plus. » Et, vivement, il ajoute : « Peut-être beaucoup moins. »

Bien que son esprit n'ait pas des antennes très sensibles, elle a perçu, dans ces derniers mots, une intention à son adresse; et elle est soulagée qu'Antoine se démasque sans délai :

— « Dis-moi, Gise, vas-tu me laisser seul, maintenant que tu sais? Vas-tu quand même retourner là-bas? »

Elle ne répond pas, et regarde doucement devant elle, de ses yeux brillants, immobiles. Sur sa figure ronde où rien d'autre ne bouge, un petit pli, entre les sourcils, se forme et disparaît, reparaît et s'efface, seul indice du débat intérieur. Son premier sentiment a été de tendresse : cet appel l'a troublée. Elle n'avait guère pensé qu'elle pût jamais être un soutien pour personne, à plus forte raison pour Antoine, sur lequel la famille entière a toujours pris appui.

Mais non! Elle flaire le piège, elle sent bien pourquoi il voudrait la garder à Paris. Tout en elle s'insurge. Ce séjour en Angleterre, c'est le seul moyen qu'elle ait d'accomplir son grand dessein, c'est sa seule raison de vivre! Si seulement elle pouvait tout expliquer à Antoine! Hélas, ce serait dévoiler le secret de son cœur, et le dévoiler justement au cœur le moins préparé à cette confidence... Plus tard, peut-être... Par une lettre... Pas maintenant.

Ses regards restent fixés au loin avec une expression obstinée, qui déjà, pour Antoine, est un morne présage. Il insiste, cependant :

— « Pourquoi ne veux-tu pas me répondre? »

Elle tressaille, et, sans quitter son air têtu :

— « Mais, Antoine, au contraire! Il faut que je me hâte plus que jamais d'avoir ce diplôme anglais. Je vais avoir besoin de me suffire à moi-même, bien plus tôt que je ne pensais... »

Antoine l'interrompt d'un geste irrité.

Il est surpris de distinguer, dans l'expression de cette bouche close, de ce regard, quelque chose comme un découragement sans remède; et, en même temps, un éclat, une exaltation qui ressemble à une folle espérance. Pas de place pour lui, dans ces sentiments-là. Une bouffée de dépit lui fait relever la tête. Dépit, désespoir? Le désespoir domine : sa gorge se contracte : des larmes... Et, pour une fois, il ne cherche ni à les refouler ni à les cacher : elles peuvent encore l'aider à fléchir cette opiniâtreté incompréhensible...

En effet, Gise est très émue. Elle n'a jamais vu pleurer Antoine. Elle n'avait même jamais songé qu'il pût pleurer. Elle évite de le regarder. Elle a pour lui un attachement tendre et profond, elle pense toujours à lui avec un élan intérieur, une sorte d'enthousiasme. Depuis trois ans, il a été son unique soutien, le compagnon robuste, éprouvé, dont le voisinage a été le seul réconfort de sa vie. Pourquoi faut-il qu'il paraisse souhaiter d'elle autre chose que cette admiration, que cette confiance? Pourquoi ne peut-elle plus lui laisser voir ses sentiments fraternels?

Un coup de timbre résonne dans le vestibule. Antoine prête machinalement l'oreille. Un bruit de portes; puis, de nouveau, le calme.

Ils sont l'un près de l'autre, immobiles, silencieux, et leurs pensées, divergentes, galopent, galopent...

Enfin, la sonnerie du téléphone... Un pas dans le vestibule. Léon entrouvre la porte :

— « C'est de chez M. Thibault, Mademoiselle. Le docteur Thérivier est en haut. »

Gise, instantanément, s'est levée.

Antoine rappelle Léon, d'une voix lasse :

— « Combien de personnes au salon? »

— « Quatre, Monsieur. »

Il se lève à son tour. La vie reprend. « Et Rumelles qui m'attend à moins dix », songe-t-il.

Elle dit, sans s'approcher de lui :

— « Il faut vite que je m'en aille, Antoine... Adieu. »

Il sourit bizarrement et hausse les épaules :

— « Eh bien, va-t'en... Nigrette ! » Et sa propre intonation lui rappelle l'adieu de son père, tout à l'heure : « Eh bien, va-t'en, mon cher ! » Pénible rapprochement...

Il ajoute, sur un autre ton :

— « Veux-tu dire à Thérivier que je ne peux pas m'absenter en ce moment ? S'il désire me parler, qu'il entre ici en descendant. N'est-ce pas ? »

Elle acquiesce d'un signe de tête et ouvre la porte; puis, comme si elle prenait une détermination subite, elle se retourne vers Antoine... Mais non... Que lui dirait-elle ? Puisqu'elle ne peut pas *tout* lui dire, à quoi bon ?... Et, s'enveloppant plus étroitement dans son châle, elle disparaît sans avoir relevé les yeux.

— « L'ascenseur redescend », dit Léon, « Mademoiselle n'attend pas ? »

Elle fait signe que non, et commence à monter. Lentement, car elle est oppressée. Toute son énergie se concentre maintenant autour d'une idée fixe : Londres ! Oui, repartir le plus tôt possible, sans même attendre la fin de son congé ! Ah, si Antoine pouvait savoir ce que représente pour elle ce séjour outre-Manche !

Il y a deux ans déjà, un matin de septembre (dix mois après la disparition de Jacques), le facteur de Maisons-Laffitte, que Gise avait par hasard croisé dans le jardin, lui avait remis un panier à son nom, portant l'étiquette d'un fleuriste de Londres. Surprise, pressentant tout à coup quelque chose de grave, elle avait gagné sa chambre sans être vue, avait coupé les ficelles, arraché le couvercle, et s'était presque évanouie en apercevant, sur un lit de mousse humide, une simple botte de roses. Jacques ! Leurs roses ! Des roses pourpres, de petites roses pourpres au cœur noir, exactement les mêmes! Septembre, l'anniversaire! Le sens de cet envoi anonyme était aussi clair pour elle que celui d'une dépêche chiffrée dont elle aurait eu la clé. Jacques n'était pas mort! M. Thibault se trompait. Jacques habitait l'Angleterre! *Jacques l'aimait!...* Son premier mouvement avait été d'ouvrir tout grand la porte, pour crier, à pleine voix : « Jacques est vivant! » Par bonheur, elle s'était ressaisie à temps. Comment expliquerait-elle que ces petites roses pourpres fussent à ce point révélatrices? On la presserait de questions. Tout, plutôt que de trahir son secret! Elle avait refermé la porte, elle avait prié Dieu de lui donner la force de se taire — en tout cas, jusqu'au soir : elle savait qu'Antoine devait venir à Maisons pour dîner.

Le soir, elle l'avait pris à part. Elle lui avait parlé d'un envoi mystérieux : des fleurs, venues de Londres où elle ne connaissait personne... Jacques?... Il fallait à tout prix lancer les recherches sur cette nouvelle voie. Antoine, intéressé, mais rendu sceptique par l'échec de toutes ses tentatives depuis un an, avait néanmoins fait faire des démarches immédiates à Londres. La fleuriste avait donné un signalement très précis de l'acheteur qui avait fait la commande; or, ce signalement ne correspondait en aucune façon à celui de Jacques. La piste avait été abandonnée.

Non par Gise. Elle était seule à posséder une certitude. Elle n'avait plus parlé de rien; avec une maîtrise de soi qu'on n'eût pas attendue de ses dix-sept ans, elle s'était tue. Mais elle avait pris l'invincible résolution d'aller elle-même en Angleterre, et, coûte que coûte, d'y retrouver la trace de Jacques. Projet presque irréalisable, Pendant deux ans, avec la persévérance insidieuse et taciturne des êtres primitifs qu'étaient ses ancêtres, elle avait, petit à petit, rendu possible et minutieusement organisé ce départ. Au prix de quels efforts! Elle se rappelait chaque étape. Il avait fallu, par de patientes manœuvres, implanter vingt idées nouvelles dans le cerveau rétif de sa tante. D'abord, lui faire admettre qu'une jeune fille sans fortune, même de bonne famille, a besoin d'un moyen d'existence; lui persuader ensuite que sa nièce avait, comme elle, la vocation d'élever des enfants; la convaincre aussi des difficultés de la concurrence actuelle et de la nécessité, pour une institutrice, de parler couramment l'anglais. Puis, il avait fallu mettre adroitement la vieille demoiselle en relations avec une institutrice de Maisons-Laffitte, laquelle venait justement de parfaire ses études dans une sorte d'institut anglais, tenu par des religieuses catholiques, aux environs de Londres. La chance avait voulu que M. Thibault, mis en branle, recueillît sur l'institut de bons renseignements. Enfin, après mille atermoiements, au printemps dernier, Mlle de Waize avait consenti à la séparation. Gise avait déjà passé l'été en Angleterre. Mais ces quatre mois n'avaient rien donné de ce qu'elle espérait : elle avait été victime de détectives malhonnêtes et n'avait essuyé que des déboires. C'est maintenant qu'elle allait pouvoir agir, remuer des gens. Elle venait de vendre quelques bijoux, de rassembler ses économies. Elle s'était abouchée enfin avec des agences sérieuses. Et surtout elle avait intéressé à sa romanesque entreprise la fille du *Commissioner of Metropolitan Police* de Londres, chez lequel elle devait déjeuner dès son retour là-bas, et qui pouvait lui être d'un incomparable appui. Comment ne pas espérer?...

Gise arrivait à l'étage de M. Thibault. Elle dut sonner : sa tante ne lui avait jamais confié la clé de l'appartement.

« Oui, comment ne pas espérer? » se dit-elle. Et soudain, la certitude qu'elle allait retrouver Jacques reprit sur elle tant d'empire qu'elle se sentit toute raffermie. Antoine avait dit que cela pouvait durer trois mois. « Trois mois? » songea-t-elle. « Avant trois mois, j'aurai réussi! »

Pendant ce temps, en bas, dans la chambre de Jacques, Antoine, resté debout devant la porte que Gise avait refermée derrière elle, écrasait son regard sur ce panneau de bois opaque, infranchissable.

Il se sentait parvenu à un point limite. Jusqu'ici, sa volonté, — qui s'était presque toujours attaquée au plus difficile, et victorieusement, — ne s'était jamais acharnée contre l'irréalisable. Quelque chose, en ce moment, était en train de se détacher de lui. Il n'était pas homme à persévérer sans espoir.

Il fit deux pas hésitants, s'aperçut dans la glace, s'approcha, s'accouda à la cheminée, et, tendant le visage, se contempla quelques secondes jusqu'au fond des yeux. « Et si, brusquement, elle avait dit : *Oui, épouse-moi...?* » Il frissonna : une peur rétrospective... « C'est bête de jouer avec ça », se dit-il, en pivotant sur les talons. Puis, tout à coup : « Sacredié, cinq heures... Et la reine Elisabeth ! »

A pas rapides, il se dirigea vers le « laboratoire ». Mais Léon l'arrêta : il avait son œil terne, son sourire errant et narquois :

— « M. Rumelles est parti. Il s'est inscrit pour après-demain, même heure. »

— « Parfait », dit Antoine, soulagé. Et, sur le moment, cette petite satisfaction suffit presque à balayer son souci.

Il regagna son cabinet, le traversa en diagonale, et, soulevant la portière, de ce geste familier qu'il n'exécutait jamais sans un certain plaisir, il ouvrit la porte du salon.

— « Tiens, tiens », fit-il en pinçant au passage la joue d'un garçonnet pâlot qui s'avançait fort intimidé. « Tout seul, comme un grand garçon ? Tes parents vont bien ? »

Il s'empara de l'enfant, l'attira jusqu'à la fenêtre, s'assit à contre-jour sur un tabouret, et, d'un mouvement doux et ferme, il inclina en arrière la petite tête docile, pour inspecter le pharynx. « A la bonne heure », murmura-t-il, sans détacher son regard, « cette fois, voici ce qu'on appelle des amygdales... » Il avait retrouvé d'emblée cette voix alerte et sonore, un peu tranchante, qui agissait sur les malades à la façon d'un tonique.

Il demeurait attentivement penché sur l'enfant. Mais, souffrant tout à coup d'un retour d'orgueil, il ne put s'empêcher de penser : « D'abord, si je veux, on pourra toujours la rappeler par dépêche... »

VIII

Il fut très surpris, en reconduisant le gamin, de trouver, assise sur la banquette du vestibule, Miss Mary, l'Anglaise au teint de fleur.

Elle se leva, lorsqu'il vint vers elle, et l'accueillit par un long, silencieux, adorable sourire; puis, d'un air résolu, elle lui tendit une enveloppe bleutée.

Cette attitude, si différente de la réserve qu'elle avait montrée deux heures plus tôt, ce regard énigmatique et décidé, éveillèrent, chez Antoine, sans qu'il sût au juste pourquoi, l'idée d'une situation insolite.

Intrigué, il restait debout dans le vestibule et décachetait déjà l'enveloppe armoriée, lorsqu'il vit que l'Anglaise se dirigeait d'elle-même vers son cabinet, dont la porte était restée ouverte.

Il la suivit, tout en dépliant la lettre :

« Mon cher Docteur,

« J'ai deux petites requêtes à vous adresser, et pour qu'elles ne soient pas mal reçues, je les confie au commissionnaire le moins rébarbatif que j'aie trouvé.

« Primo : Cette étourdie de Mary a sottement attendu d'être sortie de chez vous pour m'avouer qu'elle se sentait patraque depuis quelques jours, et que la toux l'avait empêchée de dormir ces dernières nuits. Auriez-vous l'amabilité de l'examiner en détail, et de lui donner quelques conseils?

« Secundo : Nous avons, à la campagne, un ancien garde-chasse qui souffre horriblement d'un rhumatisme déformant. En cette saison, c'est une véritable torture. Simon a pris en pitié le pauvre vieux et lui fait des piqûres calmantes. Nous avons toujours de la morphine dans notre pharmacie, mais les dernières crises ont complètement épuisé notre provision, et Simon m'a bien recommandé de lui en rapporter, ce qui n'est pas possible sans une autorisation de médecin. J'ai totalement oublié de vous parler de cela cet après-midi. Vous seriez bien gentil de remettre à ma séduisante commissionnaire une ordonnance, si possible *renouvelable*, pour que je puisse me procurer immédiatement *cinq ou six douzaines d'ampoules d'un centimètre cube*.

« Je vous remercie d'avance pour ce secundo. Quant au primo, mon cher Docteur, lequel de nous deux devra remercier l'autre? Vous ne devez pas manquer de clientes moins agréables à ausculter...

« Mon sympathique souvenir,

« ANNE-MARIE S. DE BATTAINCOURT.

« *P.-S.* — Vous vous demanderez peut-être pourquoi Simon ne s'adresse pas au médecin de là-bas. C'est un individu borné et sectaire, qui vote toujours contre nous et ne nous pardonne pas de lui avoir refusé la clientèle du château. Sans quoi, je vous aurais épargné cette peine.

« A. »

Antoine avait terminé sa lecture, mais il ne relevait pas encore la tête. Son premier mouvement avait été de colère : pour qui le prenait-on? Le second fut de trouver l'histoire piquante, et de s'en amuser.

Il connaissait, pour y avoir été pris lui-même, le jeu des deux glaces qui ornaient son cabinet. Tel qu'il était placé, un coude sur la cheminée, il pouvait apercevoir l'Anglaise sans bouger, rien qu'en déplaçant les pupilles sous ses paupières baissées. Ce qu'il fit. Miss Mary était assise un peu en arrière de lui; elle se dégantait; elle avait dégrafé son manteau, dégagé le buste, et regardait, avec une feinte distraction, le bout de son pied taquiner la frange d'un tapis. Elle semblait à la fois intimidée et intrépide. S'imaginant qu'il ne pouvait pas la voir sans changer de place, elle souleva brusquement ses longs cils, et lança vers lui un coup d'œil bleu et bref comme une étincelle.

Cette imprudence eut raison des derniers doutes d'Antoine, qui se retourna.

Il se mit à sourire. Il gardait la tête inclinée, parcourant une dernière fois la lettre tentatrice, qu'il replia avec lenteur. Puis, sans cesser de sourire, il se redressa, et son regard vint se poser sur celui de Mary. La rencontre de ces regards leur fut, à tous deux, perceptible comme un choc. L'Anglaise eut une seconde d'hésitation. Il ne prononça pas un mot : les paupières à demi baissées, il fit simplement « non », en tournant plusieurs fois et sans hâte la tête à droite et à gauche. Il souriait toujours. Sa physionomie était tellement expressive que Mary ne s'y méprit pas. On ne pouvait dire plus impertinemment : « Non, Mademoiselle : rien à faire, *ça ne prend pas*... Ne me croyez pas indigné : je ris, j'en ai vu bien d'autres... J'ai seulement le regret de vous dire que — même à ce prix-là — il n'y a rien à espérer de moi... »

Elle s'était levée de son siège, sans voix, le visage empourpré. Elle trébucha dans le tapis en reculant vers l'antichambre. Il la suivait, comme si rien n'eût été plus naturel que cette retraite précipitée; il continuait à s'amuser beaucoup. Elle fuyait, l'œil à terre, sans une parole, cherchant à refermer son col de sa main énervée et nue, qui paraissait exsangue auprès de ses joues en feu.

Dans le vestibule, il dut s'approcher d'elle pour lui ouvrir la porte de l'appartement. Elle esquissa une vague inclinaison de tête. Il allait lui rendre son salut, lorsqu'elle fit un geste brusque : avant qu'il eût compris ce qui se passait, elle lui avait subtilisé, avec une prestesse de pickpocket, la lettre qu'il tenait entre ses doigts, et elle avait bondi dehors.

Il dut convenir, vexé, qu'elle ne manquait ni d'adresse ni de présence d'esprit.

En regagnant son cabinet, il se demanda quelles figures ils feraient, sous peu, lorsqu'ils se retrouveraient tête à tête, l'Anglaise, la belle Anne et lui. A cette idée, il sourit de nouveau. Sur le tapis gisait un gant, qu'il ramassa, — qu'il flaira, — avant de l'envoyer gaiement dans la corbeille à papiers.

Ces Anglaises!... Huguette... Quelle allait être la vie de la petite infirme, entre ces deux femmes?

La nuit tombait.

Léon entra pour fermer les volets.

— « Mme Ernst est là? » demanda Antoine, après un coup d'œil sur l'agenda.

— « Oh, depuis longtemps, Monsieur... C'est même toute une famille : la mère, le petit garçon et le vieux papa. »

— « Bien », fit Antoine avec entrain, en soulevant la portière.

IX

Il vit, en effet, venir à lui un petit homme d'une soixantaine d'années.

— « Je vous prie, docteur, de bien vouloir me recevoir d'abord : j'aurais quelques mots à vous dire. »

L'accent était lourd, un peu traînant; l'allure timide, distinguée.

Antoine referma soigneusement la porte et désigna un siège.

— « Je suis M. Ernst... Le docteur Philip a dû vous dire... Merci », murmura-t-il en s'asseyant.

La physionomie était sympathique. Des yeux très encaissés, un regard expressif et triste, mais chaud, brillant, et jeune. Le visage, au contraire, était d'un vieillard : usé, raviné, à la fois charnu et desséché, tout en creux et en petites bosses, sans une place unie : le front, les joues, le menton, semblaient modelés, fouillés à coups de pouce. Une moustache courte et rude, gris fer, coupait la figure en deux. Sur le crâne, de rares cheveux décolorés rappelaient l'herbe qui pousse sur les dunes.

Remarqua-t-il l'examen discret d'Antoine?

— « Nous avons l'air d'être les grands-parents du petit », fit-il observer, avec mélancolie. « Nous nous sommes mariés très tard. Je suis professeur de l'Université : j'enseigne l'allemand au lycée Charlemagne. »

« Ernst », se dit Antoine, « et cet accent... Il doit être Alsacien. »

— « Sans vouloir abuser de vos instants, docteur, j'ai cru qu'il était indispensable puisque vous voulez bien vous occuper du petit, que je vous explique certaines choses, certaines choses *confidentielles...* » Il leva les yeux; une ombre les voilait. Il précisa : « Je veux dire des choses que Mme Ernst ne sait pas. »

Antoine inclina la tête en signe d'acquiescement.

— « Voyons », fit l'autre, comme s'il rassemblait son courage. (Nul doute qu'il eût préparé ce qu'il avait à dire; il se mit à parler, les yeux au loin, sans hâte mais sans précipitation, en homme qui a l'habitude de la parole.)

Antoine eut l'impression qu'Ernst préférait qu'on ne le regardât pas.

— « En 1896, docteur, j'avais quarante et un ans, j'étais professeur à Versailles. » La voix perdit de son assurance : « J'étais fiancé », dit-il, en faisant chanter l'*i;* il donnait à ces trois syllabes, comme aux notes d'un accord arpégé, une sonorité étonnante.

Il reprit plus rudement :

— « J'avais, en outre, pris passionnément parti pour le capitaine Dreyfus. Vous êtes trop jeune, docteur, pour avoir vécu ce drame de conscience... » (Il prononçait « tramme », avec une intonation rauque et solennelle.) « ...mais vous n'ignorez pas qu'à cette époque il était difficile d'être en même temps fonctionnaire et dreyfusiste militant. » Il ajouta : « J'étais de ceux qui se compromettent. » Le ton était mesuré, sans bravade, mais suffisamment ferme pour qu'Antoine devinât fort bien ce qu'avaient été, quinze ans plus tôt, l'imprudence, l'énergie et la foi de ce calme vieillard au front bossué, au menton têtu, et dont l'œil jetait encore cet éclat noir.

— « Ceci », reprit M. Ernst, « pour vous expliquer comment, à la rentrée de 96, je me suis trouvé exilé au lycée d'Alger. Quant à mon mariage... », murmura-t-il avec douceur, « ...le frère de ma fiancée, son unique parent, un officier de marine, — de marine marchande, mais peu importe, — professait des idées opposées aux miennes : nos fiançailles ont été rompues. » Visiblement, il cherchait à donner un aperçu impersonnel des faits.

Il poursuivit, d'une voix plus sourde :

— « Quatre mois après mon arrivée en Afrique, je me suis aperçu que j'étais... malade. » De nouveau, la voix parut fléchir, mais il se raidit : « Il ne faut pas avoir peur des mots : j'étais atteint de syphilis. »

« Ah, bien », songea Antoine, « ...le petit... je comprends... »

— « J'ai vu aussitôt plusieurs médecins de la Faculté d'Alger. Sur leur conseil, je me suis confié au meilleur spécialiste de là-bas. » Il hésitait à le nommer : « Un certain docteur Lohr, dont vous connaissez peut-être les travaux », fit-il enfin, sans regarder Antoine. « Le mal était pris à son début, dès l'apparition de la première, de l'unique lésion. J'étais homme à suivre avec exactitude un traitement. Même rigoureux. Je l'ai fait. Lorsque j'ai été rappelé à Paris, quatre ans plus tard, — après l'apaisement de l'affaire, le docteur Lohr m'a affirmé qu'il me considérait, depuis un an déjà, comme totalement guéri. Je l'ai cru. De fait, je n'ai jamais eu dans la suite le moindre accident, la plus légère menace de récidive. »

Il tourna la tête, posément, et chercha les yeux d'Antoine. Celui-ci fit signe qu'il écoutait avec attention.

Il ne se contentait pas d'écouter : il observait l'homme. A l'aspect, aux attitudes, il imaginait ce qu'avait pu être cette carrière laborieuse et loyale de petit professeur d'allemand. Il en avait connu de semblables. Pour celui-là, on le devinait supérieur à sa besogne. On le sentait aussi, de longue date, habitué à cette réserve, à ce repliement plein de décence qu'imposent à certaines natures de choix une situation gênée, une vie ingrate, dénuée de récompense, mais consentie d'un cœur fidèle et ferme. L'accent qu'il avait eu pour annoncer la rupture de son mariage en disait long sur ce qu'avait dû être, dans cette existence solitaire, cet amour contrarié; d'ailleurs, la chaleur contenue de certains regards révélait d'une façon émouvante, chez ce magister grisonnant, une sensibilité aussi fraîche que celle d'un adolescent.

— « Six ans après mon retour en France », poursuivit-il, « ma fiancée a perdu son frère. » Il cherchait ses mots; il murmura simplement : « J'ai pu la revoir... »

Cette fois, son trouble le contraignit à s'interrompre.

Antoine, tête baissée, attendait, discrètement. Il fut surpris d'entendre tout à coup la voix du professeur s'élever, avec un accent d'angoisse :

— « Docteur, je ne sais pas ce que vous penserez d'un homme qui a fait ce que j'ai fait... Cette maladie, ce traitement, c'était une vieille histoire qui datait de dix ans : une histoire oubliée... J'avais passé la cinquantaine... » Il soupira. « Toute ma vie, j'avais souffert d'être seul... Je vous dis les choses sans ordre, docteur... »

Antoine leva les yeux. Il avait compris, même avant d'avoir vu ce visage. Etre un homme d'étude et avoir pour fils un infirme mental, ç'aurait été déjà une mortelle épreuve. Mais qu'était-ce, auprès d'un tel supplice : le père, conscient d'être l'unique responsable, et qui, ravagé de remords, assiste, impuissant, au destin qu'il a déchaîné?

Ernst expliquait, d'une voix lasse :

— « J'ai eu des scrupules, pourtant. J'ai voulu consulter un médecin. Je l'ai presque fait. C'est-à-dire, non. Il ne faut pas avoir peur de la vérité. Je me persuadais que c'était inutile. Je me répétais ce que m'avait dit Lohr. J'ai cherché un biais. Un jour, chez un ami, j'ai rencontré un médecin, et j'ai mis la conversation là-dessus, pour me faire affirmer, encore une fois, qu'il y avait des guérisons *définitives*. Je n'en demandais pas plus pour chasser toute inquiétude... »

Il s'arrêta de nouveau :

— « Et puis, je me disais : Une femme, à cet âge-là, il n'y a plus à craindre qu'elle... qu'elle ait... un enfant... »

Un sanglot lui noua la gorge. Il n'avait pas baissé la tête; il se tenait immobile, les poings serrés, tendant si fort les muscles de son cou qu'Antoine les voyait vibrer. Deux larmes, qui ne coulèrent pas, vinrent rendre plus brillant son regard fixe. Il voulait parler. Il fit un effort, et, d'une voix entrecoupée, déchirante, il balbutia :

— « J'ai pitié... de ce petit..., docteur! »

Antoine en eut le cœur serré. Heureusement, l'intensité de l'émotion provoquait presque toujours chez lui une surexcitation enivrante, qui se traduisait aussitôt par un effréné besoin de décider quelque chose et d'agir.

Il ne balança pas une seconde.

— « Mais... Quoi donc? » fit-il, jouant la surprise. Il levait et fronçait les sourcils, se donnant l'air d'avoir très confusément suivi le récit et d'hésiter à comprendre ce que l'autre voulait dire. « Quel rapport entre ce... cet accident, qui a été soigné dès l'origine, qui a été com-plè-te-ment guéri, et... et l'infirmité — momentanée peut-être — de cet enfant? »

Ernst le considérait, pétrifié.

Le visage d'Antoine s'éclaira d'un large sourire :

— « Mon cher Monsieur, si je comprends bien, ces scrupules vous font honneur. Mais, je suis médecin, laissez-moi vous parler sans ambages : au point de vue scientifique, ils sont... absurdes! »

Le professeur s'était levé, comme pour s'avancer vers Antoine. Il restait inerte, debout, le regard tendu. Il était de ces êtres dont la vie intérieure est ample, profonde, et qui, lorsqu'une pensée lancinante s'insinue en eux, ne peuvent lui mesurer la place, lui abandonnent leur cœur entier. Depuis des années qu'il portait dans sa poitrine cet immense remords — dont il n'avait même pas osé faire la confidence à la compagne de son martyre, — c'était la première minute de répit, le premier espoir d'allégement.

Antoine devinait tout cela. Mais, craignant des questions plus précises qui l'eussent contraint à des mensonges circonstanciés et plus difficiles, il rompit délibérément les chiens. Il semblait trouver inutile de s'attarder à ces déprimantes chimères :

— « L'enfant est né avant terme? » demanda-t-il inopinément.

L'autre battit des cils :

— « L'enfant?... Avant terme?... Non... »

— « Accouchement laborieux? »

— « Très laborieux. »

— « Les fers? »

— « Oui. »

— « Ah! » fit Antoine, comme s'il était sur une piste importante. « Voilà qui explique sans doute bien des choses... » Puis, pour couper tout à fait court : « Eh bien, montrez-moi votre petit malade », dit-il en se levant, et en se dirigeant vers le salon.

Mais le professeur fit un pas rapide, lui barra la route, lui mit la main sur le bras :

— « Docteur, est-ce vrai? Est-ce vrai? Vous ne me dites pas ça, pour... Ah, docteur, donnez-moi votre parole... Votre parole, docteur... »

Antoine s'était retourné. Il vit cette face implorante où déjà le désir éperdu de croire se mêlait à une reconnaissance sans bornes. Une allégresse particulière l'envahit; l'allégresse de l'action et de la réussite; l'allégresse de la bonne action. Pour le petit, on allait voir ce qu'on pourrait faire. Mais, pour le père, pas d'hésitation : délivrer, à tout prix, ce malheureux, d'un si vain désespoir!

Alors il implanta son regard dans celui d'Ernst, et dit, gravement, à voix basse :

— « Ma parole, Monsieur. »

Puis, après un bref silence, il ouvrit la porte.

Dans le salon, une dame âgée, vêtue de noir, s'efforçait de maintenir entre ses genoux un diablotin à boucles brunes, qui, d'abord, retint seul toute l'attention d'Antoine. Au bruit de la porte, l'enfant, cessant de jouer, fixa sur cet inconnu de grands yeux noirs, intelligents; puis il sourit; puis, intimidé par son propre sourire, il se détourna d'un air offusqué.

Antoine reporta son regard sur la mère. Tant de douceur et de tristesse embellissaient ce visage fané, qu'il en fut naïvement touché, et qu'il se dit aussitôt : « Allons... Il s'agit de s'y mettre... On peut *toujours* obtenir des résultats! »

— « Voulez-vous venir par ici, Madame? »

Il souriait charitablement; il voulait, dès le seuil, faire à la pauvre femme l'aumône d'un peu de confiance. Derrière lui, il entendait le souffle oppressé du professeur. Il tenait patiemment la portière soulevée et regardait venir à lui cette mère et cet enfant. Il avait l'âme en fête. « Quel beau métier, nom de Dieu, quel beau métier! » se disait-il.

X

Jusqu'au soir, les clients se succédèrent, sans qu'Antoine prît conscience de sa fatigue ni de l'heure; chaque fois qu'il rouvrait la porte du salon, son activité rebondissait sans effort. Après avoir reconduit sa dernière cliente, — une belle jeune femme, serrant dans ses bras un bébé florissant qu'il croyait bien menacé d'une cécité à peu près complète — il fut stupéfait de s'apercevoir qu'il était huit heures. « Trop tard pour le phlegmon du petit », se dit-il; « je passerai rue de Verneuil en retournant ce soir chez Héquet. »

Il rentra dans son cabinet, ouvrit la fenêtre pour renouveler l'air, et s'approcha d'une table basse où s'empilaient des livres; il cherchait une lecture à faire pendant son repas. « Au fait », songea-t-il, « je voulais vérifier quelque chose pour le cas du petit Ernst. » Il feuilleta rapidement d'anciennes années de la *Revue de Neurologie*, pour retrouver la fameuse discussion de 1908 sur l'aphasie. « Un cas vraiment typique, ce petit », songea-t-il. « J'en parlerai à Treuillard. »

Il eut un sourire amusé en pensant à Treuillard, à ses manies légendaires. Il se rappela l'année d'internat qu'il avait passée dans le service de ce neurologue. « Comment diable étais-je entré là? » se demanda-t-il. « Il faut croire que ces questions me préoccupent depuis longtemps... Qui sait si je n'aurais pas mieux donné ma mesure en me consacrant aux maladies nerveuses et mentales? C'est un terrain où il reste encore tant à défricher... » Et brusquement se dressa devant lui l'image de Rachel. Pourquoi cette association d'idées? Rachel, qui n'avait aucune culture médicale ni scientifique, montrait, il est vrai, un goût très marqué pour tous les problèmes de psychologie; et elle avait incontestablement contribué à développer chez lui cet intérêt si vif qu'il portait maintenant aux êtres. D'ailleurs, — combien de fois l'avait-il déjà constaté? — la brève rencontre de Rachel l'avait de mille manières transformé.

Son regard devint vague, se nuança de mélancolie. Il demeurait debout, les épaules lasses, balançant entre le pouce et l'index la revue médicale. Rachel... Il ne pouvait évoquer, sans une secousse douloureuse, l'image de l'étrange créature qui avait traversé sa vie. Jamais il n'avait reçu d'elle la moindre nouvelle. Et, au fond, il n'en était pas étonné : l'idée ne lui venait pas que Rachel pût être encore vivante quelque part dans le monde. Usée par le climat, les fièvres... Victime de la tsé-tsé... Tuée dans un accident, noyée, étranglée peut-être?... Mais morte : cela ne faisait pas de doute.

Il se redressa, glissa le fascicule sous son bras, gagna l'antichambre et appela Léon pour le dîner. Alors, une boutade de Philip lui revint à la mémoire. Un jour que, après une absence du Patron, Antoine le renseignait sur les nouveaux hospitalisés dans le service, Philip, moitié figue moitié raisin, lui avait posé la main sur le bras :

— « Vous m'inquiétez, mon petit : vous vous intéressez de plus en plus à la mentalité de vos malades, et de moins en moins à leurs maladies! »

La soupière fumait sur la table. Antoine, en s'asseyant, s'aperçut qu'il était fatigué. « Quel beau métier tout de même », se dit-il.

Son entretien avec Gise lui revint une fois de plus à l'esprit; mais il ouvrit hâtivement sa revue et s'efforça d'écarter ce souvenir. En vain. L'atmosphère de cette chambre, chargée encore de la présence de Gise, s'imposait à lui comme un témoignage accablant. Il se rappela certaines obsessions de ces derniers mois. Comment avait-il pu, tout un été, caresser ce projet qui ne reposait sur rien? Il était, devant ce rêve détruit, comme devant les décombres d'une construction de théâtre dont l'effondrement ne laisse derrière lui qu'une inconsistante poussière. Il ne souffrait guère. Il ne souffrait pas. Il était seulement atteint dans son orgueil. Tout cela lui apparaissait médiocre, puéril, indigne de lui.

Le coup de timbre timide qui retentit dans l'antichambre fut une diversion bienvenue. Il posa aussitôt sa serviette et resta aux écoutes, le poing sur la nappe, prêt à se lever et à faire instantanément face à l'imprévu.

Ce furent d'abord des conciliabules, des chuchotements de femmes; enfin la porte s'ouvrit, et Léon, à la surprise d'Antoine, introduisit sans façon deux visiteuses dans la pièce. C'étaient les deux bonnes de M. Thibault. Au premier abord, Antoine ne les reconnut pas, dans l'ombre; puis, supposant tout à coup qu'elles accouraient le chercher, il se dressa si brusquement que sa chaise tomba derrière lui.

— « Non, non... », s'écrièrent les deux femmes, au comble de la confusion. « Que Monsieur Antoine fasse excuse. Nous qui pensions faire moins de dérangement en venant à cette heure-ci! »

« J'ai pensé que Père était mort », se dit Antoine, simplement; et il se rendit compte combien il était déjà préparé à accepter cette fin. L'idée, d'ailleurs plausible, d'une embolie provoquée par les troubles phlébitiques s'était immédiatement emparée de son esprit. Songeant alors au lent supplice que cet accident brutal eût évité, il ne put se défendre d'une sorte de déception.

— « Asseyez-vous », dit-il. « Je vais continuer à dîner, parce que j'ai encore des visites à faire, ce soir. »

Les deux femmes restèrent debout.

Leur mère, la vieille Jeanne, était depuis un quart de siècle cuisinière chez M. Thibault. Mais, hors d'âge, les jambes nouées de varices, avouant elle-même qu'elle n'était plus qu'un « vieux pot fêlé », elle avait cessé tout emploi; ses filles lui traînaient un fauteuil auprès du fourneau, et elle passait là ses journées, un tisonnier à la main par habitude, se donnant l'illusion suprême d'assumer encore quelque responsabilité, parce qu'elle se tenait au courant de tout, battait quelquefois la mayonnaise, et, du matin au soir, accablait ses filles de conseils, bien qu'elles eussent toutes deux passé la trentaine. Clotilde, l'aînée, forte fille, dévouée mais peu serviable, bavarde mais rude au travail, avait gardé le genre rugueux et le parler savoureux de sa mère, pour avoir été longtemps servante de ferme, au pays; c'est elle qui maintenant faisait la cuisine. L'autre, Adrienne, plus fine que son aînée, avait été élevée chez les Sœurs et toujours placée à la ville; elle aimait la lingerie, les romances, un petit bouquet sur sa table à ouvrage et les beaux offices de Saint-Thomas d'Aquin.

Comme toujours, Clotilde avait pris la parole :

— « C'est à cause de la mère, qu'on vient, Monsieur Antoine. Depuis trois, quatre jours, on voit bien qu'elle souffre, la pauvre femme. C'est une grosseur qu'elle a là, dans le devant, du côté droit. La nuit, elle ne peut plus dormir, et, quand elle va aux besoins, la bonne vieille, on l'entend qui rechigne comme un enfant. Mais elle est dure au mal, et elle ne veut rien dire, la mère! Faudrait que Monsieur Antoine vienne, sans avoir l'air de rien, — n'est-ce pas, Adrienne? — et puis tout à coup qu'il déniche lui-même la bosse, sous le tablier. »

— « C'est bien facile », dit Antoine, en tirant son carnet. « Demain j'entrerai à la cuisine, sous un prétexte quelconque. »

Adrienne, pendant que sa sœur s'expliquait, changeait l'assiette d'Antoine, avançait la corbeille à pain, s'empressait par habitude à faire le service.

Elle n'avait pas encore soufflé mot. D'une voix mal affermie, elle demanda :

— « Monsieur Antoine croit-il que... que ça peut devenir grave? »

« Une tumeur qui évolue si brusquement... », songea Antoine. « A l'âge de la vieille, risquer une opération! » Il se représenta, avec une précision cruelle, tout ce qu'il savait possible en pareil cas : le monstrueux développement du néoplasme, ses ravages, l'étouffement progressif des organes... Pis encore : l'horrible et lente décomposition de tant de morts vivants...

Le sourcil levé, la lèvre maussade, il évitait lâchement de rencontrer ce regard craintif auquel il n'aurait su mentir. Il repoussa son assiette et fit un geste évasif. Par bonheur, la grosse Clotilde, qui ne pouvait supporter un silence sans y jeter aussitôt des paroles, répondait déjà pour lui :

— « On ne peut pas dire ça d'avance, bien sûr; faut d'abord que Monsieur Antoine se rende compte. Mais je sais bien une chose : c'est que la mère de défunt mon mari, eh bien, elle a fini par mourir d'un rhume de froid sur la poitrine, après avoir eu plus de quinze ans le ventre enflé! »

XI

Un quart d'heure après, Antoine arrivait au 37 *bis* de la rue de Verneuil.

De vieux bâtiments sur une courette obscure. Au sixième, à l'entrée d'un couloir qui puait le gaz, la porte nº 3.

Robert vint ouvrir, une lampe à la main.

— « Et ton frère? »

— « Il est guéri! »

La lampe éclairait de près un regard franc, gai, un peu dur, mûri trop tôt, et tout un visage d'enfant, tendu par une énergie précoce.

Antoine sourit.

— « Voyons ça! » Et, prenant lui-même la lampe, il la souleva pour s'orienter.

Le milieu de la chambre était encombré par une table ronde, recouverte de toile cirée. Sans doute Robert était-il en train d'écrire : un grand registre était ouvert entre une fiole d'encre débouchée et une pile d'assiettes, sur laquelle un quignon de pain et deux pommes composaient une humble « nature morte ». La chambre était en ordre; presque confortable. Il y faisait chaud. Sur le petit fourneau devant la cheminée, une bouillotte ronronnait.

Antoine s'avança vers le haut lit d'acajou qui occupait le fond de la chambre :

— « Tu dormais, toi? »

— « Non, M'sieur. »

Le malade, qui visiblement venait de s'éveiller en sursaut, s'était dressé sur son coude valide, et il écarquillait les yeux, en souriant sans timidité.

Le pouls était calme. Antoine déposa sur la table de nuit la boîte de gaze qu'il avait apportée et commença à défaire le pansement.

— « Qu'est-ce qui bout, sur ton poêle? »

— « De l'eau. » Robert rit : « On allait se faire du tilleul que la concierge m'a donné. » Tout à coup il cligna de l'œil : « Vous en voulez, dites? Avec du sucre? Oh, si, M'sieur! Dites oui! »

— « Non, non, merci », fit Antoine amusé. « Mais j'ai besoin d'eau bouillie pour laver un peu ça. Verse-m'en dans une assiette propre. Bon. On va attendre qu'elle refroidisse un peu. » Il s'assit et regarda les deux enfants qui lui souriaient comme à un ami de toujours. Il pensa : « L'air franc; mais sait-on jamais? »

Il se tourna vers l'aîné :

— « Et comment se fait-il, à votre âge, que vous habitiez là, tout seuls? »

Un geste vague, un mouvement des sourcils qui semblait dire : « Il faut bien! »

— « Que sont devenus vos parents? »

— « Oh, les parents... », fit Robert, comme si c'était vraiment une trop ancienne histoire. « Nous, on habitait avec notre tante. » Il devint songeur, et, du doigt, désigna le grand lit : « Et puis, elle est morte, en pleine nuit, le 10 août, ça fait maintenant plus d'un an. On a été rudement embêtés, n'est-ce pas, Loulou? Heureusement, on était amis avec la concierge, elle n'a rien dit au proprio, on a pu rester. »

— « Mais le loyer? »

— « On le paye. »

— « Qui? »

— « Nous. »

— « Et d'où vient l'argent? »

— « On le gagne, pardi. C'est-à-dire, moi. Parce que, lui, c'est justement, ça qui ne tourne pas rond. Faudrait lui trouver autre chose. Il est chez Brault, vous connaissez, à Grenelle? Pour faire des courses. Quarante francs par mois, pas nourri. Ça n'est pas payé, dites? Rien qu'avec les ressemelages, vous pensez! »

Il se tut et se pencha, intéressé, parce qu'Antoine

venait d'enlever les compresses. L'abcès avait très peu suppuré; le bras était désenflé; la plaie avait bon aspect.

— « Et toi? » demanda Antoine, en faisant tremper ses compresses.

— « Moi? »

— « Toi, tu gagnes bien ta vie? »

— « Oh, moi », fit Robert, sur un ton traînant qui, tout à coup, claqua comme un drapeau : « Moi... je m'débrouille! »

Antoine, surpris, leva les yeux, et croisa cette fois un regard aigu, un peu inquiétant, dans une petite figure passionnée et volontaire.

Le gamin ne demandait qu'à parler. Gagner sa vie, c'était le grand sujet, le seul qui vaille, ce vers quoi, sans répit, depuis qu'il pensait, toute sa pensée était tendue.

Il commença sur un ton volubile, pressé de tout dire, de confier ses secrets :

— « Comme petit clerc, quand la tante est morte, je ne gagnais que soixante francs par mois. Mais, maintenant, je fais aussi le Palais : ça fait cent vingt de fixe. Et puis, M. Lamy, le maître clerc, a bien voulu que je remplace le frotteur qui cirait l'étude, le matin, avant l'arrivée des clercs. Un vieux branquignol, qui ne frottait que les lendemains de boue, et encore, où ça se voyait, devant les fenêtres. On n'a pas perdu au change, allez!... Ça me fait quatre-vingt-cinq francs de plus. Et moi, ça m'amuse, la patinoire!... » Il sifflota. « Et puis, ça n'est pas tout... J'ai encore d'autres trucs. »

Il hésita un peu et attendit qu'Antoine eût de nouveau tourné la tête vers lui; d'un coup d'œil, il parut jauger définitivement son homme. Quoique rassuré sans doute, il crut néanmoins prudent de commencer par un préambule :

— « Je vous raconte ça, à vous, parce que je sais que je peux. Mais n'ayez jamais l'air de savoir, hein? » Puis, élevant la voix, et s'enivrant peu à peu de ses confidences :

— « Vous connaissez Mme Jollin, la concierge du 3 *bis*, en face de chez vous? Eh bien, — ne dites jamais ça, — cette bonne femme-là, elle fabrique des cigarettes, pour des clients... Même que, si ça vous intéressait, des fois?... Non?... Elles sont bonnes, pourtant, et douces, pas serrées. Et pas chères. Je vous en ferai goûter... En tout cas, paraît que c'est archi-défendu, ce métier-là. Alors, pour porter les paquets et toucher l'argent sans se faire pincer, il lui faut quelqu'un à la coule. Je lui fais ça, moi, sans avoir l'air de rien, de six à huit, après l'étude. Et elle, en échange, elle me donne à déjeuner tous les jours, sauf le dimanche. Et ça n'est pas une gargoteuse, rien à dire. Vous parlez d'une économie! Sans compter que, presque toujours, en payant leur facture, les clients, — c'est tous des *gros* — ils me refilent un pourboire, dix sous, vingt sous, ça dépend... Alors, vous comprenez, tout ça, bout à bout, on s'en tire... »

Une pause. Antoine, à l'intonation, devina que le gamin devait avoir une petite lueur de fierté dans les yeux. Mais il évita exprès de lever le nez.

Robert, lancé, continua gaiement :

— « Le soir, quand Louis rentre, il est fourbu, on fait la popote ici : une soupe, ou bien des œufs, du fromage, c'est vite fait; on aime mieux ça que les mastroquets, n'est-ce pas, Loulou? Et même, vous voyez, je m'amuse encore, des fois, à faire des en-têtes de pages pour le caissier. J'adore ça, les beaux titres, bien moulés, à la ronde : on ferait ça pour le plaisir. A l'étude, ils... »

— « Passe-moi les épingles doubles », interrompit Antoine. Il affectait un air indifférent, craignant que l'enfant ne prît plaisir à l'amuser par son bagou. Mais, à part lui, il songeait : « Ces gosses-là, ils méritent qu'on ne les perde pas de vue... »

Le pansement était terminé, le bras remis en écharpe. Antoine consulta sa montre :

— « Je reviendrai encore une fois demain, vers midi. Et, après ça, c'est toi qui viendras à la maison. Vendredi ou samedi, je pense que tu pourras reprendre ton travail. »

— « M... m... merci M'sieur! » lança enfin le petit malade. Sa voix, qui muait, semblait avoir pris un élan démesuré, et elle tomba si drôlement dans le silence que Robert éclata de rire; d'un rire étranglé, excessif, où se trahissait tout à coup la tension constante de ce petit être trop nerveux.

Antoine avait tiré vingt francs de son gousset :

— « Pour vous aider un peu cette semaine, les enfants ! »

Mais Robert avait fait un bond en arrière, et il levait déjà le nez en fronçant les sourcils :

— « Pensez-vous ! Jamais de la vie ! Puisque je vous dis qu'on a ce qu'il faut ! » Et, pour convaincre Antoine qui, pressé, insistait, il se décida à livrer le secret suprême : « Savez-vous combien on a déjà mis de côté, à nous deux? Une pelote ! Devinez !... Dix-sept cents ! Oui, M'sieur ! N'est-ce pas, Loulou? » Et soudain, baissant la voix comme un traître de mélodrame : « Sans compter que ça pourrait bien augmenter encore, si mon système réussit... »

Ses yeux brillèrent si fort qu'Antoine, intrigué, s'arrêta, une seconde encore, sur le seuil.

— « Un nouveau truc... Avec un courtier en vins, olives et huiles. Le frère à Bassou, un clerc de l'étude. Voilà la combine : en revenant du Palais, l'après-midi, — ça ne regarde personne, hein? — j'entre chez les bistros, les épiciers, les vins et liqueurs, et je leur fais mes offres. Faut attraper le boniment, ça viendra... N'empêche qu'en sept jours j'en ai déjà placé des estagnons ! Quarante-quatre francs de gagnés ! Et Bassou dit que, si je suis débrouillard... »

Antoine riait tout seul en descendant les six étages. Sa sympathie était conquise. Il aurait fait n'importe quoi pour ces deux gosses. « Ça ne fait rien », songea-t-il; « il faudra veiller à ce qu'ils ne deviennent pas un peu trop *débrouillards...* »

XII

Il pleuvait. Antoine prit un taxi. A mesure qu'il approchait du faubourg Saint-Honoré, sa bonne humeur s'évanouissait, son front devenait soucieux.

« Si seulement ce pouvait être fini », se dit-il, en gravissant sans entrain, pour la troisième fois de la journée, l'escalier des Héquet. Un instant, il eut l'espoir que son vœu était exaucé : la femme de chambre, qui lui ouvrit, le regarda d'une façon insolite et s'approcha vivement pour lui dire quelque chose. Mais elle était seulement chargée d'une commission secrète : Madame suppliait le docteur d'entrer la voir, lui parler, avant de se rendre auprès de l'enfant.

Il ne pouvait se dérober. La chambre était éclairée, la porte ouverte. En entrant, il aperçut la tête de Nicole, versée sur l'oreiller. Il s'approcha. Elle demeurait immobile : elle s'était assoupie. L'éveiller eût été inhumain. Elle reposait, rajeunie, délivrée; toute son angoisse et sa fatigue avaient fondu dans le sommeil. Antoine la contemplait, n'osant bouger, retenant son souffle, effrayé de lire, sur ces traits que la douleur venait à peine de déserter, tant de béatitude déjà, une telle soif d'oubli, de bonheur. La nacre des paupières abaissées, la double frange dorée des cils, cet abandon, cette langueur... Comme il était troublant, ce beau masque nu! Quelle attirance dans l'arc affaissé de cette bouche, dans ces lèvres entrouvertes, inanimées, qui n'exprimaient plus rien que la détente et l'espoir! « Pourquoi », se demandait Antoine, « pourquoi le visage endormi d'un être jeune exerce-t-il une telle fascination? Et qu'y a-t-il au fond de cette impure pitié de l'homme, toujours si prompte à s'émouvoir? »

Il fit demi-tour sur la pointe des pieds, sortit sans bruit de la pièce, et se dirigea, par le couloir, vers la chambre du bébé, dont il distinguait déjà, à travers les cloisons, le cri rauque, ininterrompu. Il dut rassembler sa volonté pour tourner le bouton, franchir ce seuil, reprendre contact avec les forces mauvaises qui siégeaient là.

Héquet était assis, les mains à plat sur le bord du berceau qu'on avait placé au milieu de la chambre et qu'il balançait gravement; de l'autre côté de la nacelle, une garde de nuit, inclinée sous son voile d'infirmière, dans une attitude d'inlassable patience professionnelle, attendait, les mains au creux de son tablier; et, debout, adossé à la cheminée, toujours empaqueté dans sa blouse de toile, Isaac Studler, les bras croisés, lissait d'une main sa barbe noire.

En voyant entrer le docteur, la garde se leva. Mais Héquet, les yeux sur l'enfant, ne parut s'apercevoir de rien. Antoine vint auprès du berceau. Alors seulement Héquet tourna la tête vers lui et soupira. Antoine avait saisi au vol la petite main brûlante qui s'agitait sur les couvertures, et aussitôt le corps du bébé s'était rétracté, comme un vermisseau qui cherche à s'enfoncer dans le sable. La figure de l'enfant était rouge, marbrée, presque aussi sombre que le sachet de glace fixé derrière l'oreille; des bouclettes de cheveux, blonds comme ceux de Nicole, mouillés par la sueur ou par les compresses, collaient au front et à la joue; l'œil était à demi clos, et, sous la paupière gonflée, la pupille, trouble, avait un reflet métallique comme celle d'un animal mort. Le va-et-vient du berceau balançait mollement la tête de droite et de gauche, et rythmait aussi les gémissements qui s'échappaient de la petite gorge enrouée.

Prévenante, la garde avait été prendre le stéthoscope; mais Antoine fit signe que ce n'était pas la peine.

— « C'est une idée de Nicole », fit alors Héquet, sur un ton étrange, à voix presque haute. Et, comme Antoine surpris ne paraissait pas comprendre, il expliqua, sans hâte : « Le berceau, vous voyez?... C'est une idée de Nicole... » Il souriait vaguement : dans son désarroi total, ces détails semblaient avoir acquis une particulière importance.

Il ajouta presque aussitôt :

— « Oui... On a été le chercher au sixième... Son petit berceau!... Au sixième, plein de poussière... Ce balancement, c'est la seule chose qui la calme un peu, vous voyez? »

Antoine le considérait avec émotion. Il comprit, à ce moment-là, que sa compassion, si intense fût-elle, n'atteindrait jamais à la mesure d'une telle douleur. Il mit la main sur le bras de Héquet.

— « Vous êtes à bout de forces, mon pauvre ami. Vous devriez aller vous étendre un peu. A quoi bon vous épuiser?... »

Studler insista :

— « La troisième nuit que tu ne dors pas! »

— « Soyez raisonnable », reprit Antoine en se penchant. « Vous aurez besoin de toute votre énergie... bientôt. » Il éprouvait un désir physique d'arracher le malheureux au contact de ce berceau, de plonger au plus vite dans l'inconscience du sommeil tant de souffrance stérile.

Héquet ne répondit pas. Il continuait à balancer l'enfant. Mais on le vit plier de plus en plus les épaules comme si le « bientôt » d'Antoine était vraiment très lourd à porter. Puis, de lui-même et sans autre instance, il se leva, pria d'un geste la garde de le remplacer auprès du berceau, et, sans essuyer ses joues trempées de larmes, il tourna la tête comme s'il cherchait quelque chose. Enfin, il s'approcha d'Antoine et fit effort pour le regarder au visage. Antoine fut frappé devoir combien l'expression de ses yeux était changée : ce regard de myope, aigu et décidé, s'était comme émoussé : il était lent à se déplacer, pesant et mou lorsqu'il se posait.

Héquet regardait Antoine. Ses lèvres remuèrent avant qu'il parlât :

— « Il faut... Il faut faire quelque chose », murmura-t-il. « Elle souffre, vous savez... A quoi bon la laisser souffrir, n'est-ce pas? Il faut avoir le courage de... de faire quelque chose... » Il se tut, parut quêter l'appui de Studler; puis, de nouveau, fixa lourdement son regard sur celui d'Antoine. « Vous, Thibault, il *faut* que vous fassiez quelque chose... » Et, comme s'il voulait éviter la réponse, il baissa la tête, traversa la chambre d'un pas flottant, et disparut.

Antoine demeura quelques secondes figé sur place. Puis il rougit brusquement. Des pensées confuses se pressaient dans sa tête.

Studler lui toucha l'épaule :

— « Eh bien? » fit-il à voix basse, en regardant Antoine. Les yeux de Studler faisaient penser à ceux de certains chevaux, ces yeux allongés et trop vastes où, dans un blanc mouillé, nage à l'aise une prunelle languide. En ce moment, son regard, comme celui d'Héquet, était fixe, exigeant.

— « Qu'est-ce que tu vas faire? » souffla-t-il.

Il y eut un bref silence pendant lequel leurs pensées se croisèrent.

— « Moi? » fit Antoine évasivement. Mais il comprit que Studler ne le tiendrait pas quitte d'une explication. « Parbleu, je sais bien... », lança-t-il tout à coup. « Et, cependant, quand il dit : *Faire quelque chose,* on ne peut même pas avoir l'air de comprendre! »

— « Chut... », fit Studler. Il jeta un coup d'œil du côté de l'infirmière, entraîna Antoine dans le couloir et ferma la porte.

— « Tu es pourtant d'avis qu'il n'y a plus rien à tenter? » demanda-t-il.

— « Rien. »

— « Et qu'il n'y a plus aucun, aucun espoir? »

— « Pas le moindre. »

— « Alors? »

Antoine, qui sentait une sourde agitation le gagner, s'embusqua dans un silence hostile.

— « Alors? » déclara Studler. « Il n'y a pas d'hésitation : il faut que ça finisse au plus tôt! »

— « Je le souhaite comme toi. »

— « Souhaiter ne suffit pas. »

Antoine releva la tête et dit fermement :

— « On ne peut pourtant rien de plus. »

— « Si! »

— « Non! »

Le dialogue avait pris un ton si tranchant que Studler se tut quelques secondes.

— « Ces piqûres... », reprit-il enfin, « ...je ne sais pas, moi... peut-être qu'en forçant la dose... »

Antoine coupa net :

— « Tais-toi donc! »

Il était en proie à une violente irritation. Studler l'observait en silence. Les sourcils d'Antoine formaient un bourrelet presque rectiligne, les muscles de la face subissaient d'involontaires contractions qui tiraillaient la bouche, et, sur son masque osseux, la peau semblait par instant onduler, comme si des frémissements nerveux se fussent propagés entre cuir et chair.

Une minute passa.

— « Tais-toi », répéta Antoine, moins brutalement. « Je te comprends. Ce désir d'en finir, nous le connaissons tous, mais ce n'est qu'une ten... tentation de débutant! Avant tout, il y a une chose : le respect de la vie! Parfaitement! Le respect de la vie... Si tu étais resté médecin, tu verrais les choses exactement comme nous les voyons tous. La nécessité de certaines lois... Une limite à notre pouvoir! Sans quoi... »

— « La seule limite, quand on se sent un homme, c'est la conscience! »

— « Eh bien, justement, la conscience! La conscience professionnelle... Mais réfléchis donc, malheureux! Le jour où les médecins s'attribueraient le droit... D'ailleurs aucun médecin, entends-tu, Isaac, aucun... »

— « Eh bien... », s'écria Studler, d'une voix sifflante.

Mais Antoine l'interrompit :

— « Héquet s'est trouvé cent fois devant des cas aussi dou... douloureux, aussi dé... désespérés que celui-ci! Pas une fois, il n'a, lui-même, volontairement, mis un terme à... Jamais! Ni Philip! Ni Rigaud! Ni Treuillard!

Ni aucun médecin digne de ce nom, tu m'entends? Jamais! »

— « Eh bien », jeta Studler, farouche, « vous êtes peut-être de grands pontifes, mais, pour moi, vous n'êtes que des jean-foutre! »

Il recula d'un pas, et la lumière du plafonnier éclaira soudain son visage. On y lisait beaucoup plus de choses que dans ses paroles : non seulement un mépris révolté, mais une sorte de défi, presque une menace, et comme une secrète détermination.

« Bon », pensa Antoine : « j'attendrai onze heures pour faire moi-même la piqûre. »

Il ne répondit rien, haussa les épaules, rentra dans la chambre, et s'assit.

La pluie qui cinglait sans trêve les persiennes, les gouttes d'eau qui frappaient en mesure le zinc de la fenêtre, et, dans la chambre, cet incessant va-et-vient du berceau dont la cadence s'était imposée aux gémissements de l'enfant, tous ces bruits entremêlés formaient dans ce calme nocturne, habité déjà par la mort, une harmonie opiniâtre, déchirante.

« Tout à l'heure, j'ai bégayé deux ou trois fois de suite », se dit Antoine, dont l'énervement ne se calmait pas. (Cela lui arrivait très rarement, et seulement lorsqu'il avait à se raidir dans une attitude artificielle, — par exemple, lorsqu'il avait à faire un mensonge difficile devant un malade trop perspicace; ou bien lorsqu'il se trouvait amené, dans la conversation, à soutenir une idée toute faite, sur laquelle il n'avait pas encore de conviction personnelle.) « C'est la faute du Calife », songea-t-il. Du coin de l'œil, il constata que le « Calife » avait repris sa place, le dos à la cheminée. Il se souvint alors d'Isaac Studler étudiant, tel qu'il l'avait rencontré, dix ans plus tôt, aux alentours de l'Ecole de Médecine. A cette époque-là, tout le Quartier latin connaissait le Calife, sa barbe de roi mède, sa voix veloutée, son rire puissant, mais aussi son caractère fanatique, séditieux, irascible, tout d'une pièce. On le croyait plus qu'un autre prédestiné à un avenir de choix. Puis, un beau jour, on apprit qu'il avait planté là ses études pour gagner immédiatement de quoi vivre; et l'on raconta qu'il avait pris à sa charge la femme et les enfants d'un de ses frères, employé de banque, qui venait de se suicider après un détournement de fonds.

Un cri plus rauque de l'enfant rompit le fil des souvenirs. Un instant, Antoine observa les contractions du bébé, s'appliquant à noter la fréquence de certains mouvements; mais il n'y avait pas de renseignements à tirer de cette gesticulation désordonnée, pas plus que des palpitations d'un poulet qu'on saigne. Alors, cette sensation de malaise, contre laquelle Antoine luttait depuis son altercation avec Studler, s'accrut soudain jusqu'à la détresse. Pour sauver la vie d'un malade en danger, il était capable de tenter n'importe quelle action téméraire, de courir personnellement n'importe quel risque; mais s'achopper ainsi à une situation sans issue, se sentir à ce point dépourvu de tout moyen d'action, n'avoir plus qu'à regarder venir l'Ennemie victorieuse, cela était au-dessus de ses forces. Et puis, dans le cas présent, l'interminable débat de ce petit être, ses cris inarticulés, ébranlaient particulièrement les nerfs. Antoine était pourtant accoutumé à voir souffrir, même les tout petits. Pourquoi, ce soir, ne parvenait-il pas à se rendre insensible? Ce qu'il y a toujours de mystérieux, d'inacceptable, dans l'agonie d'un autre être humain, lui causait, en ce moment, comme au moins préparé, une angoisse insurmontable. Il se sentait atteint jusqu'au tréfonds : atteint dans sa confiance en lui, dans sa confiance en l'action, en la science, en la vie. Ce fut, comme une vague qui le submergea. Un sinistre cortège défila devant lui : tous ceux de ses malades qu'il jugeait condamnés... Rien qu'à compter ceux qu'il avait vus depuis le matin, la liste était déjà longue : quatre ou cinq malades de l'hôpital, Huguette, le petit Ernst, le bébé aveugle, celui-ci... Et certainement, il en oubliait!... Il revit son père, cloué dans son fauteuil, et sa lèvre épaisse, mouillée de lait... Dans quelques semaines, après des jours et des nuits de douleur, le robuste vieillard, à son tour... Tous, les uns après les autres!... Et aucune raison à cette misère universelle... « Non, la vie est absurde, la vie est mauvaise! » se dit-il avec rage, comme s'il s'adressait à un interlocuteur obstinément optimiste : et cet entêté, bêtement satisfait, c'était lui, c'était l'Antoine de tous les jours.

L'infirmière se leva sans bruit.

Antoine regarda sa montre : l'heure de la piqûre... Il fut ravi d'avoir à changer de place, d'avoir à faire quelque chose; il était presque ragaillardi, déjà, à l'idée qu'il allait pouvoir s'évader bientôt.

La garde lui apportait sur un plateau tout ce qu'il fallait. Il rompit l'ampoule, y introduisit l'aiguille, emplit la seringue jusqu'au degré prescrit, et vida lui-même les trois quarts de l'ampoule dans le seau. Il sentait fixé sur lui le regard attentif de Studler.

La piqûre faite, il se rassit, le temps de constater un léger indice d'apaisement; alors il se pencha sur l'enfant, chercha une fois encore les battements du pouls qui était extrêmement faible, donna tout bas quelques instructions à la garde; puis, se levant sans hâte, il se savonna au lavabo, vint serrer en silence la main de Studler, et quitta la pièce.

Il traversa sur la pointe des pieds tout l'appartement illuminé, désert. La chambre de Nicole était fermée. A mesure qu'il s'éloignait, les plaintes de l'enfant lui semblaient diminuer. Il ouvrit et referma sans bruit la porte du vestibule. Sur le palier, il prêta l'oreille : il n'entendait plus rien. Il respira un grand coup, et, lestement, dégringola l'escalier.

Dehors, il ne put s'empêcher de tourner la tête vers la façade obscure où s'alignait, comme un soir de fête, une rangée de persiennes éclairées.

La pluie venait de cesser. Le long des trottoirs coulaient encore de rapides ruisseaux. Les rues, désertes, miroitaient à perte de vue.

Antoine eut froid, leva son col et pressa le pas.

XIII

Ce bruit d'eau, ces surfaces mouillées... Il se représenta subitement un visage trempé de larmes : Héquet, debout, et son regard insistant : « Vous, Thibault, il faut que vous fassiez quelque chose... » Vision pénible qu'il ne parvenait pas à chasser tout de suite : « Le sentiment paternel... Un sentiment qui m'est totalement inconnu, quelque effort que je fasse pour l'imaginer... » Et, brusquement, il pensa à Gise : « Un ménage... Des enfants... » Simple hypothèse, par bonheur irréalisable. Ce soir, l'idée de mariage ne lui semblait pas seulement prématurée, mais folle ! « Egoïsme ? » se demanda-t-il. « Lâcheté ? » Sa pensée dévia de nouveau : « Quelqu'un qui me juge lâche, en ce moment, c'est le Calife... » Il se revit, non sans impatience, acculé dans le couloir devant la figure ardente, vulgaire, sous le regard tenace, de Studler. Il essaya de se dérober à l'essaim d'idées qui, depuis ce moment-là, tournoyait autour de lui. « Lâche », lui était un peu désagréable; il trouva : « timoré ». « Studler m'a trouvé timoré. L'imbécile ! »

Il arrivait devant l'Elysée. Une patrouille de gardes municipaux, au pas, achevait une ronde autour du palais; il y eut un bruit de crosses sur le trottoir. Avant qu'il eût pris le temps de s'en défendre, une suite de suppositions, comparables aux images bondissantes d'un rêve, se déroula dans sa tête : Studler éloignait l'infirmière, tirait une seringue de sa poche... L'infirmière revenait, palpait le petit cadavre... Soupçons, dénonciation, refus d'inhumer, autopsie... Juge d'instruction, gardes municipaux... « Je prendrais tout sur moi », décida-t-il rapidement; et il toisa la sentinelle devant laquelle il passait. « Non », déclara-t-il avec défi, s'adressant à quelque magistrat imaginaire, « il n'y a pas eu d'autre piqûre que la mienne. J'ai forcé la dose, sciemment. Le cas était désespéré, et je revendique toute la... » Il haussa les épaules, sourit et ralentit le pas. « Je suis idiot. » Mais il sentait bien qu'il n'en avait pas fini avec ces questions. « Si je suis prêt à endosser les conséquences d'une piqûre mortelle faite par un autre, pourquoi me suis-je si catégoriquement refusé à la faire moi-même ? »

Les problèmes qu'un violent et court effort de méditation ne suffisait pas, sinon à résoudre, du moins à éclaircir, l'irritaient toujours profondément. Il se rappela son dialogue avec Studler, son emportement, ses bégaiements. Bien qu'il n'eût aucun regret de sa conduite, il éprouvait l'impression désagréable d'avoir joué un rôle et tenu des propos qui ne concordaient pas très bien avec l'ensemble de son personnage, avec un certain fond essentiel de lui-même; il avait aussi l'intuition, vague mais lancinante, que ce rôle et ces propos pourraient bien se trouver un jour en opposition avec sa manière de voir ou d'agir. Et il fallait que ce sentiment de désapprobation intérieure fût bien positif pour qu'Antoine ne parvînt pas à s'en débarrasser, car il se refusait, en général, à porter jugement sur ce qu'il avait fait; la notion de remords lui était absolument étrangère. Il aimait à s'analyser, et, depuis ces dernières années, il s'observait même avec passion; mais par pure curiosité psychologique : rien n'était plus contraire à son tempérament que de se décerner des bons ou des mauvais points.

Une question se formula, qui accrut sa perplexité : « N'aurait-il pas fallu plus d'énergie pour consentir que pour refuser ? » Lorsqu'il hésitait entre deux partis, sans trouver, à la réflexion, plus de raisons d'adopter l'un que l'autre, il choisissait en général celui qui exigeait la plus grande somme de volonté : il prétendait, après expérience, que c'était presque toujours le meilleur. Force lui fut de reconnaître que, ce soir, il avait opté pour le plus facile, et pris le chemin tout tracé.

Certaines phrases qu'il avait prononcées le hantaient.

Il avait dit à Studler : « Le respect de la vie... » On ne se méfie jamais assez des locutions consacrées. « Le respect de la vie... » *Respect* ou *fétichisme?...*

Alors lui revint à l'esprit une histoire qui l'avait frappé jadis : celle du bicéphale de Tréguineuc :

Dans un port breton où les Thibault étaient en vacances, une quinzaine d'années auparavant, la femme d'un pêcheur avait mis au monde un avorton nanti de deux têtes distinctes, parfaitement constituées. Le père et la mère avaient sommé le médecin du pays de ne pas laisser vivre le petit monstre; et, sur le refus du médecin, le père, un alcoolique notoire, s'était jeté sur le nouveau-né pour l'étouffer de ses mains; il avait fallu s'emparer de lui et l'interner. Grand émoi dans le village, intarissable sujet de conversations pour les baigneurs de la table d'hôte. Et Antoine, qui avait à cette époque seize ou dix-sept ans, se souvenait de la discussion orageuse qu'il avait eue avec M. Thibault, — l'une des premières scènes violentes entre le père et le fils, — parce que Antoine, avec l'intransigeance simpliste de la jeunesse, revendiquait pour le médecin licence de supprimer sans délai une existence aussi fatalement condamnée.

Il fut troublé de s'apercevoir qu'il n'avait pas sensiblement changé d'avis sur ce cas particulier, et se demanda : « Qu'en penserait Philip? » Aucun doute : Antoine dut s'avouer que Philip n'aurait même pas envisagé l'hypothèse de la suppression; bien plus : à supposer que le petit infirme se fût trouvé en danger, Philip aurait mis tout en œuvre pour sauver cette misérable existence. Et Rigaud pareillement. Et Terrignier, de même. Et Loisille. Tous, tous... Partout où il reste une parcelle de vie, le devoir est indiscutable. Race de terre-neuve... Il crut entendre la voix nasillarde de Philip : « Pas le droit, mon petit, pas le droit! »

Antoine s'insurgea : « Le *droit?...* Voyons, vous savez comme moi ce qu'elles valent, ces notions de droit, de devoir? Il n'y a de loi que les lois naturelles; celles-là, oui, inéluctables. Mais ces prétendues lois morales, qu'est-ce que c'est? Un faisceau d'habitudes implantées en nous depuis des siècles... Rien de plus... Autrefois, il est possible qu'elles aient été indispensables au développement social de l'homme. Mais aujourd'hui ? Peut-on raisonnablement conférer à ces anciens règlements d'hygiène et de police, je ne sais quelle vertu sacrée, le caractère d'un impératif absolu ? » Et, comme le Patron ne répondait rien, Antoine haussa les épaules, enfonça les mains dans les poches de son pardessus, et changea de trottoir.

Il marchait, sans regarder, discutant toujours, mais avec lui-même : « D'abord, c'est un fait : la morale n'existe pas pour moi. On *doit*, on *ne doit pas*, le *bien*, le *mal*, pour moi ce ne sont que des mots; des mots que j'emploie pour faire comme les autres, des valeurs qui me sont commodes dans la conversation; mais, au fond de moi, je l'ai cent fois constaté, ça ne correspond vraiment à rien de réel. Et j'ai toujours été ainsi... Non, cette dernière affirmation est de trop. Je suis ainsi depuis... » L'image de Rachel passa devant ses yeux. « ...depuis longtemps, en tout cas... » Pendant un instant, il chercha de bonne foi à démêler sur quels principes se réglait sa vie quotidienne. Il ne trouvait rien. Il hasarda, faute de mieux : « Une certaine sincérité? » Il réfléchit, et précisa : « Ou, plutôt, une certaine *clairvoyance ?* » Sa pensée était encore confuse; mais, sur le moment, il fut assez satisfait de sa découverte. « Oui. Ce n'est pas grand-chose, évidemment. Mais, quand je cherche en moi, eh bien, ce besoin de clairvoyance, c'est malgré tout un des seuls points fixes que je trouve... Il se pourrait bien que j'en aie fait, sans y penser, une sorte de principe moral, à mon usage... Cela se formulerait ainsi : *Liberté complète, à la condition de voir clair...* C'est assez dangereux, en somme. Mais cela ne me réussit pas mal. Tout dépend de la qualité du regard. Voir clair... S'observer de cet œil libre, lucide, désintéressé, qu'on acquiert dans les laboratoires. Se regarder cyniquement penser, agir. Se prendre exactement pour ce qu'on est. Comme corollaire : s'accepter tel qu'on est... Et alors ? Alors, je serais bien près de dire : tout est permis... Tout est permis, du moment qu'on n'est pas dupe de soi-même; du moment qu'on sait ce qu'on fait, et, autant que possible, pourquoi on le fait! »

Presque aussitôt, il sourit aigrement : « Le plus déroutant, c'est que, si l'on y regarde attentivement, ma vie, — cette fameuse " liberté complète " pour laquelle il n'y a ni bien ni mal, — elle est à peu près uniquement consacrée à la pratique de ce que les autres appellent le bien. Et tout ce bel affranchissement, il aboutit à quoi? A faire, non seulement ce que font les autres, mais, plus particulièrement, ce que font ceux que la morale courante appelle les meilleurs! La preuve : ce qui s'est passé ce soir... En suis-je arrivé, de fait et malgré moi, à me soumettre aux mêmes disciplines morales que tout le monde?... Philip sourirait... Je me refuse pourtant à admettre que la nécessité, pour l'homme, d'agir comme un animal social, soit plus despotique que tous ses instincts individuels! Alors, comment expliquer mon attitude de ce soir? C'est incroyable à quel point l'action peut être dissociée, indépendante du raisonnement! Car, au fond de moi-même, avouons que je donne raison à Studler. Les objections pâteuses que je lui ai servies ne comptent pour rien. C'est lui qui est logique : cette gosse souffre en pure perte; l'issue de cette horrible lutte est absolument inévitable; inévitable et imminente. Alors? Si je me contente de réfléchir, je ne vois que des avantages à hâter cette mort. Non seulement pour la petite, mais pour Mme Héquet : il est évident que, dans l'état où est la mère, le spectacle de cette interminable agonie n'est pas sans danger... Héquet, sûrement, a pensé tout ça... Et il n'y a rien à répondre : si l'on se contente de raisonner, la valeur de ces arguments n'est pas contestable... Est-ce bizarre qu'on ne puisse presque jamais se contenter de raisonnements logiques! Je ne dis pas ça pour excuser une lâcheté. Je sais bien, moi, seul en face de moi-même, que ce qui m'a obligé, ce soir, à me dérober comme je l'ai fait, ce n'est pas simplement de la lâcheté. Non. C'est quelque chose d'aussi pressant, d'aussi impérieux qu'une loi naturelle. Mais je n'arrive pas à comprendre ce que c'est... » Il passa diverses interprétations en revue. Etait-ce une de ces idées confuses — à l'existence desquelles il croyait, d'ailleurs, — qui semblent somnoler en nous sous la surface de nos idées claires, et qui, par moments, s'éveillent, se lèvent, s'emparent de la direction, déclenchent un acte, puis disparaissent sans explication dans l'arrière-fond de nous-mêmes? Ou bien, plus simplement, ne fallait-il pas admettre qu'il y a une loi morale collective, et qu'il est presque impossible à l'homme d'agir uniquement à titre d'individu?

Il lui semblait tourner en rond, les yeux bandés. Il cherchait à retrouver les termes d'une phrase, souvent citée, de Nietzsche : qu'un homme ne doit pas être un problème, mais une solution. Principe qui, jadis, lui avait paru de toute évidence, et auquel, d'année en année, il trouvait plus impossible de se conformer. Il avait déjà eu l'occasion de constater que certaines de ses déterminations (généralement les plus spontanées et souvent les plus importantes) se trouvaient en contradiction avec sa logique habituelle; au point qu'il s'était plusieurs fois demandé : « Mais suis-je vraiment celui que je crois? » Soupçon fulgurant et furtif, pareil à l'éclair qui troue une seconde les ténèbres et les laisse plus opaques après lui; soupçon qu'il écartait aussitôt, — et que, ce soir encore, il repoussa.

Les circonstances l'y aidèrent. Comme il arrivait à la rue Royale, le soupirail d'une boulangerie lui souffla au visage une odeur de pain cuit, chaude comme une haleine, qui fit subitement diversion. Il bâilla et chercha des yeux quelque brasserie éclairée; puis il eut brusquement envie d'aller jusqu'au Théâtre-Français manger quelque chose chez Zemm, — petit bar qui restait ouvert jusqu'au matin, et où il s'arrêtait quelquefois, la nuit, avant de repasser les ponts.

« Etrange, tout de même! » confessa-t-il, après un moment de silence intérieur. « On a beau douter, démolir, on a beau s'affranchir de tout, il y a, quoi qu'on veuille, une chose irréductible, une chose qu'aucun doute ne parvient à entamer : ce besoin qu'a l'homme de croire en sa raison... Je viens de m'en donner une belle preuve, depuis une heure!... » Il se sentait las et demeurait insatisfait. Il cherchait quelque axiome de tout repos qui pût lui rendre la quiétude. « Tout est conflit », accorda-t-il paresseusement; « ce n'est pas nouveau; et ce qui se passe en moi, c'est le phénomène universel, l'entrechoc de tout ce qui vit. »

Il marcha quelque temps sans songer à rien de précis. La cohue des boulevards était proche. Les rues étaient jalonnées de promeneuses nocturnes, éminemment sociables, qu'il détournait de lui avec un geste débonnaire.

Peu à peu cependant, le travail inconscient de son esprit se condensait :

« Je vis », se dit-il enfin; « voilà un fait. Autrement dit, je ne cesse pas de faire choix et d'agir. Bon. Mais ici commencent les ténèbres. *Au nom de quoi*, ce choix, cette action? Je n'en sais rien. Serait-ce au nom de cette clairvoyance à laquelle je pensais tout à l'heure? Eh bien, non... Théorie!... Au fond, jamais ce souci de lucidité n'a réellement motivé, de ma part, une décision, un acte. C'est seulement lorsque j'ai agi que cette clairvoyance entre en jeu pour justifier à mes yeux ce que j'ai fait... Et pourtant, depuis que je suis un être qui pense, je me sens mû par — mettons : par un instinct, — par une force qui me fait, presque sans interruption, choisir ceci et non cela, agir d'une façon et non d'une autre. Or, — et voilà le plus déconcertant, — je remarque que *je n'agis pas en des sens contradictoires*. Tout se passe donc exactement comme si j'étais soumis à une règle inflexible... Oui, mais quelle règle? Je l'ignore! Chaque fois que, dans un moment sérieux de ma vie, cet élan interne m'a fait choisir une direction déterminée et agir dans ce sens, j'ai eu beau me demander : *au nom de quoi?* je me suis toujours heurté à un mur noir. Je me sens bien d'aplomb, bien existant, je me sens légitime, — et pourtant en marge de toutes les lois. Je ne trouve ni dans les doctrines du passé, ni dans les philosophies contemporaines, ni en moi, aucune réponse qui soit satisfaisante pour moi; je vois nettement toutes les règles auxquelles je ne peux pas souscrire, mais je n'en vois aucune à laquelle je pourrais me soumettre; de toutes les disciplines codifiées, aucune, jamais, ne m'a paru, même de loin, s'adapter à moi, ni pouvoir expliquer ma conduite. Et, malgré tout, je vais de l'avant; je file même à bonne allure, sans hésitation, à peu près droit! Est-ce étrange! Je me fais l'effet d'un navire rapide qui suivrait hardiment sa route et dont le pilote n'aurait jamais eu de boussole... On dirait positivement que je dépends d'un ordre! Et cela, je crois même le sentir : ma nature est ordonnée. Mais, cet ordre, quel est-il?... Au demeurant, je ne me plains pas. Je suis heureux. Je ne souhaite nullement devenir autre; j'aimerais simplement comprendre en vertu de quoi je suis tel. Et il entre un brin d'inquiétude dans cette curiosité. Chaque être porte-t-il ainsi son énigme? Trouverai-je jamais la clé de la mienne? Parviendrai-je à formuler *ma* loi? Saurai-je un jour *au nom de quoi?...* »

Il pressa le pas : il apercevait, de l'autre côté de la place, l'enseigne lumineuse de Zemm, et ne pouvait plus s'intéresser qu'à sa faim.

Il s'engouffra si vite dans le couloir d'entrée qu'il trébucha contre les paniers d'huîtres qui répandaient dans le passage un amer relent de marée.

Le bar occupait le sous-sol; on y descendait par un étroit escalier en spirale, pittoresque, vaguement clandestin. A cette heure, la salle était pleine de noctambules attablés dans une buée tiède qui puait la cuisine, l'alcool, le cigare, et que brassaient en sifflant les ventilateurs. L'acajou verni et le cuir vert donnaient à cette pièce basse sans fenêtres, et toute en longueur, l'aspect d'un fumoir de paquebot.

Antoine choisit un angle, jeta son manteau sur la banquette, et s'assit. Une impression de bien-être, déjà, le pénétrait. Instantanément, par contraste, il revit, là-bas, la chambre du bébé, le petit corps mouillé de sueur se débattant en vain sous l'étreinte; il avait encore dans l'oreille la fatale cadence du berceau, pareille au martèlement d'un pied qui bat la mesure... Il se contracta, oppressé soudain.

— « Un seul couvert? »

— « Un seul. Rosbif, pain noir; et du whisky, dans un grand verre, sans soda, avec une carafe bien fraîche. »

— « Pas de soupe au fromage? »

— « Si vous voulez. »

Sur chaque table, afin d'entretenir la soif, des frites, givrées de sel et minces comme des « monnaies du pape », s'entassaient dans une coupe. Antoine mesura sa fringale au plaisir qu'il eut à croquer celles qui étaient devant lui, en attendant cette soupe au gruyère, mijotée, écumeuse, filante, et caramélée d'oignon, qui était la spécialité de l'endroit.

Non loin de lui, des gens, debout, réclamaient leur vestiaire. Une jeune femme, qui faisait partie de ce groupe tapageur, regarda vers Antoine à la dérobée; leurs yeux se croisèrent; elle lui sourit imperceptiblement. Où donc avait-il déjà rencontré ce visage d'estampe japonaise, lisse et plat, ces sourcils au trait, ces yeux minces, légèrement bridés? Il s'amusa de la façon subtile dont elle avait, à l'insu de tous, esquissé ce signe d'intelligence. Ah, c'était un modèle qu'il avait vu plusieurs fois chez Daniel de Fontanin. Dans l'ancien atelier, rue Mazarine. Maintenant, il se rappelait même très bien une certaine séance, par un après-midi d'été, très chaud : il se souvenait de l'heure, de l'éclairage, de la pose, — et du trouble qui l'avait retenu là, bien qu'il fût pressé... Il suivit la femme des yeux, jusqu'à la porte. Comment donc Daniel l'appelait-il? Un nom qui ressemblait à la marque d'un thé... Avant de disparaître, elle se retourna. Le corps aussi, dans le souvenir d'Antoine, était resté quelque chose de plat, de lisse, de nerveux...

Pendant les quelques mois où il s'était persuadé qu'il aimait Gise, il n'y avait guère eu, dans sa vie, place pour aucune femme. En réalité, depuis sa rupture avec Mme Javenne (une liaison qui avait duré deux mois et qui avait failli très mal finir), il vivait sans maîtresse. Pendant quelques secondes, il en eut un cuisant regret. Il trempa ses lèvres dans le whisky qu'on venait d'apporter, et, soulevant lui-même le couvercle de la soupière, il huma les effluves généreux qui montaient vers lui.

A ce moment, le chasseur de l'entrée vint lui remettre un papier froissé, plié en quatre. C'était un programme de music-hall. Dans un coin, griffonné au crayon :

Zemm demain soir dix heures?

— « On attend la réponse? » demanda-t-il, amusé mais perplexe.

— « Non, la dame est partie », répondit le chasseur.

Antoine était bien décidé à ne tenir aucun compte de cette convocation. Il enfouit néanmoins le papier dans sa poche et se mit à souper.

« C'est chic, la vie », songea-t-il tout à coup. Un tumulte inattendu de pensées joyeuses l'enveloppa. « Oui, j'aime la vie », affirma-t-il; il réfléchit un instant : « Et, au fond, je n'ai besoin de personne. » Le souvenir de Gise survola de nouveau. Il reconnut que, même sans amour, la vie suffisait à son bonheur. Il confessa de bonne foi que, pendant le séjour de Gise en Angleterre, il n'avait cessé de se sentir heureux loin d'elle. D'ailleurs, y avait-il jamais eu grande place pour une femme, dans son bonheur?... Rachel?... Oui, Rachel! Mais que serait-il advenu, si Rachel n'était pas partie? Et puis, ne se sentait-il pas définitivement guéri des passions de cette nature?... Le sentiment qu'il venait d'avoir pour Gise, il n'aurait plus osé, ce soir, l'appeler amour. Il chercha un autre mot. Inclination?... Un instant, encore, la pensée de Gise l'obséda. Il se promit de tirer au clair ce qui s'était passé en lui, ces derniers mois. Une chose était sûre : c'est qu'il s'était créé, à sa mesure, une certaine image de Gise, fort différente de la Gise réelle qui, cet après-midi encore... Mais il refusa de s'attarder à cette confrontation.

Il but une gorgée de whisky coupé d'eau, attaqua le rosbif, et se répéta qu'il aimait à vivre.

La vie, à ses yeux, c'était avant tout un large espace découvert où les gens actifs comme lui n'avaient qu'à s'élancer avec entrain; et, quand il disait : aimer la vie, il voulait dire : s'aimer soi-même, croire en soi. Toutefois, lorsqu'il se représentait plus particulièrement sa propre vie, elle ne lui apparaissait pas seulement comme un champ de manœuvres merveilleusement disponible, comme un ensemble infini de combinaisons possibles, mais aussi et surtout comme un chemin nettement tracé, une ligne droite qui menait infailliblement quelque part.

Il sentit qu'il venait de mettre en branle une cloche familière, dont il écoutait toujours le son avec indulgence. « Thibault? » murmurait la voix intérieure. « Il a trente-deux ans, l'âge des beaux départs!... Santé? Exceptionnelle : la résistance d'un animal jeune, en pleine vigueur... Intelligence? Souple, hardie, sans cesse en progrès... Faculté de travail? A peu près inépuisable... Aisance matérielle... Tout, enfin! Ni faiblesses ni vices! Aucune entrave à sa vocation! Et le vent en poupe! »

Il allongea les jambes, et alluma une cigarette.

Sa vocation... Depuis l'âge de quinze ans, la médecine n'avait pas cessé d'exercer sur lui une attraction singulière. Encore maintenant, il admettait comme un dogme que la science médicale était l'aboutissement de tout l'effort intellectuel, et constituait le plus clair profit de vingt siècles de tâtonnements dans toutes les voies de la connaissance, le plus riche domaine ouvert au génie de l'homme. Science illimitée dans son étendue spéculative, et néanmoins enracinée dans la plus concrète réalité, en contact direct et constant avec l'être humain. A cela, il tenait particulièrement. Jamais il n'aurait consenti à s'enfermer dans un laboratoire, à limiter son observation au champ du microscope : il aimait ce corps à corps perpétuel du médecin avec la multiforme réalité.

« Ce qu'il faudrait », reprit la voix, « c'est que Thibault travaille davantage pour lui... Ne pas se laisser paralyser par la clientèle, comme Terrignier, comme Boistelot... Trouver le temps de provoquer et de suivre des expériences, de coordonner les résultats, de dégager les lignes d'une *méthode*... » Car Antoine imaginait son avenir pareil à celui des plus grands maîtres : avant la cinquantaine, il posséderait à son actif nombre de découvertes; et, surtout, il aurait déjà jeté les bases de cette méthode personnelle, encore confuse, mais que, certains jours, il croyait bien entrevoir. « Oui, bientôt, bientôt... »

Sa pensée franchit une sorte d'espace obscur qui était

la mort de son père; au-delà, le chemin redevenait lumineux. Entre deux bouffées de cigarette, il envisagea cette mort tout autrement que d'habitude, sans appréhension aucune, sans tristesse; au contraire, comme une délivrance nécessaire, attendue, comme un élargissement de l'horizon et l'une des conditions de son essor. Cent possibilités nouvelles s'offraient à lui. « Il s'agira de faire aussitôt un choix parmi la clientèle... Se réserver des loisirs... Et puis, un aide à demeure, pour les recherches. Peut-être même un secrétaire; pas un collaborateur, non, un garçon jeune, une intelligence ouverte à tout, que je dresserais, qui me débarrasserait des besognes... Et moi, je pourrais travailler dur... M'acharner... Découvrir du neuf... Ah, oui, je suis sûr de faire de grandes choses!... » Sur sa lèvre se joua une ébauche de sourire, reflet intérieur de cet optimisme qui le dilatait.

Tout à coup il jeta sa cigarette et s'arrêta, songeur. « N'est-ce pas étrange, si l'on y pense? Ce sens moral que j'ai expulsé de ma vie, et dont je me sentais, il n'y a pas une heure, radicalement affranchi, voilà que je viens de le retrouver en moi, brusquement! Et non pas réfugié dans quelque repli obscur et inexploré de ma conscience! Non! Epanoui, au contraire, solide, indéracinable, s'étalant à la place principale, en plein centre de mon énergie et de mon activité : au cœur de ma vie professionnelle! Car il ne s'agit pas de jouer sur les mots : comme médecin, comme savant, j'ai un sens de la droiture absolument inflexible; et, sur ce point-là, je crois bien pouvoir dire que je ne transigerai jamais... Comment concilier tout ça?... Bah », se dit-il, « pourquoi toujours vouloir concilier? » En fait, il y renonça vite, et, cessant de penser avec précision, il s'abandonna lâchement au bien-être, mêlé de fatigue, qui peu à peu l'engourdissait.

Deux automobilistes venaient d'entrer et de s'installer non loin de lui. Ils étaient surchargés de manteaux qu'ils empilèrent sur la banquette. L'homme pouvait avoir vingt-cinq ans; la femme, un peu moins. Une admirable paire : tous deux élancés, vigoureux; tous deux bruns, l'œil franc, la bouche grande, la dent saine, le teint coloré par le froid. Même âge, même santé, même classe sociale, même élégance naturelle, et sans doute mêmes goûts. En tout cas, même appétit : l'un près de l'autre, au même rythme, ils mordaient à grandes bouchées dans deux sandwiches jumeaux; puis, du même geste, ils vidèrent leurs chopes de bière, réendossèrent leurs fourrures, et, sans avoir échangé un mot ni un regard, s'éloignèrent du même pas élastique. Antoine les suivit des yeux; ils suggéraient l'idée de l'entente modèle, du couple parfait.

Alors il remarqua que la salle était presque vide. Son regard consulta, dans une glace éloignée, un cadran qui se trouvait suspendu au-dessus de sa tête. « Dix heures dix? Non, c'est à l'envers. Quoi? bientôt deux heures? »

Il se leva, secouant sa torpeur. « Je serai frais demain matin », songea-t-il, penaud.

Toutefois, en remontant l'étroit escalier où le chasseur sommeillait affalé sur une marche, il eut une pensée vivace, suivie d'une évocation très précise, qui le fit sourire furtivement : « Demain soir dix heures... », se dit-il.

Il sauta dans un taxi. Cinq minutes plus tard, il entrait chez lui.

Sur la table de l'antichambre, où l'attendait le courrier du soir, s'étalait, en évidence, un papier déplié; l'écriture de Léon :

« *On a téléphoné vers une heure de chez le docteur Héquet. La petite fille est décédée.* »

Il garda quelques secondes la feuille entre les doigts et dut relire. « Une heure du matin? Après mon départ... Studler? Devant la garde? Non... Sûrement, non... Alors? Ma piqûre? Peut-être... Petite dose, pourtant. Mais le pouls était si faible... »

La surprise passée, ce qui dominait, c'était une sensation de soulagement. Pour Héquet et sa femme, si douloureuse que pût être la certitude, elle terminait du moins cette abominable attente. Il se rappela le visage de Nicole endormie. Bientôt, un petit être nouveau serait là, entre eux. La vie avait raison de tout; pas de plaie qui ne devienne cicatrice. Il prit son courrier d'un geste distrait. « Pauvres gens, tout de même », pensa-t-il, le cœur serré. « Je passerai chez eux avant l'hôpital. »

Dans la cuisine, la chatte miaulait désespérément. « Elle va m'empêcher de dormir, la sale bête », grogna Antoine; et, tout à coup, il se souvint des petits chats. Il entrouvrit la porte. La chatte se jeta dans ses jambes, éplorée, câline, se frottant contre lui avec une insistance irritée. Antoine se pencha sur le panier aux chiffons : il était vide.

N'avait-il pas dit : « Vous allez tous les noyer, n'est-ce pas ? » C'était de la vie, pourtant... Pourquoi cette différence ? *Au nom de quoi ?*

Il haussa les épaules, leva les yeux vers la pendule, et bâilla.

« Quatre heures à dormir, allons-y. »

Il tenait encore le papier de Léon; il en fit une boule qu'il lança gaiement sur l'armoire.

« Et puis, une bonne douche froide... Système Thibault : détremper la fatigue avant de se mettre au lit ! »

TABLE

TROISIÈME PARTIE

Pages

I. – Admission de Jacques à l'Ecole Normale. – Conversation d'Antoine et de Jacques. – L'affichage. – Retour de Jacques avec Daniel et Battaincourt 9

II. – La soirée chez Packmell. – Daniel fait à Jacques les honneurs du lieu. – Le dîner. Maman Juju; Paule; Mme Dolorès et l'orphelin; Daniel et Rinette. Le départ précipité de Jacques. – Daniel souffle Rinette à Ludwigson. 32

III. – Antoine reçoit la visite de M. Chasle. – L'accident de Dédette. – L'opération. – Rachel. 60

IV. – M. Chasle au commissariat. – Antoine emmène Rachel déjeuner au restaurant . . . 89

V. – Arrivée de Jacques à Maisons-Laffitte. – L'après-midi avec Gisèle. – M. Thibault annonce à ses fils son intention de modifier leur état civil. – Après dîner : visite d'Antoine et de Jacques à Mme de Fontanin; Nicole et son fiancé. 105

VI. – Jacques raconte à Jenny le mariage de Battaincourt. 129

VII. – Mme de Fontanin appelée par Jérôme à Amsterdam. 139

VIII. – Jacques et Jenny; la promenade en forêt; le baiser sur le mur 157

IX. – Un dimanche dans la chambre de Rachel; les photographies 178

X. – Jérôme à Maisons-Laffitte. – Aveux de Jenny à sa mère. 193

XI. – Antoine et Rachel au cinéma; le film africain. – Fin de soirée chez Packmell . . . 204
XII. – Jérôme retrouve Rinette 223
XIII. – Pèlerinage d'Antoine et de Rachel au cimetière du Gué-la-Rozière 238
XIV. – Départ de Rachel. – Le dernier jour au Havre. – L'adieu à la sortie du port . . . 258

QUATRIÈME PARTIE

I. – Antoine et les deux gamins rencontrés sous la porte cochère. 273
II. – Antoine fait à M. Thibault sa visite quotidienne. 280
III. – Le docteur Philip. 287
IV. – Antoine conduit le docteur Philip examiner l'enfant des Héquet 293
V. – Antoine revient chez lui pour sa consultation. – Huguette, Anne de Battaincourt, et Miss Mary. 298
VI. – Le beau Rumelles. 307
VII. – Antoine essaye d'avoir une explication avec Gise. 314
VIII. – Retour inattendu de Miss Mary. 324
IX. – Confidence de M. Ernst, professeur d'allemand 328
X. – Les deux bonnes de M. Thibault 334
XI. – Visite d'Antoine aux deux gamins. 339
XII. – Chez les Héquet, le soir, au chevet du bébé mourant. – L'altercation avec Studler . . 344
XIII. – Retour d'Antoine à pied. – Débat intérieur. – Le souper solitaire chez Zemm 352

ACHEVÉ D'IMPRIMER
PAR L'IMPRIMERIE FLOCH
MAYENNE

(6056)

LE 4 JUIN 1964

N° d'éd. : 10291. Dép. lég. : 3e trim. 1953

Imprimé en France